BULLETIN D'HISTOIRE POL
volume 21 numéro 1

AQHP / VLB Éditeur



Adresse internet : bulletinhistoirepolitique.org
Webmestre : Mathieu Gauthier-Pilote

BULLETIN D'HISTOIRE POLITIQUE
volume 21, numéro 1 – été 2012

Chaque texte publié dans la revue est évalué par deux personnes compétentes dans le domaine concerné.

La responsabilité des textes incombe uniquement à leurs auteurs.

Pour devenir membre de l'Association québécoise d'histoire politique et vous abonner à son bulletin, libellez votre chèque à l'ordre de l'Association québécoise d'histoire politique.

Faites-le parvenir à :
l'AQHP, a/s de Pierre Drouilly, département de sociologie,
UQAM, C. P. 8888, succ. Centre-ville,
Montréal (Québec), H3C 3P8

Prix de l'abonnement (3 numéros) :
étudiants : 40 $
membres : 55 $
institutions : 75 $

Le *Bulletin d'histoire politique* est coédité
par l'Association québécoise d'histoire politique et VLB Éditeur.

Il est publié trois fois par année :
à l'automne (no. 1), en hiver (no. 2) et au printemps (no. 3)

Les articles du *Bulletin d'histoire politique* sont résumés et indexés dans *America : History and Life*, *Historical Abstracts* et *Repère*

La distribution dans les librairies est assurée par ADP


Dépôt légal :
Bibliothèque nationale du Québec
ISSN 1201-0421
ISBN 978-2-89649-463-7

# Sommaire

## Deuxième dossier
## La droite québécoise hier et aujourd'hui

# Numéro régulier

## Article



## Note de lecture



## Débat

## Recension



## Parutions récentes

# Éditorial

STÉPHANE SAVARD, *codirecteur*
IVAN CAREL, *coordonnateur*

## 20 ans plus tard : un BHP renouvelé

Vingt ans. Ce n'est pas rien dans l'histoire d'une revue québécoise. Fondée à l'UQAM en 1992 dans la foulée du renouveau de l'histoire politique, le BHP n'a cessé depuis d'intéresser un public varié composé de professeurs, de chercheurs, d'étudiants, de responsables politiques, de passionnés d'histoire, etc. Ces lectrices et lecteurs ont en commun une volonté de diffuser leurs recherches ou d'approfondir leurs connaissances sur des sujets touchant surtout à l'histoire politique québécoise, mais aussi à l'histoire politique canadienne et internationale.

Depuis plusieurs années déjà, le BHP se voit porté à bout de bras par le travail accompli notamment par deux personnes de la première heure : Robert Comeau et Pierre Drouilly. Sans négliger le travail des autres collaborateurs qui ont participé aux précédents comités de rédaction depuis les dix dernières années, ces deux membres fondateurs du BHP investissent de manière bénévole un nombre considérable d'heures par semaine à la production, à la coordination et au fonctionnement de la revue. Sous leur tutelle, le BHP a poursuivi son ascension, se positionnant comme une incontournable revue d'histoire pour les chercheurs du Québec et de l'étranger. Le BHP a également maintenu son identité propre, ce qui explique sans doute son succès : il est à la fois une revue savante (de recherche) et de transfert (s'adressant à un plus large public).

Professeurs retraités de l'UQAM, Robert Comeau et Pierre Drouilly cherchent depuis quelque temps déjà à préparer une relève afin d'assurer la pérennité du BHP. Conscients de leur important rôle de passeurs, ils se sont entourés d'une équipe renouvelée qui a elle-même proposé des ajustements à la revue. En ce qui concerne son organigramme, le BHP comporte maintenant un Comité exécutif qui veille à la gestion de la revue et à la production des numéros. Parmi les membres de ce comité, signalons la présence de trois personnes qui s'occupent désormais de la direction de la revue : les deux codirecteurs, Robert Comeau et Stéphane Savard, et le coordonnateur, Ivan Carel. Le BHP a également mis sur pied un Comité de rédaction élargi composé de professeurs, d'étudiants, ainsi que d'historiens œuvrant dans le domaine extra-universitaire.

L'équipe renouvelée est désireuse de mettre de l'avant différents projets qui permettront au BHP de solidifier la nouvelle structure – surtout en ce qui concerne le poste de coordonnateur –, et d'assurer une meilleure diffusion des dossiers et articles – entre autres en augmentant nos abonnements en format papier tout en favorisant un accès limité à un format électronique. Il faut ici rassurer les lectrices et lecteurs : ces nouveaux projets doivent se faire dans le respect de la mission première du BHP, tout en publiant d'abord sous un format papier qui, à notre avis, reste pertinent et incontournable. Ceci étant dit, l'équipe renouvelée s'engage à tout mettre en œuvre pour que la revue puisse espérer un avenir prometteur et que vous, chers lectrices et lecteurs, puissiez un jour fêter avec nous les 40 ans du BHP.

Longue vie au BHP !

# Grève étudiante et « Loi 78 »

Au moment d'écrire ces lignes, la loi 78 est toujours en vigueur. Fait inusité, elle est dotée d'une date de péremption et est contestée de toutes parts. Par les juristes, par les étudiants, par les syndicats, par les artistes, mais aussi par les historiens[1]. À tel point que ceux-là mêmes à qui elle profite, en leur confiant des pouvoirs extraordinaires, rechignent à y recourir tant il est possible qu'elle soit annulée par les tribunaux dans les prochaines semaines. Un tiens valant mieux que deux tu l'auras, les manifestants arrêtés se voient plutôt sanctionnés pour des violations de règlements municipaux qu'en vertu de cette loi aux pieds d'argile. Cependant, elle agit malgré tout comme une épée de Damoclès hautement symbolique et menaçante, et c'est cela même qui a poussé, les jours suivant son adoption, des milliers de manifestants à la braver, démontrant par leur présence dans les rues son obsolescence programmée. Démontrant aussi que nombre de Québécois, étudiants ou non, sont conscients de la menace qu'elle fait peser sur l'exercice démocratique.

Mais si la loi 78 est parvenue à susciter contre elle (et contre le gouvernement qui l'a votée) l'opprobre d'une partie de la population, il n'en reste pas moins que cette contestation tintamarresque et multiforme dissimule un grave vide politique. Dès le début du conflit, le gouvernement a refusé d'y voir un mouvement politique légitime. Il ne s'agissait que de quelques consommateurs boycottant bêtement les cours qu'ils ont payés, empêchant la majorité de jouir des bénéfices de leurs « achats ». Le recours judiciaire s'inscrit dans ce refus d'aborder la question d'un point de vue politique. La loi 78 est un autre exemple de cette fuite, cette fois vers la force policière. Par son caractère répressif, elle rappelle le défunt règlement anti-manifestation adopté par le maire Jean Drapeau en 1969, règlement rapidement déclaré anticonstitutionnel. Comment se fait-il qu'un gouvernement qui démissionne de ses responsabilités à ce point puisse prétendre maîtriser la situation ?

Cette démission en deux temps ne dissimule même pas, par le mépris paternaliste que le gouvernement affiche, le refus de légitimité qu'il accorde à un mouvement qui a vu naître pourtant les plus vastes manifestations de rue de l'histoire du Québec. Comment prétendre que ces mobilisations massives qui s'érigent en tradition le 22 de chaque mois ne sont pas porteuses en soi d'une légitimité politique[2] ? Et pourtant, elles reçoivent comme réponse l'affirmation que le politique ne s'exerce qu'à l'Assemblée nationale et que la politique ne se fait légitime qu'au sein du gouvernement. Ce qui relève du pur non-sens et de l'ignorance de l'histoire et des fondements démocratiques de la pratique politique.

Enfin, le gouvernement semble aussi remettre en question l'utilité même des sciences humaines – faut-il rappeler que la majorité des étudiants en grève sont inscrits en sciences humaines – ainsi que la pertinence de cursus non utilitaristes et dont le fondement théorique et méthodologique repose sur une perspective critique (des sources, de la société, des discours, etc.). Ce faisant, en cherchant à marginaliser les étudiants en grève, il remet en question la légitimité politique de tous ceux qui osent poser un regard critique sur les choix de société proposés par le gouvernement « libéral ».

Pour l'instant, le mouvement étudiant – que l'on appelle déjà le « printemps érable » par clin d'œil au « printemps arabe » de l'année 2011 et par l'ampleur de la contestation, est resté pacifiste[3]. Il fait face pourtant à une violence réelle de la part des forces policières (près de 3 000 arrestations à ce jour), mais encore plus, à une violence extrême de la part du pouvoir[4], dans son refus de discuter et de reconnaître, nous insistons, le caractère politique du mouvement. La seule brèche dans ce discours est l'aveu du bout des lèvres de l'existence d'une opposition idéologique quant à la marchandisation du savoir et à la privatisation des services et institutions publiques. Par cet aveu, le gouvernement libéral reconnaît la nécessité de trancher le débat par des élections.

Tant que les étudiants continueront à articuler un discours politique fort et large, tant qu'ils miseront sur la quête du bien commun qui est au cœur de leur argumentation, ils pourront éviter le radicalisme[5] et on pourra être en droit d'être optimiste. Si ce lien fragile se délite à force de subir la non-reconnaissance bornée du dialogue, on pourra alors craindre que certains ne s'engagent dans des chemins déjà empruntés en d'autres temps.

Mais pour l'instant, les historiens qui, comme nous, s'intéressent au politique sous toutes ses formes (institutions, mouvements sociaux, discours, pratiques de contestation, histoire des idées et des idéologies, etc.) ne peuvent qu'être interpellés par la crise en cours, qui restera certainement dans les annales. Les historiens de l'avenir nous en feront découvrir les arcanes et les conséquences, et on peut déjà avoir hâte au dossier qui lui sera consacré dans le volume 40 du BHP…

## Notes et références

1. Voir la lettre ouverte « Une loi scélérate et une infamie » d'abord publiée dans *Le Devoir* du 19 mai 2012 et reprise dans la revue *HistoireEngagée.ca*. Voir aussi Jean-François Nadeau, « Les historiens québécois dénoncent la loi », *Le Devoir*, 18 mai 2012.
2. Sur la légitimité politique de la manifestation, voir Danielle Tartakowsky et Olivier Fillieule, *La manifestation*, Paris, Presses de Science-Po, 2008.
3. On ne peut pas considérer quelques vitrines brisées et quelques cônes brûlés comme étant nécessairement des actes de violence politique. À titre de comparaison, rappelons-nous (même si ça remonte à longtemps…) n'importe quelle manifestation de victoire sportive…
4. Plusieurs exemples peuvent être relevés afin de montrer la violence symbolique utilisée par les responsables du gouvernement libéral envers les étudiants grévistes, des interventions derrière lesquels se cache une certaine condescendance à l'égard des programmes de sciences humaines. Deux exemples nous viennent à l'esprit pour appuyer cette interprétation. Le 20 avril dernier, en voulant épater un parterre bien rempli d'hommes et de femmes d'affaires dans le cadre du Salon Plan Nord, le premier ministre Jean Charest s'est permis une pointe d'humour à l'endroit des « chercheurs d'emploi » qui manifestaient aux portes du Salon, et qui pourront bénéficier d'un bon travail… « dans le Nord autant que possible ». Par ailleurs, le 8 mai dernier, l'ancien ministre libéral de l'Éducation, Pierre Reid, commente ainsi l'échec des négociations entre les étudiants et le gouvernement : « Moi je pense que les dirigeants étudiants ont échappé le ballon, honnêtement, et que les étudiants, la base étudiante, elle est à mon avis noyautée par des gens qui ne prennent pas leurs études très au sérieux, a-t-il laissé tomber. Je pense que c'est ça le fond du problème. » (*La Tribune*, 8 mai 2012). L'hypothèse est séduisante, mais elle est historiquement fausse : toutes les recherches s'étant penchées sur les mouvements étudiants du XX^e^ siècle démontrent que leurs leaders et participants sont les plus brillants de leurs cohortes. Voir entre autres les travaux consacrés à Mai 68, ceux de Marie-Christine Granjon sur le mouvement états-unien, etc.
5. Sur le processus d'entrée en violence politique, lire l'excellent ouvrage d'Isabelle Sommier, qui fait le point sur les différentes théories et propose ses interprétations : *La violence révolutionnaire*, Paris, Presses de Science-Po, 2008.

# Premier dossier

## Présentation

# Les nationalismes celtes

ANDRÉ POULIN
*Université de Sherbrooke*

Même si l'étude des nationalismes n'est pas un domaine nouveau en histoire, comme en témoignent les querelles des trente dernières années entre pérennialistes[1] et modernistes[2], il n'en demeure pas moins qu'au Québec, paradoxalement, même si la question nationale est au cœur de la vie politique, les mouvements nationaux dans d'autres régions n'ont pas reçu l'attention qu'ils méritent. Afin de combler en partie cette lacune, ce dossier s'intéresse aux nationalismes celtes au Royaume-Uni et en France. À l'aide des exemples de l'Irlande, de l'Écosse, du Pays de Galles, des Cornouailles et de la Bretagne, il met en évidence la diversité et l'évolution contrastée de ces nationalismes.

En ouverture de ce dossier, Laurent Colantonio nous présente les nationalismes irlandais. Le pluriel utilisé ici n'est pas anodin. Comme le souligne l'auteur, il y a deux traditions nationales (nationaliste et unioniste) qui se sont construites et définies l'une par rapport à l'autre, donnant naissance à deux visions contradictoires de l'Irlande. Ces deux visions sont à l'origine des violences intercommunautaires qui ont marqué l'histoire irlandaise au cours des deux derniers siècles.

Au moment où Alex Salmond, le chef du *Scottish National Party* (SNP) et premier ministre du parlement semi-autonome écossais, annonce son désir de tenir un référendum sur l'indépendance de l'Écosse en 2014, l'article de Keith Dixon arrive à point. Ce dernier nous rappelle que le développement rapide du nationalisme écossais dans les dernières années est moins le résultat du travail du SNP que de l'impact négatif des gouvernements

Thatcher et Blair sur l'Écosse. Pour Dixon, toutefois, l'appui à l'indépendance semble solide, puisqu'il n'hésite pas à conclure son article en affirmant que : « la question qui se pose désormais n'est pas tant si l'Écosse va devenir indépendante, mais plutôt quand et sous quelles conditions ».

Au Pays de Galles et en Cornouailles, même si l'idée d'indépendance ne reçoit pas l'adhésion populaire, il s'est développé une identité nationale qui affirme ouvertement sa différence d'avec l'identité anglaise. Dans mon article sur le Pays de Galles, je mets en évidence, à travers les différentes phases de l'évolution de la question nationale, les gains obtenus par les nationalistes gallois, dont l'établissement du bilinguisme. Je parle aussi d'un aspect moins connu, le recours à des moyens illégaux pour faire avancer la cause de l'indépendance. Enfin, bien que le parlement semi-autonome gallois ne débatte pas actuellement de la question de l'indépendance, soulignons qu'il souhaite obtenir de nouveaux pouvoirs. De son côté, Bernard Deacon retrace, dans son survol de la question nationale dans les Cornouailles, le passage d'une identité anglaise à une identité cornouaillaise à travers trois « moments de cornicitude ». Il souligne toutefois que cette identité cornouaillaise n'est pas la même d'un moment de cornicitude à un autre.

John Cunningham aborde, dans son article, les conséquences de la question nationale sur le mouvement ouvrier et la gauche en Irlande de la fin du XIX^e^ siècle à 1930. En raison des divisions intercommunautaires au sujet de l'avenir constitutionnel de l'Irlande, qui affectaient inévitablement les relations entre les ouvriers catholiques et protestants, les dirigeants ouvriers ont fait de nombreuses erreurs et pris de mauvaises décisions en cherchant à éviter de se prononcer officiellement sur cette question afin de maintenir l'unité du mouvement. Cette politique fut un échec, ce qui, comme le souligne l'auteur, plaça le mouvement ouvrier et la gauche dans une position de faiblesse dans les premières années de la formation des deux états irlandais.

James Costa et Janet Muller se penchent respectivement sur la question linguistique en Écosse et en Irlande. Dans son article, James Costa revient sur l'idée souvent avancée selon laquelle la langue ne fait pas partie de l'identité écossaise. Il souligne que la difficulté de lier l'identité nationale à la langue découle du fait qu'il existe deux langues vernaculaires en Écosse, l'écossais et le gaélique. Cependant, il n'accepte pas ce constat et démontre que les deux langues vernaculaires jouent un rôle symbolique dans la construction de l'identité nationale écossaise. Janet Muller, de son côté, présente les raisons du déclin de l'irlandais sur l'île d'Erin. Selon elle, sans minimiser leurs effets néfastes, il ne faut pas attribuer uniquement le déclin de l'irlandais à l'impérialisme anglais ni à la Grande Famine, mais aussi aux dirigeants nationalistes. Ces derniers, selon Muller, n'ont pas accordé suffisamment d'importance à la défense de la langue dans leur lutte pour l'indépendance. Aujourd'hui encore, le peu d'intérêt affiché à l'endroit de la promotion de l'irlandais est visible.

Ce dossier se termine avec l'article de Sharif Gemie sur la question nationale bretonne. Même s'il n'y a pas de mouvement nationaliste fort en Bretagne, Gemie démontre qu'une identité bretonne s'est développée depuis la Révolution française. En étudiant trois relations conflictuelles qui jouèrent un rôle dans l'élaboration et la définition de la question nationale et de l'identité bretonne, l'auteur est d'avis que l'identité nationale bretonne ne s'affirme pas dans un parti politique, mais dans une éthique communautaire.

Sans prétendre à l'exhaustivité, ce dossier, issu d'une collaboration entre chercheurs québécois et européens, apporte une contribution importante à l'étude des nationalismes. Il saura sûrement éveiller la curiosité des lecteurs sur l'évolution de la question nationale au Royaume-Uni et en France et, souhaitons-le, leur permettra d'y trouver matière à réflexion sur le nationalisme québécois.

*

* *

**Notices biographiques des auteurs**

Laurent Colantonio est maître de conférences en histoire contemporaine à l'Université de Poitiers. Ses travaux actuels portent sur l'histoire du nationalisme et des mobilisations populaires en Irlande au XIX^e^ siècle, en particulier à l'époque de Daniel O'Connell, dont il prépare une biographie.

James Costa est actuellement chercheur à l'Institut français de l'éducation, à l'École Normale Supérieure de Lyon. Il a soutenu en 2010 une thèse sur les mouvements de revitalisation linguistique en Provence et en Écosse, et s'intéresse actuellement au rôle du langage dans les processus de construction de minorités et de majorités aux périphéries culturelles du monde néo-libéral.

John Cunningham est professeur à la National University of Ireland, Galway. Ses travaux portent sur l'histoire ouvrière et l'histoire locale. Ses ouvrages les plus récents sont: *A town tormented by the sea: Galway, 1790-1914* (2004) et *Unlikely radicals: Irish post-primary teachers and the ASTI, 1909-2009* (2009). Il est aussi codirecteur de la revue *Saothar: Journal of the Irish Labour History Society*.

Bernard Deacon a été professeur à l'Institute of Cornish Studies, de l'University of Exeter's Cornwall Campus, de 2001 à 2011. Auparavant, il a enseigné à l'Open University les sciences sociales et l'histoire. Il est actuellement chercheur honoraire à l'Institute of Cornish Studies. En plus d'avoir écrit de nombreux articles sur les Cornouailles, il a publié *Cornwall : A Concise History* (2007), *The Cornish Family* (2004) et *MK and the History of Cornish Nationalism* (2003).

Keith Dixon est professeur de civilisation britannique à l'Université Lumière-Lyon 2 et membre du laboratoire Triangle. Il est l'ancien Directeur de la revue universitaire *Études Écossaises* et l'auteur de nombreux articles sur la culture et la politique écossaises, ainsi que sur la politique britannique contemporaine. Ses ouvrages les plus récents sont : *Les Évangélistes du Marché* (nouvelle édition), Paris, Raisons d'Agir, 2008, *Un Abécédaire du Blairisme* (Éditions du Croquant, 2005) et *L'Autonomie Écossaise* (dir. K. Dixon), Grenoble, ELLUG, 2001.

Sharif Gemie est professeur à la Glamorgan University au Pays de Galles. Il a publié de nombreux articles sur la Bretagne et la France. Ses plus récents ouvrages sont : *Outcast Europe : Refugees and Relief Workers in an Age of Total War, 1936-48* (2012), *French Muslims : New Voices in Contemporary France* (2010) et *Brittany 1750-1950 : the Invisible Nation* (UWP, 2007). Ses recherches actuelles portent sur les réfugiés et les crises coloniales entre 1930 et 1956.

Janet Muller est directrice de POBAL, ONG qui regroupe la communauté irlandisante de l'Irlande du Nord. Elle a publié récemment *Conflict and Language Policy in Northern Ireland and Canada : A Silent War* (2010). Elle a, de plus, écrit plusieurs rapports et documents sur les lois et le développement de la langue irlandaise et a présenté ses recherches en Irlande, en Écosse, au Pays de Galles, en France, en Espagne et au Canada. Elle détient un doctorat de l'Université d'Ulster.

André Poulin est professeur associé à l'Université de Sherbrooke et chargé de cours à l'Université du Québec à Trois-Rivières. Il a publié de nombreux articles sur l'histoire du Pays de Galles et de l'Irlande. Ses recherches actuelles portent sur le conflit nord-irlandais et le mouvement républicain irlandais.

## Notes et références

1. A. D. Smith, *The Ethnic Origins of Nations*, Oxford, Blackwell, 1986.
2. E. Gellner, *Nations et nationalisme*, Paris, Payot, 1989 ; B. Anderson, *L'imaginaire national. Réflexions sur l'origine et l'essor du nationalisme*, Paris, La Découverte, 1996 et E. J. Hobsbawm, *Nations et nationalisme depuis 1780*, Paris, Gallimard, 1992.

# Nationalismes et mouvements nationaux en Irlande

LAURENT COLANTONIO
*Université de Poitiers*

Depuis la fin du XVIIIe siècle, l'Europe et les États-Unis, plus tard le reste du monde, ont été marqués du sceau de l'identification des populations à la nation[1]. Le nationalisme, comme idéologie de la souveraineté nationale, productrice de discours et de pratiques, a constitué la force motrice dans le processus de création des nations modernes. Ainsi, il peut légitimement être envisagé comme un phénomène global et planétaire, dont l'analyse enrichit notre compréhension du monde contemporain. En même temps, qu'on l'aborde dans une perspective synchronique ou diachronique, le nationalisme, loin de constituer un tout homogène, se décline suivant une large palette d'acceptions et d'expériences, en fonction des territoires, des époques et des groupes concernés.

À l'échelle de l'Irlande, la quête de l'émancipation nationale par rapport au voisin britannique recouvre toute une gamme de projets et de réalités. Le pluriel du titre de cette contribution fait écho à la diversité des voies nationalistes explorées, ainsi qu'à la pluralité des sensibilités et de modes opératoires qui s'y rapportent[2]. Il renvoie aussi à la coexistence peu pacifique, sur le sol irlandais, de deux communautés autodéfinies, *nationaliste* et *unioniste*, qui ne correspondent pas à deux versions d'un même dessein national mais, bien au contraire, à deux allégeances antagonistes. Il exprime enfin les trajectoires séparées, sinon divergentes, empruntées par les courants nationalistes au Nord et au Sud de la frontière tracée en 1920-1921.

Pourquoi le nationalisme a-t-il « certainement été la force la plus décisive dans l'histoire de l'Irlande »[3] contemporaine ? En quoi la situation présente de l'île en porte-t-elle encore profondément la trace ? L'article propose une réflexion sur l'histoire de ce phénomène majeur, envisagé non comme un principe intemporel et univoque, mais comme un processus évolutif, pluriel, qui s'inscrit dans un vaste mouvement historique dont les ramifications s'étendent bien au-delà de la seule Irlande.

L'historien qui se penche sur le (ou les) nationalisme(s) se trouve d'emblée confronté à une série de problèmes conceptuels et méthodologiques, plus ou moins spécifiques au cas irlandais, et peut difficilement s'affranchir d'une réflexion plus générale sur la nation et le sentiment national. C'est pourquoi il nous a semblé nécessaire de préciser, dans une première partie, certains de nos choix et hypothèses de travail. Nous proposerons ensuite un panorama, inévitablement succinct et partiel, des grands mouvements et des grandes phases de l'histoire des nationalismes en Irlande, en tâchant d'identifier à chaque fois pour quoi, contre qui et comment on lutte. Les discours et les pratiques des acteurs seront privilégiés. En outre, nous voudrions rester attentif aux tensions et aux discontinuités autant qu'aux convergences qui ont marqué l'histoire des mouvements nationaux en Irlande, afin d'éviter le piège du récit fondateur, continuiste et téléologique. Ce « roman national », dont l'élaboration constitue en soi un bel objet d'étude, a été pensé et conçu pour légitimer et renforcer l'unité nationale. Dans notre perspective, il est à déconstruire plutôt qu'à reproduire.

## Nations, nationalismes et sentiments nationaux

À distance des discours primordialistes souvent exprimés par les nationalistes, il est utile de rappeler que les nations ne sont pas des « donnés » immuables de l'histoire, qu'elles n'ont pas été *toujours-déjà-là*. Leur émergence exprime une manière nouvelle d'envisager le rapport de l'individu au groupe, de penser le pouvoir et la souveraineté hors des cadres anciens du droit divin, du monarque absolu ou, dans le cas irlandais, de la subordination à une puissance étrangère. Le nationalisme (comme idéologie) et les nations (telles qu'elles existent aujourd'hui) sont des constructions issues de « l'ère des révolutions » (politiques, socio-économiques, technologiques). C'est la raison pour laquelle nous retiendrons la fin du XVIII^e^ siècle comme point de départ de l'analyse[4].

« Rien de plus international, souligne l'historienne Anne-Marie Thiesse, que la formation des identités nationales »[5]. Le « caractère original » de chaque nation est élaboré à partir d'une nomenclature commune : les racines, le territoire, la langue, l'histoire et la culture, etc. Des pratiques, des croyances, des traditions, dont certaines sont inventées à partir de la fin du XVIII^e^ siècle, tandis que d'autres s'enracinent dans un passé « protonational » plus reculé[6]. Parmi ces héritages redécouverts et recomposés, l'expérience de la Réforme et de la conquête, des spoliations et des discriminations religieuses aux XVI^e^ et XVII^e^ siècles ont nourri en Irlande les discours et les imaginaires nationalistes.

Le sentiment national repose sur la conviction partagée qu'il existe une communauté « naturelle » enracinée depuis le fond des âges (« nos morts ») sur un territoire spécifique (celui de ses ancêtres) où elle est destinée à se perpétuer[7]. La solidarité entre les membres de cette « communauté imaginée » — au sens où la plupart des individus qui la composent ont conscience d'appartenir à un ensemble homogène sans s'être jamais rencontrés[8] – est réputée l'emporter sur toute autre affiliation politique ou sociale. Cette relation charnelle et tellurique à la Nation s'est avérée puissamment mobilisatrice en Irlande où, très tôt dans le XIXe siècle, l'idée nationale possède un fort pouvoir de séduction comme idéologie émancipatrice, sur des minorités intellectuelles agissantes d'abord, puis sur des groupes humains plus considérables.

Les contours et la reconnaissance de cette communauté nationale ont été sources de débats et d'affrontements : face à l'ennemi britannique (qui dénie la souveraineté de la nation irlandaise) ; parfois au sein même du groupe (comme pendant la guerre civile de 1922-1923) ; ou encore avec les unionistes, membres de l'autre communauté installée sur l'île. Inclure celle-ci à notre présentation[9], c'est retenir l'hypothèse selon laquelle il existe bien en Irlande une définition concurrente de l'*Irishness*, née de l'altérité et de la confrontation, qui a donné vie à un rameau irlandais-ulstérien du nationalisme impérial britannique. Les unionistes possèdent leur propre récit fondateur et défendent avec la même ferveur un imaginaire distinctif, inconciliable avec celui de « l'Autre », auquel pourtant il s'adosse, entre stigmatisation et imitation.

**Avant l'Acte d'Union : du « patriotisme colonial »[10] aux Irlandais Unis**

Aux XVIe et XVIIe siècles, l'Angleterre impose à l'Irlande conquise l'autorité politique et spirituelle des souverains, la confiscation des terres catholiques, redistribuées à des colons anglicans, ainsi qu'un arsenal législatif « antipapiste », les Lois pénales, qui parachève la soumission des catholiques irlandais, soit 80 % de la population[11].

Pourtant, au XVIIIe siècle, les premières contestations de l'état de sujétion dans lequel la Grande-Bretagne maintient l'Irlande apparaissent au sein de la minorité anglo-irlandaise protestante. À partir de 1759, un parti « patriote » réclame une plus large autonomie. Entre 1778 et 1782, soucieux de désamorcer les menaces d'une révolution à l'américaine ou d'une invasion française, les Britanniques concèdent la levée des restrictions commerciales, l'autonomie législative du parlement de Dublin[12] et l'abrogation d'une partie des Lois pénales. Ce premier élan national, visant à limiter l'ingérence de Londres sans remettre en question la connexion britannique, repose sur une définition très restrictive de la nation irlandaise, identifiée aux seuls protestants, sinon aux seuls anglicans, et à leurs intérêts, même si une partie des « patriotes », tel Henry Grattan, soutient certaines revendications catholiques.

En 1791, en marge du mouvement patriote, l'onde de choc de la Révolution française conduit à la création de la Société des Irlandais Unis qui défend, au nom de la liberté et de l'égalité entre tous les individus, une vision plus inclusive de la communauté nationale, au sein de laquelle catholiques et protestants trouvent également leur place. L'avocat anglican Theobald Wolfe Tone, son principal dirigeant, milite en faveur du suffrage universel masculin et de la suppression de l'ensemble des Lois pénales. En 1792 et 1793, le gouvernement, inquiet d'une possible contagion révolutionnaire, abolit la plupart des discriminations religieuses encore en vigueur. Le droit de vote est accordé aux catholiques irlandais les plus aisés, mais l'éligibilité leur est toujours refusée. Interdite en 1794, la Société des Irlandais Unis se convertit à un républicanisme révolutionnaire d'inspiration française. Elle se rapproche des *Defenders*, membres d'une autre organisation clandestine, rurale et catholique, qui témoigne d'un précoce processus de politisation populaire et se caractérise par un antiprotestantisme virulent. Sur l'île, l'alliance des Irlandais Unis et des *Defenders* agit en repoussoir pour nombre de protestants, déjà réticents face aux visées séparatistes des partisans de Wolfe Tone.

En mai 1798, l'insurrection est déclenchée. Le soutien français, tant attendu par Tone, est trop limité et trop tardif[13]. L'échec sanglant des Irlandais Unis illustre toute la difficulté de construire en Irlande un mouvement national populaire et unitaire, qui aura finalement contribué à renforcer les antagonismes confessionnels qu'il voulait transcender. Décimés, les Irlandais Unis entrent au panthéon nationaliste et Wolfe Tone acquiert le statut de père fondateur du républicanisme irlandais, dont il devient aussi le premier martyr, après s'être tranché la gorge en prison. En 1803, le soulèvement manqué de Robert Emmet constitue la queue de comète du mouvement des Irlandais Unis[14].

## L'exploration des possibles nationalistes à l'époque de l'Union (1801-1921)

L'échec de la rébellion des Irlandais Unis conduit au renforcement de la tutelle britannique. Le 1er janvier 1801, l'Acte d'Union donne naissance au Royaume-Uni de Grande-Bretagne et d'Irlande. Le Parlement de Dublin est dissous; les représentants de l'île verte rejoignent Westminster. L'Irlande est formellement intégrée au noyau central de l'Empire, mais le partenariat entre égaux n'a jamais vraiment été à l'ordre du jour et le statut de l'île n'a cessé de faire débat.

### *Le nationalisme constitutionnel, du « Repeal » au « Home Rule »*

Au XIX$^{e}$ siècle, l'option constitutionnelle recueille la plus large audience. Plusieurs formules de *self-government*, aux contours à dessein souvent vagues, ont jalonné la période de l'Union. Quel que soit le projet retenu, il prévoit *a minima* le rétablissement de la souveraineté irlandaise, par les voies légales et la pression populaire mais sans faire usage de la violence, même si le discours sur ce thème, notamment chez Charles Stewart Parnell, est parfois empreint d'une certaine ambiguïté. Si la nature du lien avec la Grande-Bretagne, une fois l'autonomie acquise, alimente le débat, il n'est jamais question d'une rupture complète avec la Couronne. Il y a bien compatibilité entre plusieurs identifications, nationale et impériale, qui, au premier abord, peuvent sembler peu conciliables[15].

Le premier XIX^e^ siècle est celui de l'émergence d'un nationalisme catholique de masse, au sein duquel l'engagement du clergé s'est avéré déterminant. Daniel O'Connell est le chef charismatique d'un mouvement qui obtient, à l'issue d'une intense campagne menée entre 1823 et 1829, la complète égalité des droits entre catholiques et protestants (*Catholic Emancipation*), mais qui échoue ensuite, malgré une mobilisation plus impressionnante encore dans les années 1840, à faire abroger l'Acte d'Union (*Repeal*) et à rétablir le parlement irlandais. L'engagement du grand nombre dans une agitation nationaliste populaire (la « conscience nationale » circule au sein de toutes les strates de la société[16]), moins élitiste dans ses formes, mais aussi mieux structuré et canalisé, constitue la grande originalité de ces années. Les paysans irlandais adhèrent, pour une somme modique, à l'Association catholique, puis à celle pour l'abrogation de l'Union ; ils participent aux *monster meetings* qui symbolisent, en marge des voies électorales et parlementaires, la reconquête de l'espace politique par les catholiques.

Il faut attendre les années 1870 pour que le Home Rule ravive le flambeau de l'autonomie. Le projet, qui domine la scène nationaliste jusqu'à la Grande Guerre, n'est pas sans faire écho au précédent, jusque dans ses formes, et dans sa volonté de conjuguer pression parlementaire et agitation populaire. Dans les années 1880, le mouvement, marqué par la personnalité de Parnell, semble en mesure de dépasser les contradictions du nationalisme irlandais : il obtient le soutien des révolutionnaires, des modérés, de l'Église catholique et des partisans des réformes agraires[17]. En 1886 et 1893, deux projets de loi prévoyant le rétablissement de la souveraineté législative irlandaise sont présentés au Parlement par le cabinet libéral de Gladstone, mais échouent face au front commun des conservateurs et des unionistes. En 1913, un 3e projet de Home Rule est rejeté par la Chambre des Lords. Toutefois, depuis 1911, le veto de la Chambre Haute n'est plus que suspensif, pour deux ans. À brève échéance, le dernier obstacle constitutionnel contre l'autonomie irlandaise devait donc être levé. Mais la Grande Guerre change la donne ; la loi est ajournée en août 1914.

### *L'option séparatiste et républicaine, un horizon d'attente longtemps minoritaire*

Plusieurs mouvements se réclamant du séparatisme républicain se succèdent au XIXe siècle, avec la même volonté de rompre radicalement avec la Couronne britannique, par tous les moyens, y compris la lutte armée et clandestine. Ils fustigent l'union de façade derrière laquelle se perpétue une situation de domination coloniale.

Précisons toutefois que l'opposition nationalisme constitutionnel/nationalisme révolutionnaire n'a jamais été absolue. La Jeune Irlande, par exemple, a d'abord été active au sein du mouvement d'O'Connell, avant de s'en distinguer et de mener la rébellion avortée de 1848. Après la Grande Famine (1846-1851)[18], la dynamique séparatiste est relancée par les *fenians* (ou Irish Republican Brotherhood) qui, à partir de 1858, se constituent en société secrète conspiratrice en Irlande et aux États-Unis, où se développe une forme de « nationalisme à distance », diasporique, caractéristique du cas irlandais[19]. Les *fenians* pratiquent le terrorisme et frappent partout où des intérêts britanniques peuvent être atteints, au Canada, en Angleterre, en Irlande. En 1867, une tentative de soulèvement échoue à Dublin. En dépit des revers successifs, l'esprit *fenian* — sacrifice et insoumission – continue d'irriguer l'imaginaire républicain fin-de-siècle.

Le séparatisme révolutionnaire est souvent associé au nationalisme culturel, porté par des intellectuels « déclassés » qui partagent une vision romantique de la communauté nationale et considèrent que la redécouverte de « l'âge d'or » de la civilisation gaélique d'avant l'invasion anglaise doit naturellement conduire à rétablir l'Irlande de demain dans son authenticité passée[20]. Dans le dernier quart du XIXe siècle, le processus volontariste « d'invention de la tradition » celtique, amorcé par Thomas Davis et la Jeune Irlande, s'enrichit avec la création de la Gaelic Athletic Association (1884) et de la Gaelic League (1893). En 1905, Arthur Griffith lance le Sinn Féin (« nous-mêmes »), un parti nationaliste plutôt modéré, qui puise à la source du *celtic revival* et ne deviendra vraiment républicain, et populaire, qu'après le soulèvement de 1916.

Cette année-là, le lundi de Pâques, quelque 1 500 insurgés, hostiles à l'engagement aux côtés des Britanniques dans la Grande Guerre, proclament la République. Les rebelles capitulent en six jours. L'ampleur de la répression – les principaux meneurs (Thomas Clarke, Patrick Pearse, James Connolly) sont exécutés – précipite le retournement d'une opinion irlandaise jusque-là restée fidèle aux promesses d'autonomie avancée. Dès lors, le soulèvement de 1916 est élevé au rang de révolution fondatrice de l'État irlandais. L'horizon d'attente séparatiste, qu'incarne désormais le Sinn Féin, supplante celle du Home Rule. En janvier 1919, la déclaration d'indépendance conduit au conflit avec la Grande-Bretagne, au cours duquel la branche armée du pouvoir auto proclamé, l'IRA (Irish Republican Army) de Michael Collins, mène la guérilla à travers le pays. À l'issue de la guerre, le traité du 6 décembre 1921 entérine la séparation de l'île en deux entités distinctes. L'Irlande du Nord demeure partie intégrante du Royaume-Uni; le reste de l'île, désormais «État Libre», se voit octroyer une «quasi-indépendance», qui n'est pas encore la République tant désirée: le lien symbolique avec la Couronne est maintenu, le souverain demeure le chef de l'État.

### *Nationalisme et question sociale*[21]

La force du nationalisme comme idéologie politique réside dans sa capacité à convaincre les populations que leurs multiples aspirations (politiques, sociales, économiques, culturelles, religieuses) se verront satisfaites dans le sillage de l'avènement de la Nation, qui «subsume [...] en son sein toutes les autres allégeances»[22]. La subordination du socio-économique au national, en particulier, est récurrente dans le discours nationaliste. Chez Daniel O'Connell, mais en l'occurrence les *fenians* ne disent pas autre chose, l'union de tous les Irlandais conduira à l'avènement de la souveraineté nationale, étape nécessaire sur le chemin de la prospérité économique et de la résolution des problèmes sociaux.

Parmi les tenants de la rupture républicaine à la fin des années 1840, James Fintan Lalor se distingue cependant par un discours social plus radical. À ses yeux, «la reconquête de nos libertés serait incomplète et vaine sans la reconquête de nos terres»[23], c'est pourquoi il appelle, sans parvenir à ses fins, à la destruction de l'ordre inégalitaire imposé par les landlords et à la redistribution des terres aux paysans, afin de les transformer en petits propriétaires. L'idée selon laquelle la résolution de la question agraire s'inscrit dans le cadre du combat pour l'émancipation nationale se concrétise à la fin des années 1870, quand Parnell, associé à l'ancien *fenian* Michael Davitt, réussit à fédérer élan nationaliste et luttes sociales au sein d'une *Irish National Land League* qui obtient en 1882 la reconnaissance des droits fondamentaux des tenanciers[24], à l'issue d'un bras de fer de trois ans avec le gouvernement. Davitt est aussi le promoteur d'un programme atypique d'émancipation des paysans, comprenant notamment la nationalisation des terres, une mesure qui ne sera pas retenue. Au contraire, en 1903, le *Wyndham Act* clôt le cycle de l'agitation agraire en facilitant l'accession des paysans à la propriété.

Des conflits sociaux, cette fois plus urbains et industriels, grandes grèves ouvrières de Belfast en 1907 et de Dublin en 1913, jalonnent les premières décennies du XX^e^ siècle. Des protestations qui n'ont pas connu de traduction politique d'envergure, malgré les efforts d'un James Connolly, syndicaliste, marxiste, personnage à la fois central et peu orthodoxe au sein de la mouvance séparatiste. Minoritaire au sein de la minorité, Connolly prend part, avec sa petite *Citizen Army*, à l'insurrection de 1916, aux côtés d'autres nationalistes révolutionnaires, dont la plupart sont loin de partager son idéal d'établir en Irlande une république socialiste. Pour Connolly, croiser le fer avec la Grande-Bretagne revenait à lutter en même temps contre l'impérialisme et contre le capitalisme, contre la sujétion nationale et contre la sujétion sociale. La décennie 1913-1923, souvent qualifiée de période de la « révolution irlandaise »[25], en référence aux ruptures politiques et institutionnelles qui la caractérisent, n'a pas débouché sur une « révolution sociale » au sens où l'entendait la minorité de révolutionnaires socialistes.

## *L'affirmation de l'unionisme*

À l'époque de l'Union, si plusieurs figures nationalistes sont issues de familles anglicanes (Parnell ou Douglas Hyde, le fondateur de la Gaelic League) et presbytériennes (John Mitchel, l'un des principaux théoriciens du séparatisme au XIXe siècle), la grande majorité des protestants, toutes catégories sociales confondues, rallie le camp unioniste, qui se dresse vent debout contre les projets successifs d'émancipation du giron britannique.

Au XVIIIe siècle, l'affirmation identitaire de l'élite anglo-irlandaise, on l'a vu, passait plutôt par la reconnaissance et la défense des institutions insulaires (le parlement de Dublin), même si, dès les années 1790, les clivages ethno-culturels s'étaient déjà traduits par de violents affrontements sectaires. Au XIXe siècle, la montée en puissance du nationalisme « vert » / catholique renforce le sentiment obsidional des protestants, pour lesquels, désormais, le salut passe par le maintien de la connexion constitutionnelle avec la Grande-Bretagne. L'unionisme se pose en garant de l'identité, et des prérogatives, de la communauté protestante. Ses partisans conjuguent la fierté d'être britanniques et le loyalisme sans failles à la Couronne avec la spécificité de leur enracinement, territorial et historique, irlandais/ulstérien.

Après 1829, face à la menace de « l'Autre » catholique qui se précise, l'unionisme devient plus que jamais une identité-refuge. Déjà, le nord-est de l'île concentre l'essentiel de ses forces. Les violences sectaires sont fréquentes, qui impliquent souvent l'Ordre d'Orange, organisation anticatholique fondée en 1795 en souvenir des victoires du roi protestant Guillaume d'Orange sur les « papistes »[26], et qui incarne la voie extrême du loyalisme. En 1885-1886, les protestants du Nord font bloc contre le projet de Home Rule et l'unionisme s'impose comme une force politique constituée et organisée. En 1912, à l'annonce du troisième projet d'autonomie, l'Ulster unioniste entre en résistance. Des rassemblements sont organisés pour signifier le refus de toute concession. Par la voix de leur chef emblématique, Edward Carson, les unionistes menacent d'établir un gouvernement provisoire de la province. En toute illégalité, une milice armée, l'Ulster Volunteer Force, est levée en janvier 1913. Lorsqu'éclate la Grande Guerre, la province est au bord de la guerre civile. Pour les unionistes d'Irlande du Nord, le soulèvement de Pâques 1916 est vécu comme une trahison supplémentaire. La mémoire protestante retient du conflit mondial le sacrifice de la 36e division d'Ulster, composée de volontaires orangistes de l'UVF, décimée au cours de l'offensive sur la Somme. En 1921, la partition, envisagée comme issue par les autorités britanniques depuis plusieurs années, devient réalité : conformément au souhait majoritaire des unionistes, six comtés du nord-est demeurent au sein du Royaume-Uni.

L'histoire de l'unionisme a longtemps été l'apanage des thuriféraires ou des ennemis de la cause loyaliste. Depuis les années 1970, dans un contexte marqué par la guerre civile, une nouvelle historiographie, distincte d'une histoire unioniste ou anti-unioniste, a largement renouvelé les perspectives et multiplié les éclairages, interrogeant notamment la construction de l'identité unioniste, son évolution, sa complexité aussi, entre *Irishness*, *Britishness* et *Scottishness*[27].

**Les nationalismes « partitionnés » : entre institutionnalisation et exacerbation**

Après 1921, les nationalismes ont continué de marquer l'histoire de l'Irlande, suivant des modalités différentes au Sud et au Nord. Dans les deux cas, le clivage politique gauche-droite et les débats socio-économiques qui ont jalonné l'histoire des démocraties occidentales au XXe siècle ont été largement masqués par le poids des héritages nationalistes ou par l'actualité des tensions communautaires.

*Les nationalistes au pouvoir*

En juin 1922, une fraction du Sinn Féin, de l'IRA et de l'opinion rejette le traité anglo-irlandais du 6 décembre 1921 et entre en dissidence, au nom de l'idéal républicain. Jusqu'en mai 1923, une guerre fratricide opposant les « pragmatiques » (favorables au Traité) aux « puristes » (minoritaires, conduits par de Valera) fait des centaines de morts, dont Michael Collins. Les vainqueurs, « pro-Traité », au pouvoir jusqu'en 1932, puis les républicains du Fianna Fáil d'Eamon De Valera (qui a accepté en 1926 de participer au jeu parlementaire, sans renier son objectif séparatiste) jettent les bases de l'État-Nation irlandais démocratique. La « nationalisation » de l'Irlande souveraine est à l'ordre du jour. L'Irlande rurale est célébrée. Le gaélique devient langue officielle, avec l'anglais, obligatoire dans le primaire, apprise par tous… mais toujours peu usitée au quotidien. L'influence de l'Église catholique est considérable. La Constitution de 1937 lui reconnaît une « position spéciale », supprimée en 1972 par référendum. Jusqu'aux années 1960, un pesant « ordre moral » est de rigueur, avec notamment censure artistique (films, livres) et interdiction du divorce (qui perdure jusqu'en 1995)[28].

La rupture avec la Grande-Bretagne est cependant loin d'être radicale. L'héritage britannique est certain dans l'organisation de la justice, de la police, de la fonction publique, ainsi que dans l'établissement d'un système parlementaire stable. L'arrivée au pouvoir du Fianna Fáil en 1932 marque une inflexion dans un sens nationaliste plus intransigeant. Le serment de fidélité à la Couronne prononcé par les parlementaires est aboli. De Valera promeut une politique économique protectionniste, visant à l'autosuffisance, marquée par la création de compagnies nationales et par une « guerre économique » avec la Grande-Bretagne (1932-1938). Pendant la Deuxième Guerre mondiale, au nom de l'indépendance vis-à-vis de l'île voisine, l'État irlandais choisit la neutralité. En 1949, la proclamation de la République constitue un aboutissement du point de vue nationaliste. La relation privilégiée avec le voisin britannique demeure mais l'Irlande quitte symboliquement le Commonwealth. Depuis, le pays connaît une sécularisation très progressive et vit au rythme de l'alternance au pouvoir de partis ou de coalitions (autour du Fianna Fáil ou du Fine Gael, respectivement successeurs des anti- et des pro-Traité de 1921) aux projets socio-économiques peu divergents, qui se revendiquent de l'héritage de la « révolution irlandaise ». La lourde défaite du Fianna Fáil aux élections générales de février 2011 semble toutefois indiquer que la crise financière pourrait durablement faire évoluer la donne politique[29].

Depuis la partition, la réunification de l'île sous l'égide de Dublin est un souhait souvent exprimé ; jusqu'en 1999, la revendication est même inscrite dans la constitution de la République[30]. Toutefois, depuis plusieurs décennies déjà, les enquêtes successives montrent que l'irrédentisme ne constitue pas un enjeu majeur dans l'opinion, ni un argument électoral de premier ordre. Le soutien de la République aux nationalistes constitutionnels[31] d'Irlande du Nord se fait discret et Dublin semble se satisfaire du statu quo actuel et du partage des responsabilités dans la province.

### *L'Irlande du nord, ou le conflit continué*

Par-delà la frontière, les unionistes représentent à l'époque de la partition les deux tiers du 1,3 million de Nord-Irlandais. En 1921, l'Ulster obtient ses propres institutions : un exécutif local et un Parlement autonome (le *Stormont*), à qui Londres laisse les coudées franches pour établir un « État protestant », au sein duquel les privilèges accordés aux protestants sont justifiés par la menace que ferait peser sur la province la (forte) minorité nationaliste, déloyale car inféodée à une puissance étrangère, le Pape, et à un pouvoir étranger, L'État Libre (puis la République) d'Irlande. Jusqu'en 1972, l'alternance politique n'existe pas et l'Ulster Unionist Party, qui bénéficie du redécoupage injuste des circonscriptions électorales, règne sans partage.

Cloisonnement communautaire et ségrégation socio-spatiale sur des bases confessionnelles n'excluent pas les tensions et les affrontements parfois meurtriers, comme entre 1920 et 1922 ou au cours de la campagne d'attentats (*border campaign*) orchestrée par l'IRA entre 1956 et 1962. En octobre 1968 et en janvier 1969, des marches pacifiques réclament la justice, la fin des «pouvoirs spéciaux» octroyés au gouvernement local en matière de maintien de l'ordre et l'abolition des discriminations (à l'emploi, public et privé, au logement, dans l'éducation) à l'encontre des catholiques. Leur violente répression constitue le point de départ d'une guerre civile larvée. Les institutions provinciales sont suspendues, l'armée britannique intervient, une fraction de l'IRA (la Provisional IRA) reprend les armes, ainsi que les paramilitaires unionistes de l'UVF et de l'UDA. «Les Troubles» ont dévasté l'Irlande du Nord et fait plus de 3 500 morts, au cours de trois décennies ponctuées par les combats de rues, les attentats, les brutalités et «bavures» policières et militaires (tel le «Bloody Sunday» de 1972).

La situation évolue dans les années 1990, à mesure que les limites de la lutte armée, le désir de paix et la lassitude des populations s'affirment. En 1998, les négociations multipartites aboutissent à l'accord dit de Belfast ou du Vendredi Saint, accepté par le Sinn Féin, l'aile politique de l'IRA. Ce texte de compromis constitue la matrice d'un processus de paix qui, bien que chaotique, semble aujourd'hui consolidé. À la violence et au «no compromise» a succédé une phase d'apaisement, de dialogue et de coopération interétatique. Depuis 2007, la situation s'est stabilisée. Si elle demeure laborieuse et encore incertaine, la cogestion de la province est désormais effective[32]. À Belfast, en une décennie, la physionomie de la ville a changé, les *checkpoints* et les patrouilles militaires ont disparu, les frontières géographiques entre les quartiers sont aisément franchissables, mais les lignes de front identitaires ne se déplacent encore que très lentement. Dans les urnes, les électeurs votent massivement en faveur de la poursuite du processus de paix mais les choix restent prioritairement déterminés par les appartenances communautaires[33]. L'Irlande du Nord, toujours très polarisée, n'est pas encore une société post-nationaliste.

## Conclusion

En Irlande, l'appel à la résistance nationale et «autochtone» face à la domination étrangère a provoqué une véritable lame de fond, laissant peu d'espace à d'autres formes d'adhésion collective à grande échelle, si ce n'est l'affirmation du « contre-projet » unioniste au nord-est de l'île. L'appartenance à la communauté gaélique d'origine (les racines, la langue, la culture), préexistante à l'invasion anglaise et qui prédisposerait l'individu dès sa naissance, constitue un argument privilégié pour se distinguer du reste du monde, surtout lorsqu'il est britannique. Le catholicisme représente l'autre référence identitaire majeure. Au XIXe siècle, il symbolise l'insoumission. Puis, dans l'Irlande Libre d'après la « révolution » (au cours de laquelle les acteurs étaient pour la plupart des « révolutionnaires catholiques »), l'Église a occupé une place de choix, en toute logique... nationaliste irlandaise. Plus près de nous, la qualification de « catholique » ou de « protestant » demeure un puissant marqueur identitaire en Irlande du Nord. Si certaines grandes figures d'origine protestante associées au nationalisme culturel (à l'instar de Davis, Hyde ou William B. Yeats) ont pris soin de dissocier appartenance confessionnelle et appartenance nationale, bien souvent les deux dimensions religieuses et ethniques de l'*Irishness* ont été profondément entremêlées.

Le nationalisme irlandais, envisagé comme idéologie de l'émancipation nationale, a aussi été abordé dans cet article comme un phénomène évolutif aux ramifications multiples, composé de mouvements qui coexistent ou se succèdent, qui proposent des solutions diverses à la question nationale, depuis l'association avec la Couronne jusqu'à la création d'un État irlandais indépendant, et qui s'appuient sur des pratiques variées, allant de l'agitation pacifique à la lutte armée. Un phénomène assez récent enfin, qui s'inscrit à la fois dans une dynamique supranationale née de « l'ère des révolutions » et dans une histoire plus spécifique, celle du « ménage à trois » constitué par la Grande-Bretagne et les deux communautés, nationaliste et unioniste, qui rivalisent en Irlande et dans la diaspora.

Les enjeux du passé (la relation au voisin britannique, les formes de la domination, la fabrique contestée de la nation irlandaise) sont distincts de ceux du présent (le difficile processus de paix au Nord ; les failles du système politique au Sud), et il ne s'agit pas, bien entendu, de les confondre. En revanche, le questionnement sur le passé, et sur le rapport entretenu par nos contemporains avec ce passé, ouvre de larges fenêtres sur la compréhension du présent. En la matière, l'étude des nationalismes et des mouvements nationaux offre un éclairage privilégié.

## Notes et références

1. L'auteur tient à remercier Fabrice Bensimon, Olivier Coquelin et Maurice Goldring pour leurs relectures attentives et leurs conseils.
2. Plusieurs auteurs ont discuté et comparé ces différents « modèles » nationalistes, en particulier : David George Boyce, *Nationalism in Ireland*, London,

Routledge, 1995 (1e éd. 1982); Tom Garvin, *The Evolution of Irish Nationalist Politics*, Dublin, Gill & Macmillan, 1981 ou encore, pour une référence plus récente: Richard English, *Irish Freedom. The History of Nationalism in Ireland*, Oxford, Macmillan, 2006.

3. Richard English, *Irish Freedom…*, *op. cit.*, p. 3.
4. Nous nous inscrivons ici dans le sillage des travaux de Ernest Gellner, *Nations et nationalisme*, Paris, Payot, 1989 (1e éd. en anglais 1983); Benedict Anderson, *L'imaginaire national. Réflexions sur l'origine et l'essor du nationalisme*, Paris, La Découverte, 1996 (1e éd. en anglais 1983) et Éric J. Hobsbawm, *Nations et nationalisme depuis 1780*, Paris, Gallimard, 1992 (1e éd. en anglais 1990).
5. Anne-Marie Thiesse, *La création des identités nationales. Europe XVIIIe-XXe siècle*, Paris, Seuil, 1999, p. 11.
6. Alors qu'Éric J. Hobsbawm et Terence Ranger (dir.), *L'invention de la tradition*, Paris, Éd. Amsterdam, 2006 (1e éd. en anglais 1983), insistent sur la rupture contemporaine, Anthony D. Smith et John Hutchinson sont les principaux représentants d'une historiographie qui met davantage l'accent sur les continuités et la *longue durée*. Sans adhérer à une vision pérennialiste de la nation, ces derniers placent les racines ethniques et les héritages culturels anciens au fondement du nationalisme et des nations modernes. Pour une récente présentation de cette approche dite «ethno-symboliste», voir Anthony D. Smith, *Ethno-Symbolism and Nationalism. A Cultural Approach*, London, Routledge, 2009.
7. Sur le besoin de «raciner» les populations, voir l'analyse de Marcel Detienne, *L'identité nationale, une énigme*, Paris, Gallimard, 2010.
8. Benedict Anderson, *L'imaginaire national…*, *op. cit.* C'est pourquoi le développement des moyens de communication de masse (l'imprimé, puis les câbles, le téléphone, la radio…) est au cœur de sa démonstration.
9. Comme nous avons choisi de le faire, après d'autres, en particulier Alvin Jackson, *Ireland, 1798-1998. War, Peace and Beyond*, Oxford, Wiley-Blackwell, 2010 (1e éd. 1999). La question a aussi été posée par des chercheurs français: André Guillaume, *L'Irlande. Une ou deux nations?*, Paris, PUF, 1987, et surtout Maurice Goldring, *Gens de Belfast. Deux peuples sans frontières*, Paris, L'Harmattan, 1994.
10. David George Boyce, *Nationalism in Ireland…*, *op. cit.*, p. 18-19.
11. Si elles ne furent pas toujours strictement appliquées, les Lois pénales possédaient une très forte valeur symbolique et vexatoire: elles excluaient les catholiques de la citoyenneté et de la propriété, leur interdisaient de posséder une arme, de devenir fonctionnaire ou magistrat, etc. Outre les «papistes», les *Dissenters* (protestants non-conformistes) étaient aussi touchés par la législation discriminatoire, à un degré moindre toutefois.
12. Les Irlandais obtiennent notamment l'abolition du Declaratory Act de 1720 et la révision de la loi Poynings de 1494, qui instituaient la subordination du parlement de Dublin à celui de Westminster.
13. En août 1798, un millier de soldats français (et avec eux W. Tone en personne) débarque près de Killala. Une précédente expédition, organisée par Hoche en 1796, s'était déjà soldée par un échec, les bateaux français n'ayant jamais réussi à accoster.

14. Emmet, exécuté le 20 septembre 1803, accède à son tour au rang de héros de la cause républicaine. Le discours qu'il prononça au cours de son procès est devenu un texte emblématique pour plusieurs générations de nationalistes révolutionnaires.
15. L'historiographie récente se montre attentive aux nuances et aux reconfigurations du sentiment national et de *l'irishness* dès lors qu'on envisage ces questions à d'autres échelles, impériales ou mondiales. Voir par exemple Pauline Collombier-Lakeman, « Ireland and the Empire : The ambivalence of Irish constitutional nationalism », *Radical History Review*, no. 104, 2009, p. 57-76. Pour une mise au point en français, je me permets de renvoyer à Laurent Colantonio, « L'Irlande, les Irlandais et l'Empire britannique à l'époque de l'Union (1801-1921) », *Histoire@Politique*, no. 14, mai-août 2011.
16. La troisième phase du processus de construction nationale conceptualisé par l'historien tchèque Miroslav Hroch est alors entamée : une étape au cours de laquelle le nationalisme devient phénomène de masse. Voir Miroslav Hroch, *Social Preconditions of National Revival in Europe*, Cambridge, Cambridge University Press, 1985. Selon Hroch, dans une première phase, une minorité d'intellectuels et de théoriciens isolés s'emploient littéralement à faire naître, ou à leurs yeux faire re-naître, la nation, à élaborer la « check list » identitaire. À l'étape suivante, un groupe étoffé de militants de la cause nationale, élargi aux classes moyennes, instruites mais souvent exclues du pouvoir politique, approfondit le travail « d'invention de la tradition » et investit l'espace politique.
17. Une « union sacrée » qui repose en partie sur l'ambiguïté du projet : l'autonomie doit-elle être envisagée comme un point d'aboutissement ou comme un tremplin vers l'indépendance et la République ? Voir l'analyse proposée par Alan O'Day, « Home Rule and the historians », dans D George Boyce and Alan O'Day (dir.), *The Making of Modern Irish History. Revisionism and the Revisionist Controversy*, London/New York, Routledge, 1996, p. 141-162.
18. Si la Grande Famine a largement contribué à briser l'élan nationaliste en Irlande pendant une décennie, l'événement a immédiatement été intégré au récit nationaliste, comme témoignage supplémentaire de l'oppression britannique. Chez les plus révolutionnaires (à l'instar de John Mitchel pour qui « Certes, le Tout-Puissant a envoyé le mildiou, mais ce sont bien les Anglais qui ont créé la Famine ») comme pour les plus modérés, la démonstration de la culpabilité britannique est centrale dans l'explication de la catastrophe.
19. L'expression « long-distance nationalism » est employée par Benedict Anderson, *The Spectre of Comparisons. Nationalism, Southeast Asia and the World*, Londres, Verso, 1998, chap. 3, p. 59-74, qui rappelle aussi que le nationalisme a souvent été une idéologie de l'exil.
20. Voir Maurice Goldring, *Pleasant the Scholar's Life. Irish Intellectuals and the Construction of the Nation State*, Londres, Serif, 1993.
21. Dans le cadre de cet article, nous nous limitons à explorer les liens entre question nationale et question sociale, mais il aurait été tout aussi pertinent d'aborder les rapports entre genre et nationalisme (notamment la question de la reproduction et des formes de la domination masculine au sein des mouvements nationalistes), ou entre souveraineté nationale et souveraineté popu-

laire (sur ce point, voir Laurent Colantonio, « Mobilisation nationale, souveraineté populaire et normalisations en Irlande », *Revue d'histoire du XIX^e^ siècle*, no. 42, 2011/1).

22. Richard English, *Irish Freedom…, op. cit.*, p. 481.
23. James Fintan Lalor, cité par Olivier Coquelin, « Lalor, Davitt et Connolly, ou l'avènement de l'aile gauche du mouvement révolutionnaire irlandais, 1846-1916 », *La Revue LISA/LISA e-journal*, 2006.
24. Les fameux trois F's : un loyer raisonnable (*Fair rent*), la garantie contre les expulsions tant que le fermage est payé (*Fixity of tenure*) et la possibilité de vendre librement son droit d'occupation du sol (*Free sale*).
25. Joop Augusteijn (dir.), *The Irish Revolution, 1913-23*, Basingstoke, Palgrave, 2002.
26. À l'issue de ce qui demeure dans l'historiographie (et la mémoire) britannique la « Glorious Revolution », le roi catholique Jacques II fut déposé et remplacé en février 1689 par son gendre, Guillaume III d'Orange, prince étranger protestant (calviniste). Le 12 juillet 1690, Guillaume remportait la bataille de la Boyne, en Irlande, contre son beau-père qui avait choisi l'île catholique pour tenter de reconquérir le trône. C'est en hommage à celui qui a écrasé les « papistes » en Irlande que l'Ordre d'Orange a choisi son nom et défile chaque année, le 12 juillet, pour commémorer sa victoire.
27. Pour un panorama de ce renouvellement de l'histoire de l'unionisme, voir Laurence M. Geary et Margaret Kelleher (dir.), *Nineteenth-Century Ireland. A Guide to Recent Research*, Dublin, UCD Press, 2005. Dans une bibliographie foisonnante, un article stimulant (Alvin Jackson, « Unionist myths », *Past and Present*, 136, 1992, p. 164-185) et quelques « classiques » : Richard English et Graham Walker (dir.), *Unionism in Modern Ireland*, Basingstoke, Palgrave Macmillan, 1996 ; James Loughlin, *Ulster Unionism and British National Identity since 1885*, Londres, Pinter, 1995 ; Frank Wright, *Two Lands on One Soil : Ulster Politics Before Home Rule*, Dublin, Gill & Macmillan, 1996 ; D. George Boyce et Alan O'Day (dir.), *Defenders of the Union. A Survey of British and Irish Unionism since 1800*, Londres, Routledge, 2001. En français, on pourra consulter Wesley Hutchinson, *Espaces de l'imaginaire unioniste nord-irlandais*, Caen, Presses universitaires de Caen, 2000. Enfin, la remarquable synthèse d'Alvin Jackson, *Ireland, 1798-1998…, op. cit.*, intègre ces acquis de la recherche dans un récit équilibré qui fait référence.
28. Pour l'ancien révolutionnaire et intellectuel Seán O'Faoláin, lui-même victime de la censure, l'Irlande indépendante qu'il a contribué à faire advenir est alors « le pire pays au monde pour les intellectuels », lettre de 1948, citée par Maurice Harmon, *Seán O'Faoláin*, London, Constable, 1994, p. 181. Dans un autre registre, la libéralisation complète de la contraception n'advient qu'en 1985, et l'avortement est toujours prohibé en 2011.
29. En effet, pour la première fois de son histoire, le *Fianna Fáil* n'est plus la principale force politique du pays à la Chambre Basse du Parlement irlandais (*Dáil Eireann*). Il ne se classe que 3^e^, obtenant 17,4 % des voix et 19 sièges, loin derrière son rival historique le *Fine Gael* (36,1 % des voix et 76 sièges), et même derrière le *Labour Party* qui pour sa part se hisse pour la 1^e^ fois au 2^e^ rang avec 19,4 % des voix et 37 sièges.

30. Suite à l'Accord de paix de 1998, les articles 2 et 3 de la Constitution irlandaise, jugés illégitimes par les unionistes, ont été amendés, supprimant toute référence explicite à l'objectif «historique» de réunification territoriale. Le texte en vigueur depuis 1937 stipulait sans réserve que «Le territoire national est constitué de l'ensemble de l'île». La nouvelle formulation présente désormais la réunification comme une hypothèse («a united Ireland») qui ne pourra se réaliser sans «le consentement de la majorité de la population», au Nord comme au Sud, et seulement par les voies pacifiques et démocratiques.
31. L'État sud-irlandais condamne le terrorisme, et l'IRA y est interdite depuis les années 1930.
32. L'accord de 1998 prévoit le partage du pouvoir et, sur cette base, la mise en place d'institutions nouvelles: un gouvernement mixte de la province, une Assemblée nord-irlandaise autonome, une coopération et un dialogue renforcés entre Belfast, Londres et Dublin. Les difficultés du passage du militaire au politique (en particulier les questions du désarmement des paramilitaires et de l'amnistie des prisonniers politiques) ont conduit à la suspension de ces institutions, en 2000, puis entre 2002 et 2007.
33. Lors des élections à la Chambre des Communes (Westminster) en 2010, les unionistes, toutes tendances confondues, ont obtenu autour de 50,5% des voix, tandis que les nationalistes en recueillaient 42%, ne laissant aux autres partis (Alliance, Green Party…) qu'environ 7,5% des suffrages. Plus récemment encore, les élections à l'Assemblée d'Irlande du Nord (Stormont) de mai 2011 ont confirmé le poids du vote communautaire: sur les 108 sièges à pourvoir, 56 ont été gagnés par les unionistes (dont 38 au DUP) et 43 par les nationalistes (dont 29 au Sinn Féin). L'Alliance Party (8 sièges) et le Green Party (1 élu) se partagent les neuf autres sièges. L'abstention (45,5%), plus forte qu'à l'accoutumée, nous invite toutefois à nuancer ce constat. N'exprime-t-elle pas en effet une forme de rejet de la polarisation traditionnelle, renforcée par le système politique issu des accords de 1998? Détails consultables sur le site *ARK Northern Ireland*.

# La longue marche du nationalisme écossais

KEITH DIXON
*Université Lumière Lyon 2*

Il serait tentant, au vu des résultats des élections législatives écossaises de mai 2011[1], de voir l'histoire du nationalisme écossais comme une longue marche vers la victoire inéluctable. Rien, bien sûr, ne serait plus faux, car, comme on le verra dans la suite de cet article, la victoire historique du Scottish National Party (SNP) et la voie que celle-ci lui ouvre vers la tenue d'un référendum sur l'indépendance, ont été rendues possibles, certes par la qualité intrinsèque du parti dirigé actuellement par Alex Salmond mais aussi par la perception de plus en plus négative des autres partis en lice de la part de l'électorat écossais. Ainsi, la période thatchérienne qui a consacré le déclin vers la marginalité du parti conservateur perçu en Écosse comme étant porteur de «valeurs étrangères» à la philosophie sociale écossaise, et la période blairiste qui a aliéné de manière peut-être aussi définitive une partie significative de l'électorat travailliste qui ne se reconnaissait pas dans le néolibéralisme guerrier d'un Premier ministre pourtant né en Écosse et flanqué d'un Chancelier de l'Échiquier issu des rangs travaillistes écossais, ont contribué à leur manière à la montée en puissance de cette autre force politique aujourd'hui dominante qu'est le nationalisme. La collaboration récente des Libéraux Démocrates à un gouvernement de coalition avec les Conservateurs semble avoir eu les mêmes effets ravageurs chez les électeurs libéraux-démocrates en Écosse et poussé certains d'entre eux dans les bras du SNP.

Mais avant d'aborder plus en détail la période la plus récente et d'interroger les possibles avenirs de l'Écosse aujourd'hui gouvernée par un parti qui prône l'indépendance et qui jouit, pour la première fois dans la courte d'histoire du parlement écossais, d'une majorité absolue des sièges – majorité que certains observateurs de la scène politique écossaise considéraient comme étant hors d'atteinte dans les conditions du système électoral introduit en 1999 – il sera nécessaire de faire un retour en arrière historique, d'abord vers la période de l'entre-deux-guerres qui a vu les premiers balbutiements d'un mouvement nationaliste encore largement groupusculaire, et ensuite vers la fin des années 1960 qui ont constitué le véritable printemps des nationalismes intrabritanniques.

### La naissance tardive du nationalisme écossais

Par rapport à d'autres petites nations européennes, l'Écosse s'éveille tardivement à la revendication nationale. Il serait sans doute erroné de confondre l'histoire du nationalisme et celle des partis nationalistes. Le nationalisme politique est résolument un phénomène du XX^e^ siècle en Écosse ; au cours du XVIII^e^ et du XIX^e^ siècles on voit effectivement des expressions individuelles ou collectives d'une conscience nationale écossaise (que ce soit, par exemple, dans la poésie de Robert Burns à la fin du XVIII^e^, ou dans les revendications de la Highland Land League dans la deuxième moitié du XIX^e^). Mais celles-ci ne prennent pas la forme d'un véritable mouvement national comme c'est le cas, par exemple, chez la voisine proche, en Irlande. Nous ne nous attarderons pas ici sur l'analyse des causes de ce « retard » historique ; il suffit de rappeler, entre autres, le poids particulier de l'Empire en Écosse et la manière dont il a servi à la fois de voie privilégiée de promotion sociale à des générations d'Écossais, mais aussi de ciment identitaire, rattachant les Écossais dans leur grande majorité à une certaine idée de l'identité britannique, protestante et impériale[2].

Il faut donc attendre la fin de la Première Guerre mondiale pour observer les premiers remous d'organisations se réclamant non pas de l'autonomie au sein du Royaume-Uni (Home Rule) — une revendication déjà soutenue par une partie de la classe politique britannique – mais de l'indépendance. Ce fut l'ambition première de la Scots National League (SNL), créée en 1920 par un petit groupe de nationalistes, dont une partie avait été formée par la Highland Land League, très fortement influencés à la fois par la pratique radicale (le soulèvement de Pâques) et les théorisations des nationalistes irlandais. Ces premiers nationalistes, dont William Gillies et Erskine of Mar, étaient à la fois celticistes, croyant à l'unicité du monde celte, et gaélicisants, considérant que le Gaélique devait devenir la langue nationale d'Écosse (alors qu'à l'époque, selon les données du recensement, moins de 3 % de la population écossaise connaissait cette langue). De l'avis d'un des historiens du nationalisme écossais de l'entre-deux-guerres, Richard Finlay, la SNL à ses débuts était « plus un club privé qu'une organisation politique »[3] et son caractère groupusculaire encourageait, dans les premières années de son existence, les prises de positions les plus excentriques. La SNL, dans ses publications au lectorat très restreint, privilégiait une vision lénifiante et flatteuse des Écossais, dotés de toutes les vertus, et n'hésitait pas à recourir aux représentations d'inspiration xénophobe pour expliquer le conflit historique entre l'Angleterre et ses voisins, écossais et irlandais en particulier. Cette vision du monde largement inspirée par les théorisations raciales, qui fait une large part à l'anglophobie mais peut chez certains individus prendre d'autres populations pour cible (les Juifs et, chez des nationalistes très conservateurs des années 1930, les immigrés irlandais), va continuer à imprégner le mouvement nationaliste écossais au cours des années 1920 et 1930 et à inspirer certains de ces dirigeants les plus en vue. Cela peut paraître surprenant puisque la plupart des activistes nationalistes penchaient plutôt à gauche pendant cette période et que parmi les dirigeants de la SNL et, par la suite, du National Party of Scotland/Scottish National Party beaucoup se définissaient comme étant à la fois socialistes et nationalistes. C'est le cas, entre autres, de William Gillies, fondateur de la SNL, de John MacLean, marxiste et collaborateur d'Erskine of Mar, qui a fondé son propre parti communiste et nationaliste, le *Scottish Workers' Republican Party*, ainsi que de Roland Muirhead, figure de proue du mouvement nationaliste dans les années 1920 et 1930.

Si la SNL introduit dans le débat politique écossais la notion de l'*indépendance* écossaise et l'exigence de se séparer des partis « britanniques » pour aller jusqu'au bout de cette revendication, l'émergence d'une force politique capable de porter ces idées ne se fait qu'entre 1928 et 1934, dates respectivement de la création du National Party of Scotland (NPS) et (après la fusion du NPS et du petit Scottish Party du très conservateur Andrew Dewar Gibb) du Scottish National Party (SNP). En effet, à partir de 1928 l'idée d'un rassemblement des forces nationalistes, allant des avocats de l'autonomie au sein du Royaume-Uni de la Scottish Home Rule Association jusqu'aux séparatistes de la SNL commence à prendre forme. De longues et difficiles négociations aboutissent à la création du National Party of Scotland en avril 1928 et marquent le début d'une activité soutenue, politique et électorale, du nationalisme écossais. Le NPS, qui réunit désormais les principaux acteurs de la mouvance nationaliste, s'élargit en 1934 avec l'arrivée d'un groupe de militants et de notables conservateurs en provenance essentiellement de l'association conservatrice de Cathcart, à Glasgow, et se donne un nouveau nom en 1934, le Scottish National Party qui sera désormais le principal sinon l'unique représentant du nationalisme politique en Écosse.

L'histoire du nationalisme dans l'entre-deux-guerres est marquée par les querelles et les divisions internes, entre d'une part les autonomistes proches du parti travailliste, voire du parti conservateur, et les avocats d'une stratégie radicale de type Sinn Féin, d'autre part, soutenue par les anciens de la SNL et de nouveaux venus comme le turbulent poète écossais, Christopher Murray Grieve. Ce dernier, qui écrivait à l'époque en langue écossaise (*Scots*) sous le pseudonyme de Hugh MacDiarmid, devait marquer durablement l'histoire de la littérature écossaise et son cas nous rappelle l'importance, surtout dans ces premières années du nationalisme politique écossais, de la composante culturelle. Si le SNP remporte peu de succès sur le plan électoral et ne représente au mieux qu'une irritation pour les autres partis en Écosse pendant ses premières années d'existence (ce sera le cas d'ailleurs jusqu'aux années 1960), le nationalisme culturel de MacDiarmid et de ses admirateurs a un effet transformateur sur la production culturelle. Les années 1920 et 1930 témoignent d'une véritable renaissance des arts en Écosse, et bon nombre des acteurs de ce renouveau, qu'ils soient peintres comme John Duncan Fergusson, poètes comme MacDiarmid, romanciers comme Neil Gunn ou compositeurs comme Frances George Scott, se réclament du nationalisme[4].

C'est ce dernier aspect qu'il convient de souligner lorsque l'on analyse l'histoire du nationalisme écossais au XX^e^ siècle : le travail entrepris par la génération de MacDiarmid pour réhabiliter les langues nationales d'Écosse (c'est aussi la période des premiers écrits du grand poète gaélicisant, Sorley MacLean), pour réinscrire l'Écosse dans la modernité culturelle et pour marquer les différences entre culture anglaise et culture écossaise, aura des conséquences durables, à la fois politiques et culturelles, et permet en quelque sorte d'imaginer dès cette période d'autres Écosses que celle forgée par l'union avec l'Angleterre impériale. C'est dans les années 1930 que le travail intellectuel préalable à la revendication politique de l'autonomie a été entrepris avec un certain succès, même si les fruits de ce travail ont tardé à être cueillis.

Cependant, si le nationalisme politique a eu du mal à percer pendant cette période, cela tenait aussi à l'extrême ambiguïté politique de la démarche adoptée par le SNP et par ses soutiens. Marqué plutôt à gauche, si ce n'est qu'à cause du positionnement politique de la plupart de ses animateurs qui venaient du travaillisme ou du libéralisme progressiste, certains dirigeants du SNP ont néanmoins une attitude ambivalente, comme nous l'avons déjà évoqué, concernant la philosophie générale du nationalisme qu'il préconisait. Nul n'exprime mieux cette ambiguïté que MacDiarmid, chef de file du nationalisme culturel, et Andrew Dewar Gibb, président du SNP de 1936 à 1940. Ainsi, MacDiarmid va tergiverser entre la fin des années 1920 et le milieu des années 1930 dans ses allégeances politiques : préconisant un temps un « fascisme écossais », flirtant brièvement avec ce qu'il appelle le « nationalisme postsocialiste » du parti nazi allemand, il finit (provisoirement) sa trajectoire comme membre du parti communiste de la Grande-Bretagne (dont il sera exclu pour déviationnisme nationaliste). Andrew Dewar Gibb, par contre, restera toute sa vie un conservateur : il écrit au début des années 1930 de violentes diatribes contre l'immigration irlandaise, rejoignant de cette manière les préoccupations de la mouvance orangiste écossaise, et vers la fin des années 1930 on constate, surtout dans ses écrits privés, un net raidissement de ses positions politiques le rapprochant du mouvement hitlérien[5]. Ainsi, les divisions souvent publiques entre courants nationalistes, les fortes ambiguïtés de certains des dirigeants les plus en vue, et sans doute le fait que la crise reléguait la question nationale assez loin dans la priorité politique des Écossais à l'époque ont contribué à maintenir le nationalisme politique et son expression institutionnelle, le SNP, sur les marges de la vie politique écossaise. Il va falloir attendre la crise britannique des années 1960 qui se conjugue à la fin de l'Empire britannique pour qu'un espace s'ouvre pour un nationalisme écossais largement débarrassé des maladies infantiles de ses touts débuts.

**La fin du consensus d'après-guerre**

Les vingt ans qui ont suivi la fin de la Deuxième Guerre mondiale ont été peu propices au développement du nationalisme écossais (ou gallois, d'ailleurs). En effet, l'impact conjugué de la mise en place de l'État social (Service National de Santé ; sécurité sociale garantie par l'État ; enseignement primaire et secondaire gratuit, etc.), qui a permis de porter secours à ceux et celles qui avaient été délaissés par l'évolution de la société britannique, et d'une politique volontariste d'encouragement étatique au développement des régions, a souligné l'utilité d'un État *central* britannique, surtout pour les populations des nations périphériques qui avaient tant souffert des récessions précédentes, et ainsi miné l'efficacité politique de l'argument séparatiste. C'est d'ailleurs pendant cette période que les tensions entre travaillistes, en tant que principaux porteurs du projet social-démocrate britannique d'après-guerre, et nationalistes se durcissent et que l'unionisme (en tant que défense d'un État central britannique régi par des mécanismes de régulation keynésienne) devient l'idéologie spontanée des travaillistes, surtout dans les échelons supérieurs du parti, après avoir été celle des conservateurs (qui à l'époque se présentaient aux élections en Écosse encore sous l'étiquette « unioniste »).

Ce n'est qu'avec les premiers signes de l'essoufflement du modèle keynésien à la fin des années 1960, conjugués aux effets immédiats de la « perte » de l'Empire, qu'un nouvel espace s'ouvre pour les nationalismes intrabritanniques. Si l'Irlande du Nord, de par son histoire particulière et sa configuration religieuse, peut être considérée comme un cas à part, les nationalismes gallois et écossais suivent des chemins largement comparables pendant cette période qui s'ouvre avec la « crise » britannique. C'est cette crise économique et sociale qui, en creusant l'écart entre le Nord et le Sud, entre le centre et la périphérie, donne une nouvelle crédibilité politique à l'argumentaire nationaliste. Cette crédibilité est d'autant plus forte que les vieilles solutions keynésiennes ne semblent plus porter leurs fruits et que l'efficacité de l'action de l'État central est remise en cause (à droite, d'ailleurs, cette remise en cause conduira au thatchérisme). En Écosse elle est renforcée par un facteur conjoncturel important: la découverte du pétrole dans la mer du Nord à la fin des années 1960. Sentant l'énorme avantage qu'ils pourraient tirer du pétrole en matière de marketing politique, les nationalistes clameront que «le pétrole est écossais» (*It's Scotland's oil*) dès les élections législatives de 1974.

Les premiers signes électoraux de la percée nationaliste sont déjà visibles à la fin des années 1960, avec la victoire à l'élection partielle de Carmarthen de Gwynfor Evans, président de Plaid Cymru, en juillet 1966 et celle de Winnie Ewing en novembre 1967 à Hamilton, dans l'Ouest de l'Écosse, et une poussée remarquable du SNP lors des élections locales de 1968. Mais c'est lors des élections législatives de février 1974 (et de nouveau en octobre de la même année) que les observateurs politiques et les dirigeants des principaux partis britanniques prennent conscience de l'ampleur historique du phénomène nationaliste et de la nécessité impérieuse d'y faire face.

La signification de la percée nationaliste en Écosse en 1974 (le SNP obtient 21,9 % des voix en février et 30,4 % en octobre) n'était pas immédiatement évidente et peu d'observateurs à l'époque, britanniques ou étrangers, voyaient au-delà de ses effets immédiats et conjoncturels. Avec le recul du temps on peut voir dans ces résultats non seulement l'expression d'une désaffection à l'égard des partis traditionnels et de leur incapacité à offrir une voie de sortie à la crise britannique, mais aussi et surtout le début d'un processus de transformation durable du champ politique et électoral écossais (et partant britannique) et un facteur supplémentaire dans l'affaiblissement d'un État déjà passablement mis à mal par la guerre civile naissante en Irlande du Nord. C'est ce que le commentateur le plus avéré de la scène politique écossaise, Tom Nairn, a appelé dans un livre qui fera date, mais aussi sous les quolibets des intellectuels unionistes encore inconscients de ce qui les attendait, l'éclatement de la Grande-Bretagne[6].

Le Royaume-Uni traversait, en effet, une crise comparable dans ses dimensions économiques et sociales à celle qu'elle avait subie dans la première moitié des années 1930, mais cette crise se conjuguait désormais à une remise en cause, certes encore électoralement minoritaire, de l'État d'Union et de l'identité «nationale» qui la sous-tendait. Les deux partis «unionistes», travailliste et conservateur, qui alternaient au pouvoir depuis 1945 étaient ainsi confrontés à un problème nouveau, qui touchait au cœur de leurs stratégies politiques respectives. Le gouvernement travailliste de l'époque, d'abord sous la direction de Harold Wilson (de 1974 à 1976) et ensuite sous celle de Jim Callaghan (de 1976 à 1979) a pris l'option d'une réforme constitutionnelle suffisamment modeste pour ne pas mettre en péril l'union et suffisamment affirmée pour calmer les ardeurs nationalistes: après avoir tergiversé pendant plusieurs sessions parlementaires, le gouvernement a fini par proposer en 1978 d'introduire des assemblées «nationales» au pays de Galles comme en Écosse avec, pour la dernière, des pouvoirs législatifs limités. En recourant à une nouveauté constitutionnelle, le gouvernement proposait que cette réforme soit non seulement votée par le parlement, mais aussi approuvée par voie référendaire. La discussion de cette réforme au sein du parlement a révélé toutes les ambiguïtés du mouvement travailliste de l'époque à l'égard des nationalismes intrabritanniques et de la décentralisation politique.

En effet, le parti travailliste était profondément divisé sur la question, en Écosse comme au pays de Galles, et nombreux étaient ceux, militants de base, élus ou permanents du parti, qui voyaient d'un très mauvais œil ce qu'ils percevaient comme des concessions inacceptables aux mêmes nationalistes qui les concurrençaient dans leurs propres circonscriptions. L'amendement proposé lors du débat parlementaire par le député travailliste d'origine écossaise représentant la circonscription londonienne d'Islington, George Cunningham, était exemplaire de cette ambivalence travailliste. Ce dernier a réussi à introduire une contrainte supplémentaire pour le passage de la première loi sur la dévolution qui devait s'avérer de taille au moment de la tenue des référendums: non seulement fallait-il une majorité de votants en faveur de la proposition gouvernementale, mais l'amendement de Cunningham, accepté par le parlement, stipulait que cette majorité devait représenter au moins 40% des inscrits.

Lors du vote du 1er mars 1979, une majorité des Écossais s'est prononcée en faveur de la création d'une assemblée nationale, mais, étant donné le taux de participation relativement faible, le seuil fatidique des 40% des inscrits n'était pas atteint (seuls 32,9% des inscrits se sont prononcés en faveur de la réforme). Au pays de Galles, la proposition gouvernementale a été rejetée par une nette majorité des votants. Le «fiasco» du référendum de 1979 a marqué la rupture entre le SNP et les travaillistes, accusés d'avoir torpillé leur propre réforme constitutionnelle, et a poussé les nationalistes dans les bras du parti conservateur de Margaret Thatcher. En effet, le SNP a voté avec les conservateurs lors d'une motion de confiance à la Chambre des Communes, précipitant la chute du gouvernement de Callaghan. Aux élections qui ont suivi, les conservateurs ont remporté une victoire historique, qui devait changer la face de la Grande-Bretagne et le SNP a payé cher son alliance éphémère avec le parti de Thatcher, avec une baisse de 13 points par rapport à son score d'octobre 1974[7].

## De la glaciation constitutionnelle thatchérienne à l'autonomie

Si le parti conservateur avait été disposé à envisager l'autonomie écossaise et galloise à la fin des années 1960 et au début des années 1970, sous la direction d'Edward Heath, tel n'a plus du tout été le cas sous le régime thatchérien à partir de 1979. Pendant ses onze années au pouvoir, Margaret Thatcher a opposé un refus catégorique à toute concession envers les autonomistes écossais, quitte à mettre en péril son propre parti au nord de la Tweed. Paradoxalement, c'est cette intransigeance thatchérienne conjuguée à une détermination à imposer la révolution néolibérale sur l'ensemble du territoire britannique, y compris là (en Écosse comme au pays de Galles) où la population était majoritairement hostile, qui a fini par faire basculer une majorité d'Écossais en faveur d'une rupture plus nette avec le pouvoir de Londres. Le deuxième paradoxe de cette période charnière dans l'histoire du nationalisme et de la revendication autonomiste écossaise, c'est que pendant la décennie qui a vu l'émergence d'une revendication de masse en faveur de l'autonomie et une affirmation plus résolue d'identité écossaise dans les champs culturel et politique, les nationalistes ont obtenu des résultats plutôt médiocres au vu de leurs prouesses passées (et à venir).

Les années 1980 ont été, en effet, une période difficile pour les nationalistes, tant sur le plan électoral que sur le plan politique, et leurs divisions internes, de toute manière jamais très loin de la surface, ont repris de plus belle. Les batailles faisaient rage, entre les ailes gauche et droite du parti, entre « fondamentalistes » et « réalistes », entre ceux qui préconisaient une ligne intransigeante autour du mot d'ordre d'indépendance et ceux qui étaient disposés à procéder par étapes et en alliance avec d'autres forces politiques autonomistes : plusieurs militants de premier rang, dont l'actuel premier ministre écossais, Alex Salmond, ont fait les frais de ces luttes intestines en se faisant exclure du parti pour activité « fractionnelle ».

Mais si le SNP avait du mal à remonter la pente après 1979, la diffusion des idées autonomistes et nationalistes ne marquait pas le pas pour autant. Tout au contraire, la présence d'une néolibérale aux accents anglais stridents au 10 Downing Street a galvanisé le mouvement en Écosse et on constate pendant la décennie Thatcher une forte effervescence culturelle, comparable à celle de la « première Renaissance écossaise » des années 1930. Ainsi, poètes et romanciers, cinéastes et musiciens rock, universitaires et notables de divers champs professionnels ont pris position en faveur d'une réaffirmation de l'identité culturelle et politique écossaise, définie en contradiction avec les valeurs portées par les conservateurs radicaux. Chacun à sa façon, dans les romans policiers de William McIlvanney, le théâtre populaire de John McGrath, la poésie de Liz Lochhead ou de Jackie Kay, les écrits avant-gardistes de Jim Kelman ou d'Alasdair Gray, les chansons de Deacon Blue et de Wet Wet Wet, voire dans les écrits d'universitaires, entre autres autour de Cairns Craig à l'Université d'Édimbourg, les créateurs et autres intellectuels écossais ont investi la scène politique et un mouvement d'opinion hétérogène, mais puissant s'est ainsi formé.

C'est dans ce contexte que le regroupement autonomiste, la *Scottish Constitutional Convention* (SCC), a vu le jour en 1988. La SCC représentait un large éventail de l'opinion écossaise, regroupant les églises protestantes et catholiques, les syndicats écossais, les collectivités locales, les partis travailliste, libéral-démocrate, vert, communiste, mais aussi des associations féministes et représentatives de minorités ethniques. Les deux seuls absents de marque étaient le Parti conservateur, toujours campé sur des positions unionistes strictes, et le SNP qui ne souhaitait pas intégrer un regroupement, dont la revendication se limitait à la seule autonomie de l'Écosse et qui plus est, du point de vue du SNP, était largement dominé par les travaillistes. La SCC a néanmoins fortement marqué les débats sur l'avenir constitutionnel de l'Écosse et la qualité de ses contributions intellectuelles et de ses propositions de réforme constitutionnelle est une indication, parmi d'autres, de la force et de la vitalité du mouvement autonomiste de cette période. Le travail de la SCC correspondait par ailleurs à un moment d'intense réflexion au sein du parti travailliste qui a conduit à l'élection de Tony Blair comme premier dirigeant du parti en 1994 après le décès brutal de John Smith. Le *New Labour* de Blair a saisi l'idée de réforme constitutionnelle pour affirmer sa position « modernisatrice » et le travail de la SCC a été largement repris par les travaillistes lorsqu'ils ont fait leurs propositions de réforme pour la campagne législative de 1997. L'arrivée de Blair au 10 Downing Street, après la victoire néotravailliste aux élections du 1er mai 1997, a été rapidement suivie d'une proposition de réforme constitutionnelle qui serait appuyée par un référendum avant la fin de l'année 1997. Le résultat du référendum en Écosse ne laissait pas de doute : aux deux questions posées (sur la création d'un parlement et l'octroi de pouvoirs fiscaux au nouveau gouvernement écossais), les électeurs écossais ont voté massivement pour les changements proposés. Le processus en faveur de l'autonomie écossaise, retardé depuis le référendum de 1979, était donc engagé.

### Vers l'indépendance « de fait » ?

Le pari des néotravaillistes à l'égard de l'autonomie écossaise (et galloise) était relativement simple : ils espéraient à la fois marquer leur différence dans ce domaine par rapport à l'immobilisme conservateur des années Thatcher et Major, et « neutraliser la menace nationaliste »[8] pour reprendre l'argumentaire de Peter Mandelson à l'époque. Quelles que fussent leurs convictions profondes, autonomistes sincères ou opportunistes cyniques, tous les acteurs travaillistes voulaient voir dans le nouveau dispositif approuvé par les électeurs écossais (un parlement aux pouvoirs législatifs assez étendus et disposant d'une marge de manœuvre fiscale) la fin d'une période d'incertitude constitutionnelle et non pas le début d'une transformation plus profonde. Plus d'une décennie plus tard, nous pouvons faire le constat que les stratèges néotravaillistes se sont lourdement trompés à cet égard et que les nouveaux dispositifs électoraux et politiques écossais leur ont réservé d'amères surprises.

Si les deux premières législatures (1999-2003, 2003-2007) ont vu l'élection d'une majorité travailliste relative au sein du parlement écossais et la constitution de gouvernements de coalition avec les libéraux démocrates, on pouvait déjà constater pendant ces premières années de fonctionnement du parlement que le SNP était loin d'être le grand perdant escompté[9]. Il maintenait une présence forte au sein de l'assemblée édimbourgeoise et devenait de fait le principal parti d'opposition, grâce à la marginalisation continue des conservateurs. Pendant la deuxième mandature, le SNP était par ailleurs flanqué à sa gauche d'un deuxième (petit) parti indépendantiste, le Parti socialiste écossais dirigé par le très médiatique Tommy Sheridan, qui combinait une posture bien plus radicale que les néotravaillistes sur les questions économiques et sociales, et un positionnement en faveur d'une Écosse socialiste et indépendante (qui rappelait d'ailleurs fortement les positions défendues par John Maclean et son *Scottish Workers' Republican Party* après la Première Guerre mondiale)[10].

La première surprise advint avec le vote nationaliste aux élections de 2007[11], qui a permis au SNP de former un gouvernement minoritaire, puisqu'il avait le groupe parlementaire le plus important à la sortie des urnes. Loin d'être éreinté par ce premier exercice du pouvoir, comme certains l'avaient prévu (et espéré ?), le SNP en a profité pour conforter, largement grâce à la personnalité d'Alex Salmond, l'image d'un vrai parti de gouvernement, tout en se démarquant de manière fort habile de ses prédécesseurs néotravaillistes par des mesures « de gauche » comme l'abolition des frais d'inscription dans les Universités écossaises, le refus de la privatisation des prisons écossaises prévue par le gouvernement travailliste précédent ou la gratuité de soins pour les personnes âgées. L'argument polémique travailliste qui voyait dans les nationalistes des conservateurs en habit écossais traditionnel (« *Tartan Tories* ») a fait long feu et les nationalistes ont réussi, dans la pratique gouvernementale, à contester l'héritage social-démocrate à leurs adversaires du *New Labour*.

C'est ainsi qu'en mai 2011 le SNP a pu continuer sa progression et obtenir une majorité absolue des sièges à Holyrood, dans un mode de scrutin pourtant peu propice à l'obtention de majorités stables, au moment où le gouvernement de coalition à Londres plongeait dans l'impopularité. Aujourd'hui, le SNP a donc toutes les cartes en main pour poursuivre sa lente conquête de la souveraineté politique, la prochaine étape étant l'organisation prévue, mais non encore datée, d'un référendum sur l'indépendance. En effet, tout semble indiquer qu'un tel scrutin ne peut être que bénéfique aux nationalistes, surtout si, comme il est prévu, le référendum se présente sur le mode de questions multiples, laissant ouverte la possibilité soit de l'indépendance, soit du renforcement des pouvoirs du parlement écossais, soit du maintien du statu quo. Les deux premières options, qui selon les enquêtes d'opinion ont la faveur d'une grande majorité d'Écossais, ne peuvent que renforcer les positions nationalistes soit en précipitant l'Écosse vers l'indépendance, si telle était l'option majoritaire, soit en créant ce que Tom Nairn a appelé une « indépendance de fait », *c'est-à-dire* une situation où, à force de renforcer ses pouvoirs, le parlement d'Édimbourg finit par jouir quasiment des mêmes prérogatives qu'un pays juridiquement indépendant.

La récente démission de l'ensemble des dirigeants des partis « britanniques » en Écosse[12] à la suite de leur défaite électorale, la proposition faite par un des candidats à la direction du parti conservateur en Écosse de créer un nouveau parti totalement autonome par rapport à son homologue anglais, et la publication d'un sondage indiquant qu'une petite majorité d'Écossais penche aujourd'hui en faveur de l'indépendance[13] sont des indicateurs certes fragmentaires, mais néanmoins significatifs de l'état de l'union britannique au nord de la Tweed. L'impopularité incontestable en Écosse de la coalition conservatrice-libérale démocrate et de sa politique d'austérité tous azimuts et la difficulté du parti travailliste à renouer avec son électorat traditionnel concourent à ouvrir un espace toujours plus grand aux nationalistes. La question qui se pose désormais n'est pas tant si l'Écosse va devenir indépendante, mais plutôt quand et sous quelles conditions.

Notes et références

1. Aux élections de mai 2011, le SNP a remporté 69 des 129 sièges au parlement d'Édimbourg, augmentant sa présence de 23 sièges. Avec 37 élus, le parti travailliste a perdu 7 sièges. Les conservateurs (15) et les libéraux démocrates (5) ont perdu respectivement 5 et 12 sièges.
2. Voir Linda Colley, *Britons. Forging the Nation 1707-1837*, Londres, Pimlico, 1992.
3. Richard Finlay, *Independent and Free. Scottish Politics and the Origins of the Scottish National Party 1918-1945*, Edimbourg, John Donald, 1994, p. 33.
4. Pour une récente discussion des liens entre le champ culturel et le champ politique en Écosse, voir Catriona M. M. MacDonald, *Whaur Extremes Meet, Scotland's Twentieth Century*, Edimbourg, John Donald, 2009, p. 288-322.
5. Voir Keith Dixon, « Le nationalisme écossais conservateur dans l'entre-deux-guerres : les idées d'Andrew Dewar Gibb et George Malcolm Thomson », *Études Écossaises*, no. 4, Grenoble, 1997, p. 211-220.
6. Tom Nairn, *The Break-Up of Britain*, Londres, Verso, 1977.
7. Aux élections législatives de 1979, les SNP a obtenu 17,3 % des voix écossaises par rapport à 30,4 % aux élections législatives d'octobre 1974. La performance électorale des nationalistes a continué à être médiocre pendant l'ensemble de

la décennie thatchérienne : ils obtenu 11,7 % des voix écossaises lors des élections législatives de 1983 et 14,0 % en 1987.

8. Peter Mandelson, *The Blair Revolution Revisited*, Londres, Politico's, 2002, p. xxii.
9. Aux élections au parlement écossais de 1999, le SNP a remporté 35 sièges et enregistré 28,7 % des voix pour le scrutin de circonscription et 27,6 % pour le scrutin de liste. En 2003, le SNP a obtenu 27 sièges, avec 23,8 % des voix pour le scrutin de circonscription et 16,6 % pour le scrutin de liste.
10. Depuis le SSP a sombré dans la marginalité électorale après les déboires médiatiques et judiciares de Tommy Sheridan. Il n'a plus de sièges au parlement écossais.
11. Aux élections de 2007 le SNP a dépassé le parti travailliste d'une courte tête (47 sièges contre 46) et a pu former un gouvernement minoritaire.
12. En l'espace de quelques mois après les élections de 2011 l'ensemble des dirigeants des partis britanniques en Écosse a changé : ainsi, Annabel Goldie, Tavish Scott et Iain Gray ont démissionné respectivement de la direction du parti conservateur, du parti libéral-démocrate et du parti travailliste suite aux résultats désastreux de chacun de ces partis.
13. Un sondage organisé par Ipsos-Mori et publié le 8 septembre 2011 donne 39 % des répondants en faveur de l'indépendance écossaise par rapport à 38 % qui sont contre. Étant donné la marge d'erreur inhérente à un tel exercice, les résultats sont à prendre avec beaucoup de précaution mais ils confirment une tendance déjà visible dans d'autres sondages d'opinion au cours de l'année 2011 au renforcement du soutien à cette option.

# Le Pays de Galles aux XIX^e^ et XX^e^ siècles : renaissance d'une nation[1]

ANDRÉ POULIN
*Université de Sherbrooke*

Si aujourd'hui on peut parler du Pays de Galles comme d'une nation sans état, il n'en était rien deux siècles auparavant. Dans les premières éditions de l'*Encyclopedia Britannica*, on pouvait lire sous l'entrée « Pays de Galles » : voir « Angleterre »[2]. Conquis en 1282 par Edward 1er, le Pays de Galles fut annexé à l'Angleterre en 1536 par la suite de l'Acte d'Union d'Henry VIII. Il est de plus étroitement lié à l'histoire de la royauté anglaise depuis 1301, année où le fils aîné du souverain reçut pour la première fois le titre de Prince de Galles. Pour les Anglais, le Pays de Galles a donc toujours été une région de leur royaume, comme le laisse voir l'Union Jack, symbolisant l'union de trois royaumes (Angleterre, Écosse et Irlande).

Pour cette raison, il n'est pas surprenant que l'émergence au XIX^e^ siècle d'un sentiment national au Pays de Galles fut accueillie avec surprise, sinon avec moquerie par les Anglais. À ce sujet, un parlementaire anglais se disait incapable de séparer dans son esprit le Pays de Galles de l'Angleterre, Lord Melbore, de son côté, ne voyait pas pourquoi le Pays de Galles devait recevoir un traitement différent de celui du Yorkshire[3], alors que l'évêque de St-David, Basil Jones, affirmait en 1886 avec condescendance, comme Metternich l'avait fait au sujet de l'Italie, que le Pays de Galles n'était « qu'une expression géographique »[4].

Au Pays de Galles, des voix se sont levées pour dénoncer ce que G. Osborne Morgan, député libéral gallois, appelait cette « méprisante indifférence ». Pour ce député, les Gallois sont un peuple patriote jusqu'au bout des ongles qui a été incorporé politiquement dans une nation avec laquelle il n'a rien en commun[5]. D'ailleurs, selon certains nationalistes gallois, les Anglais n'ont-ils pas reconnu cette différence en nommant les habitants de cette frange celtique *Welsh* (ce qui signifie étranger) ? Les Gallois préféraient s'appeler entre eux *Cymry* (compatriote)[6]. D'autres nationalistes ont souligné l'origine lointaine de la conscience nationale galloise en s'appuyant sur les écrits de Bède le Vénérable[7] qui notait dans son histoire ecclésiastique du peuple anglais qu'il existait déjà un sentiment de différence entre les Gallois et les Anglo-Saxons en 597 à l'arrivée d'Augustin de Cantorbéry en sol anglais[8]. Cette différence, soulignent-ils, s'est cultivée à l'abri des influences anglo-saxonnes en raison de la construction de la grande digue d'Offa dans la seconde moitié du VIIIe siècle. Ce mur de terre, qui fut érigé par le roi Offa (757-796) probablement pour protéger la Mercie[9] d'invasions galloises, traça la frontière moderne entre les deux régions[10]. Du côté celte de cette ligne de démarcation, la langue galloise s'est épanouie et a produit l'une des plus vieilles traditions littéraires en langue vernaculaire[11]. Enfin, le soulèvement d'Owain Glyndwr (1354-1414) en 1400 symbolise cette volonté nationale de lutter contre l'oppresseur anglais.

Même si la conscience nationale exprimée au XIXe et XXe siècle célèbre les racines lointaines de l'identité galloise, elle se développe au moment où le Pays de Galles vit de profondes transformations religieuses, politiques et économiques qui vont remodeler cette même identité. On retrouve dans le développement du nationalisme au Pays de Galles les trois phases proposées par Hroch pour comprendre l'évolution des mouvements nationaux aux XIXe et XXe siècles. Selon Hroch, la première phase est principalement culturelle, la seconde se caractérise par l'apparition des premiers militants, la troisième correspond à l'adhésion populaire au mouvement national[12]. Comme le fait cependant remarquer Hobsbawm, la troisième phase n'a jamais totalement été réalisée au Pays de Galles[13]. Malgré tout, comme nous allons le voir dans cet article, les nationalistes gallois ont, pour reprendre la thèse de Gellner, créé la nation galloise et son identité moderne[14].

## Le développement du nationalisme culturel au XIXe siècle

L'éveil d'une conscience nationale au Pays de Galles est le résultat des transformations apportées par la montée du méthodisme et par l'industrialisation aux XVIIIe et XIXe siècles. Cette conscience nationale, qui se manifesta principalement par l'essor d'un nationalisme culturel, remodela l'identité galloise.

Le réveil méthodiste animé par Howel Harris dans les années 1730 a eu une influence durable au Pays de Galles. Comme le souligne Hervé Abalain, les méthodistes gallois, suivis par les autres sectes non-conformistes, ont par « leurs efforts à éduquer le peuple et préserver la langue » favorisé l'émergence d'une conscience nationale d'essence démocratique[15]. À travers leurs institutions, les non-conformistes faisaient la promotion de l'éducation et des libertés religieuse et politique[16].

Au lendemain des guerres napoléoniennes, les régions rurales du Pays de Galles furent durement touchées par la crise économique. L'accroissement de la misère, l'augmentation des droits de fermages, les mauvaises récoltes et la multiplication des barrières de péages provoquèrent de nombreuses émeutes au cours des années 1830 et 1840. À la campagne, « Rebecca et ses filles », des hommes déguisés en femmes, détruisaient les barrières de péages pour dénoncer les coûts prohibitifs du transport. En ville, on saccageait ou brûlait les *workhouses* pour s'opposer au traitement réservé aux indigents depuis l'application de la nouvelle loi sur les pauvres (1834). Durant cette période d'agitation, les revendications de la population en général rejoignaient celles des non-conformistes. Leurs cibles étaient les mêmes : l'Église anglicane, les propriétaires terriens et le Parti conservateur. En réclamant la désofficialisation (*desestablishment*) de l'Église anglicane au Pays de Galles et la fin du paiement de la dîme, les non-conformistes s'attaquaient aussi aux propriétaires terriens et au Parti conservateur, défenseurs traditionnels de cette Église. Le mécontentement rural contre les propriétaires terriens et leurs agents était, puisqu'une grande partie de la population était méthodiste, aussi dirigé contre l'Église anglicane et le Parti conservateur. L'identité galloise qui se construisait au XIXe siècle était donc de plus en plus associée au non-conformisme, comme l'affirmait un calviniste : « *The Noncomformists of Wales are the people of Wales* »[17]. Le peuple du Pays de Galles était non seulement non-conformiste, mais aussi libéral. Le Parti libéral, qui était critique de l'alliance entre le trône et l'autel, était le véhicule politique tout désigné des non-conformistes gallois. Après les réformes électorales des années 1860 et 1870, le Pays de Galles était devenu une terre libérale.

L'industrialisation transforma encore plus en profondeur le Pays de Galles que la diffusion du méthodisme. Si dans un premier temps, les mutations économiques renforcèrent les liens entre l'identité nationale galloise, le non-conformisme et le Parti libéral, ces liens s'érodèrent cependant à la fin du XIXe siècle. Au milieu du XVIIIe siècle, le Pays de Galles était encore une région principalement rurale peuplée d'environ 500 000 personnes. En 150 ans, cette région devint une des plus grandes régions industrielles du Royaume-Uni, comptant plus de 2 millions d'habitants au début du XXe siècle. La croissance économique du Pays de Galles reposait principalement, sinon exclusivement, sur les industries métallurgiques et charbonnières. Ces deux industries, même si elles étaient présentes dans le nord de cette frange celtique, se concentraient principalement dans le sud de celle-ci. Si l'industrie métallurgie fut la première à se développer, elle fut rapidement supplantée par l'industrie charbonnière. Au tournant du XXe siècle, le bassin houiller du Sud était devenu la principale zone d'extraction de charbon et la ville de Cardiff le plus grand port d'exportation de ce minerai dans le monde entier[18]. En raison de la forte demande en main-d'œuvre de l'industrie minière, le Pays de Galles fut le théâtre d'un grand mouvement de colonisation interne. Entre 1851 et 1911, plus de 366 000 migrants s'établirent dans les vallées inhospitalières du sud du Pays de Galles[19]. Les premières vagues migratoires provenaient surtout des zones rurales galloises. Les migrants amenèrent avec eux leur culture, leur langue et leur chapelle. Dans les vallées minières, l'identité galloise était donc bien vivante. Contrairement à l'Écosse et l'Irlande, qui n'ont pas connu une même industrialisation, le Pays de Galles a pu retenir sa population celtophone[20].

La prospérité de cette nouvelle société permit un renouveau culturel. De nombreux journaux en langue galloise firent leur apparition. L'œuvre de la Cymmrodorion Society, fondée à Londres en 1751 par des expatriés gallois pour faire la promotion de l'étude de l'histoire galloise et des textes anciens en gallois, fut poursuivie au Pays de Galles au XIXe siècle. La renaissance de l'Eisteddfod, festival de chant, langue et théâtre gallois, donnait vie à la culture galloise et célébrait la différence culturelle du Pays de Galles.

Le Parti libéral était aussi le parti de la nouvelle société industrielle, comme le laisse voir l'alliance « lib-lab » entre la bourgeoisie et la classe ouvrière. Bien qu'il incarne la conscience nationale galloise, ce parti ne réussit pas à traduire cette conscience en un programme politique cohérent. L'échec du mouvement Cymru Fydd (Jeune Pays de Galles) le démontre. Fondée en 1886 pour promouvoir et revitaliser la langue et la culture galloise, Cymru Fydd devint rapidement le véhicule politique de Lloyd George qui souhaitait le transformer en un mouvement national pour faire la promotion de l'autonomie interne (Home Rule)[21]. Si durant une grande partie du XIXe siècle, les sociétés rurale et industrielle galloises étaient unies autour des mêmes valeurs, il n'en était plus ainsi à la fin du XIXe siècle. Lloyd George le constata rapidement lorsqu'il voulut transformer, dans les années 1890, le Cymru Fydd en une fédération nationale vouée à la promotion des intérêts du Pays de Galles. Les membres les plus influents du Parti libéral dans le sud industriel s'y opposèrent vivement. L'industriel D. A. Thomas avertit Lloyd George que les grandes villes cosmopolites du sud du Pays de Galles ne se soumettraient jamais à la domination galloise[22].

Pourquoi cet échec ? À la fin du XIXe siècle, le sud industriel était totalement intégré à l'économie britannique. Cardiff devint rapidement le symbole de cette nouvelle société industrielle. Cette petite ville de pêcheurs, qui comptait moins de 2 000 habitants en 1800, se transforma en moins de 100 ans en l'une des villes les plus dynamiques du Royaume-Uni[23]. Le Pays de Galles industriel prospérait donc par sa participation à l'économie impériale britannique. De plus, cette région s'anglicisait rapidement. Si les premières vagues migratoires étaient majoritairement composées de Gallois, à la fin du XIXe siècle se fut principalement des Anglais qui vinrent s'établir dans les vallées minières[24]. Entre 1801 et 1901, la population galloise unilingue anglaise est passée de 23,8 % à 49,9 %[25]. À la fin du XIXe siècle, le sud industriel s'anglicisait[26]. Au tournant du XXe siècle, les divisions entre les régions industrielles et les régions rurales, ainsi qu'entre les zones anglaises et les zones galloises étaient devenues importantes.

Même si les députés libéraux gallois échouèrent dans leur tentative de créer un mouvement politique national, ils réussirent quand même à faire accepter la « différence » galloise au parlement de Westminster. Cette « différence » s'exprima dans l'établissement d'une législation spécifiquement galloise, d'influence non-conformiste. La première loi qui s'appliquait uniquement au Pays de Galles fut le *Welsh Sunday Closing Act* de 1881. Lors du débat sur la fermeture des Pubs le dimanche, les partisans de ce projet de loi insistaient sur le caractère distinct du Pays de Galles. À cette occasion, Osborne Morgan déclara : « *people should understand that in dealing with Wales you are dealing with an entirely distinct nationality* »[27]. Les parlementaires donnèrent raison à Morgan. Gladstone, lui-même, affirma : « *where there is a distinctly formed Welsh opinion upon a given subject, which affects Wales alone... I know of no reason why a respectful regard should not be paid to that opinion* »[28]. La « désofficialisation » (*disestablishment*) de l'Église du Pays de Galles fut finalement votée en 1914 et appliquée en 1920, après deux tentatives infructueuses en 1894 et 1895.

Même s'il y eut des gains politiques au XIXe siècle, c'est dans le domaine de l'éducation que les avancées ont été les plus spectaculaires. En 1843, Hugh Owen fit un vibrant plaidoyer en faveur du financement public en éducation dans une lettre adressée à ses concitoyens (*Letter to the Welsh People*). À la suite de ce plaidoyer, une commission d'enquête « sur la situation de l'enseignement dans la Principauté et en particulier sur les moyens mis à la disposition des classes laborieuses pour apprendre l'anglais »[29] fut instituée en 1847. Les conclusions de cette enquête donnèrent lieu à ce qui fut appelé la « trahison des livres bleus ». On pouvait y lire sur la langue galloise qu'elle était un « désavantage énorme pour le Pays de Galles et de diverses façons, un obstacle au progrès moral et à la prospérité commerciale de ses habitants » ; sur l'anglais, il était écrit qu'il « était en voie de devenir la langue maternelle du pays »[30]. Les journaux britanniques s'emparèrent de cette histoire et en rajoutèrent. Pour le *Morning Chronicle*, les Gallois « s'installaient dans la barbarie la plus sauvage » ; selon *The Examiner* « leurs mœurs étaient celles d'animaux, et étaient indescriptibles »[31]. Cette « trahison » donna naissance à un élan populaire en faveur du développement de l'éducation.

C'est dans le domaine de l'enseignement supérieur que les avancées les plus importantes ont été réalisées. Dès 1852, une pétition circulait en faveur d'une université galloise. En 1872, grâce à une campagne de financement populaire, le Collège universitaire d'Aberystwyth était prêt à accueillir 25 étudiants. Cardiff obtint son collège universitaire en 1883 et Bangor en 1884. En 1893, une charte royale crée l'Université du Pays de Galles, formée des trois collèges universitaires existants. En 1907, on inaugurait la Bibliothèque Nationale du Pays de Galles à Aberystwyth et le Musée National à Cardiff. Le Pays de Galles possédait maintenant ses premières institutions nationales depuis qu'il avait perdu la haute Cour de Justice en 1830[32].

L'émergence d'une conscience nationale au Pays de Galles au XIXe siècle n'a pas donné naissance à un mouvement politique prônant l'indépendance, ce que déploraient certains patriotes gallois. Le révérend Micheal D. Jones croyait que l'avenir d'une nation dépendait du désir de celle-ci à survivre. En 1865, déçu de ses compatriotes, il fonda en Patagonie une colonie galloise à l'abri des influences anglaises. Aujourd'hui encore, des traces de la culture galloise sont présentes dans cette région[33].

### La montée des travaillistes et la formation du Plaid Cymru

Au début du XXe siècle, la scène politique était en mutation au Pays de Galles. Dans le sud industriel, l'alliance « lib-lab » avait fait son temps comme le démontre l'élection en 1906 du socialiste écossais, Keir Hardie, membre fondateur de l'Independent Labour Party et du Labour Party. Cette élection symbolisait l'émergence d'un nouveau militantisme syndical, né des difficiles conditions d'existence des familles ouvrières. Dans leurs luttes pour l'obtention de meilleures conditions de vie, les mineurs se retrouvaient en conflit ouvert avec le Parti libéral, dont plusieurs propriétaires miniers étaient membres et députés. La grève de 1898 fut à l'origine d'un militantisme ouvrier plus radical. Même si cette grève se termina par une défaite ouvrière, elle eut de profondes conséquences sur le mouvement ouvrier. L'approche conciliante des vieux dirigeants syndicaux fut abandonnée et une nouvelle organisation syndicale radicale, The South Wales Miners Federation fut établie. En créant ce syndicat, les mineurs avaient troqué la Bible et les chapelles pour le marxisme, comme le laisse le voir la brochure *Miners Next Step*, ouvertement socialiste. Durant les premières années du XXe siècle, une conscience de classe[34] s'est développée à travers de nombreux conflits de travail, dont celui de Tonypandy en 1910, qui coûta la vie à un travailleur et qui fut marqué par des émeutes et affrontements avec l'armée dépêchée sur les lieux par Winston Churchill ; et des tragédies minières, comme celle de Senghenydd dans laquelle périrent 439 travailleurs[35].

Au lendemain de la Première Guerre mondiale, le sud du Pays de Galles était devenu un bastion travailliste. Pour les mineurs gallois, la question nationale avait fait place à l'Internationale ouvrière. Comme le fait remarquer Ieuan Gwynedd Jones, de nombreux travailleurs gallois avaient adopté l'anglais, la langue des idées socialistes[36]. Le Pays de Galles n'était donc plus une «nation non-conformiste», il était maintenant une «nation prolétarienne». Cette «nation prolétarienne» cherchait ses mythes fondateurs non pas dans un passé lointain, mais dans les luttes ouvrières, comme le soulèvement Merthyr en 1831, ni ses héros dans des personnages comme Owain Glyndwr, mais plutôt comme Dic Penderyn, le premier martyr ouvrier pendu pour sa participation au soulèvement de Merthyr[37].

C'est dans ce contexte que des intellectuels galloisants, inquiets du déclin de la langue et de la culture galloises, créèrent en 1925 le Plaid Genedlaethol Cymru (le Parti national gallois) qui deviendra en 1945 le Plaid Cymru (Parti gallois). Pour son président, l'écrivain Saunders Lewis, le parti avait comme objectif d'obtenir l'autodétermination pour le Pays de Galles; de sauvegarder la langue, la culture, les traditions et la vie économique du Pays de Galles; et d'obtenir un siège aux Nations Unies pour le Pays de Galles[38]. Le Plaid Cymru ne demandait cependant pas l'indépendance, pour Lewis:

> *First of all, let us not ask for independence for Wales. Not because it is impracticable, but because it is not worth having [...] it is a cruel and material thing leading to violence and oppression and ideas that have been proved wrong [...] We demand, therefore, not independence but freedom, and meaning of freedom in this matter is responsibility*[39].

À ses débuts, ce parti fut accueilli avec indifférence. Il faut dire que la vision de Lewis était en complète rupture avec le Pays de Galles contemporain. Lewis était un monarchiste conservateur. Pour lui, le Pays de Galles devait être gouverné par une noblesse galloise éclairée qui veillerait aux intérêts d'une «nation de petits capitalistes». Il préconisait donc la désindustrialisation du sud du Pays de Galles et la restauration de l'agriculture comme base de l'économie galloise. Bien que la position officielle du parti en matière de langue soit le bilinguisme, Lewis, dans ses écrits, appelait à la suppression de tout ce qui est anglais[40]. De plus, certains membres du parti affichaient ouvertement leurs sympathies envers l'extrême-droite, comme J. Daniel qui affirmait dans les années 1930: «Whatever is the enmity between fascism and democracy, it becomes friendship in the face of the great enemy Communism. That is the lesson Hitler is trying to teach Europe»[41].

L'avènement du Plaid Cymru coïncidait aussi avec l'apparition d'une nouvelle définition de la nation galloise. En raison de l'anglicisation rapide du Pays de Galles au XX^e^ siècle, les nationalistes considéraient comme berceau de l'identité galloise les communautés rurales du centre et du nord où la langue galloise fleurissait[42]. Pour eux, le Pays de Galles était divisé en deux, le vrai Pays de Galles, le Pays de Galles gallois (Inner-Wales), et le

Pays de Galles anglais (Outer-Wales), formé des régions industrielles et frontalières à l'Angleterre. Pour les nationalistes, le lien entre la terre et la langue était essentiel pour la survie de la nation galloise. C'est durant l'entre-deux-guerres que le mythe du *gwerin* (peuple) fut popularisé[43]. Le *gwerin* représentait « ce peuple de Gallois héroïques qui, bravant l'oppresseur, se sont révoltés et ont revendiqué leur identité nationale »[44].

Pour les nationalistes, la protection de l'intégrité du territoire devenait une question de survie de la nation. C'est pour cette raison que Saunders Lewis et deux autres membres du Plaid Cymru ont incendié en 1936 des bâtiments qui venaient d'être construits sur des terrains acquis par la *Royal Air Force* afin d'y pratiquer des manœuvres militaires. Ces terrains situés dans la vallée de Llyn dans le Caernarfonshire, en plein cœur de l'*Inner Wales,* étaient associés à Owain Glyndwr. Après leur geste, les trois incendiaires se sont livrés aux autorités. Le tribunal gallois chargé de leur dossier fut incapable d'en arriver à un verdict. Les accusés furent donc jugés à Londres, où ils furent condamnés à neuf mois de prison pour avoir refusé de parler anglais[45]. À leur libération, les trois incendiaires furent accueillis en héros, ce qui profita, pour un temps, au Plaid Cymru. Cependant, en raison de ses sympathies avec l'extrême-droite et de sa position antimilitariste, le Plaid Cymru retomba rapidement dans la marginalité au cours de la Seconde Guerre mondiale.

### Nouvel essor du nationalisme

L'élection du premier gouvernement travailliste majoritaire en 1945 pouvait laisser croire que le Pays de Galles avait définitivement tourné le dos au nationalisme. Bien représentée dans ce gouvernement, cette région profitait pleinement de l'avènement de l'état providence. Son intégration dans le Royaume-Uni semblait complète, comme le laissait voir le déclin rapide de la langue galloise. Entre 1901 et 1961, la proportion de galloisants était passée de près de 50 % à moins de 30 %[46]. La question nationale allait cependant redevenir d'actualité dans les années 1960 en raison de la réorientation politique du Plaid Cymru, de la construction d'un réservoir d'eau au Pays de Galles à l'usage de la ville de Liverpool et d'un discours de Saunders Lewis sur le sort de la langue galloise.

Sous l'égide d'un nouveau président, Gwynfor Evans, le Plaid Cymru prit une nouvelle direction. Afin de s'implanter dans le sud industriel et d'élargir sa base électorale, ce parti défendait maintenant le bilinguisme en matière linguistique et s'affirmait socialiste. En raison de ces changements, une nouvelle génération de militants socialistes unilingues anglais, déçus du parti travailliste, adhéra au Plaid Cymru. Comme l'affirmait l'un de ces militants :

*My generation began to realise that all this tremendous loyalty to labour had got us nowhere in our area and had got Wales nowhere as a whole... We suspected Labour not just on practical grounds, that they had not delivered on their promises, but also on ideological grounds that they were not a true socialist party... We chose nationalism as the best way to pursue socialists ideals*[47].

En 1955, la ville de Liverpool fit connaître son intention de construire un réservoir d'eau dans le nord du Pays de Galles. Pour réaliser ce projet, la vallée de Tryweryn, où se trouvait la communauté galloisante de Capel Celyn, devait être inondée. L'opposition à ce projet fut vive au Pays de Galles. Pour les militants nationalistes, il représentait une atteinte à l'intégrité du territoire et à la culture galloise et démontrait l'arrogance de l'impérialisme anglais. Le Plaid Cymru tenta en vain de convaincre le conseil municipal de Liverpool d'abandonner le projet. À la Chambre des communes, les députés gallois s'y opposèrent. Malgré tout, le Parlement britannique donna son aval à la construction du réservoir d'eau. Des nationalistes gallois en conclurent que les moyens légaux ne pouvaient faire avancer la cause du Pays de Galles. Comme le soulignait l'un de ces nationalistes: « *Plaid may feel they have moral high ground but who owns wales? It's still the English. Plaid's peaceful approach has cost wales everything. In my view we are still cleaning out the stabbles* »[48].

Ces nationalistes formèrent le Mudiad Amddiffyn Cymru (MAC, le Mouvement pour la défense du Pays de Galles) qui revendiqua dans les années 1960 plus d'une dizaine d'attentats à la bombe, dont la première en 1963 sur le chantier de construction du réservoir de Tryweryn. L'objectif de ce mouvement était:

*To reawaken the national consciousness of the Welsh people by propaganda and by action with explosives... We believe in every form of violence; we are peaceful men in the way an outraged father is a peaceful man, but there comes a time when you can't take it any further and you must dig your heels in. We believe extreme violence is a bad thing, but there are worse forms of inhumanity. Two wrongs don't make a right. One wrong may be lesser of the two evils. We are prepared to kill. We don't make the rules. We are dealing with a Government that apparently puts aside logic and reason. We aim to make them sit up and take action. The only way to make them see that we mean business is to carry out acts of extreme violence... I believe quite frankly that half of Wales had not heard of Tryweryn until they had read about it in the paper after the explosion there. It also offends the authority that there are people about who intend to do something about it*[49].

La campagne de ce groupe se termina avec l'arrestation de leur spécialiste en explosif, John Jenkins, à la fin des années 1960. Cette arrestation était survenue après une longue enquête policière menée pour déjouer les plans de ce groupe qui voulait empêcher la cérémonie d'investiture du Prince de Galles en 1969 au château de Caernafon. Deux militants du MAC sont décédés à la suite de l'explosion prématurée de leur bombe alors qu'ils étaient en route pour faire sauter un pont afin d'empêcher le train du Prince de Galles de se rendre à destination. Sans compter ces deux morts, les attentats du MAC ont causé des blessures graves à un enfant. Encore aujourd'hui, tous les membres de ce mouvement n'ont pas été identifiés. Pendant un temps, les policiers avaient attribué les attentats à la bombe à la Free Wales Army. En fait, cette « armée » s'est révélée être la création de quelques marginaux en mal de publicité[50].

En 1962, Saunders Lewis est sorti de sa retraite pour présenter sur les ondes de la radio de la BBC un plaidoyer en faveur de la langue galloise (*the fate of the language*). Dans son allocution, Lewis affirmait qu'il ne croyait plus que l'obtention d'un gouvernement autonome pour le Pays de Galles soit la mission des nationalistes. Il exhortait maintenant ceux-ci à la résistance par l'action directe et la désobéissance civile afin de sauver la langue galloise. Les paroles de Lewis inspirèrent une nouvelle génération de militants qui formèrent la Cymdeithas yr laith Gymreag (The Welsh Language Society). Cette société se lança dans différentes campagnes de désobéissance civile, dont la plus importante et la plus médiatisée fut celle pour l'affichage routier bilingue. Menée entre 1967 et 1980, cette campagne de réappropriation symbolique du territoire gallois s'amorça par le barbouillage des panneaux routiers unilingues anglais à l'aide de peinture verte et se poursuivit par le déboulonnage de ces panneaux. Durant cette campagne, des centaines de militants furent arrêtés et emprisonnés. Leur résilience porta ses fruits, la signalisation bilingue fit son apparition dans les années 1980[51]. La Welsh Language Society mena une autre grande campagne dans les années 1970 pour l'obtention d'une chaîne de télévision en gallois. Le Plaid Cymru se joignit à cette lutte et orchestra un boycottage du paiement des redevances de télévision. Ce boycottage fut suivi par près de 2 000 personnes. En 1982, le gouvernement Thatcher accepta finalement de mettre sur pied une chaîne de télévision galloise, après que Gwynfor Evans, président du Plaid Cymru, menaça d'entreprendre une grève de la faim[52].

Toutes ces campagnes en faveur de la promotion de la langue galloise ont mené à une première reconnaissance officielle de la langue galloise dans le secteur public en 1967. En 2010, le gallois a finalement obtenu un statut égal à l'anglais[53]. Ces campagnes ont aussi eu d'importants résultats dans le domaine de l'éducation. L'enseignement du gallois a fait d'importantes progressions depuis les années 1960, comme le démontre l'augmentation du nombre de jeunes de moins de 14 ans parlant le gallois[54].

Cet essor du mouvement nationaliste allait profiter au Plaid Cymru. En 1966, lors d'une élection partielle, le parti réussit à faire élire son président, Gwynfor Evans. Cette élection, qui témoignait de la popularité croissante du Plaid Cymru, relança le débat sur la décentralisation des pouvoirs (*devolution*). Le Welsh Office, établi en 1964, n'avait apporté aucun changement à la centralisation des pouvoirs au Royaume-Uni, puisqu'il s'avéra être uniquement une courroie de transmission des décisions du gouvernement central et non un lieu de pouvoir. Confrontés à la montée du nationalisme en Écosse (voir le texte de Dixon) et au Pays de Galles, les gouvernements travaillistes de Wilson et de Callaghan espérèrent que l'établissement de parlements semi-autonomes dans ces régions mettrait fin à la menace posée par les nationalistes. Un premier référendum sur la décentralisation fut tenu en Écosse et au Pays de Galles le 1er mars 1979. Les résultats furent désastreux au Pays de Galles. Seulement 20,1 % des électeurs qui se sont présentés aux urnes ont voté en faveur de la décentralisation. Malgré la campagne menée par le Plaid Cymru pour le oui, le peu d'enthousiasme des travaillistes et des libéraux, l'opposition farouche des conservateurs, l'impopularité du gouvernement Gallaghan et la crainte d'une grande partie de la population unilingue anglaise d'être gouvernés par des « extrémistes gallois » expliquent l'échec de ce référendum[55].

Pour certains nationalistes, l'acculturation des Gallois expliquait ce résultat. Quelques semaines après le référendum, Meibion Glyndwr (les fils de Glyndwr), une nouvelle organisation clandestine, incendia dans les régions rurales du Pays de Galles près de 200 résidences secondaires achetées par des Anglais entre 1979 et 1992. L'objectif de ces incendies était de dénoncer l'augmentation des prix des maisons et l'anglicisation et l'acculturation des régions rurales. Aucun membre de cette organisation n'a été arrêté jusqu'à ce jour[56].

La question de la décentralisation refit surface lors des années 1980 durant le bras de fer entre le gouvernement Thatcher et le NUM (National Union of Miners). La victoire de Thatcher sur le syndicat eut de désastreuses conséquences sur les communautés minières galloises. La population de ces communautés se sentait impuissante devant l'arrogance du pouvoir central, d'où le regain d'intérêt pour un parlement gallois. L'élection des travaillistes de Blair permit la tenue d'un second référendum en Écosse et au Pays de Galles en 1997. Cette fois-ci, tout allait être mis en place pour assurer le succès du référendum. En raison des sondages favorables en Écosse, Londres décida de tenir le vote au Pays de Galles une semaine après celui de l'Écosse. Malgré tout, seulement 50,1 % des électeurs se prononcèrent en faveur de la dévolution des pouvoirs.

Cette victoire à l'arraché confirme le peu d'intérêt affiché par la population galloise à l'endroit de l'indépendance. Cette option politique ne reçoit l'appui que de 11 % de la population. D'ailleurs, le Plaid Cymru n'a jamais fait mieux que la deuxième place aux élections régionales galloises. Il a même glissé au troisième rang aux élections de 2011. Cependant, si l'indépendance n'est pas à l'ordre du jour, la population galloise souhaite, selon les sondages, obtenir aujourd'hui davantage de pouvoir pour son parlement semi-autonome.

### Conclusion

Dans les deux derniers siècles, le Pays de Galles a vécu une renaissance nationale. Au XIXe siècle, cette renaissance fut principalement culturelle. On a assisté à la construction d'une identité galloise moderne fortement imprégnée des idées non conformiste et libérale. Au tournant du XXe siècle, le sud industriel s'est cependant éloigné de cette identité. Le mouvement ouvrier a imposé une nouvelle image du Pays de Galles, reflétant les idéaux socialistes et la solidarité internationale. C'est le déclin des valeurs « traditionnelles », celles du XIXe siècle, qui mena de jeunes idéalistes passéistes à former le Plaid Cymru et à faire de la lutte pour la survie de la culture et de langue galloise un enjeu politique. Dans les années 1960, les aspirations de la classe ouvrière rejoignirent celles des nationalistes, comme le démontre le virage socialiste du Plaid Cymru. À cette même époque, comme nous l'avons vu, le mouvement nationaliste a pris d'autres avenues : l'action directe, la désobéissance civile, l'attentat à l'explosif et l'incendie. La montée en popularité du nationalisme à ce moment a conduit à la décentralisation. Aujourd'hui, bien que cette renaissance nationale n'ait pas mené à l'indépendance, elle a imposé l'idée que le Royaume-Uni n'est pas l'union de trois, mais de quatre royaumes.

### Notes et références

1. J'ai emprunté ce titre à K. Morgan, *Wales, Rebirth of a Nation, 1880-1980*, Oxford University Press, 1990. 463 p.
2. Cité dans K. Morgan, « Welsh Nationalism : the Historical Background », *Journal of Contemporary History*, vol. 1, no. 6, 1971, p. 153.
3. G. Osborne Morgan, « Welsh Nationality », *Contemporary Review*, no. 53, anvier-juin 1888, p. 84- 89.
4. Cité dans K. Morgan, *op. cit.*, p. 153.
5. G. O. Morgan, *op. cit.*, p. 82.
6. G. A. Williams, *When Was Wales ?*, Pinguin, 1985, p. 3.
7. Moine anglo-saxon (672/673-735) considéré comme le père de l'histoire anglaise. Il a terminé la rédaction de l'histoire ecclésiastique du peuple anglais en 731.
8. Ce dernier avait été envoyé par le pape Grégoire le Grand pour réévangéliser l'Angleterre.
9. La Mercie est l'un des sept principaux royaumes fondés par les Anglo-Saxons en Grande-Bretagne. Elle avait pour capitale Tamworth, aujourd'hui située dans le comté de Staffordshire.
10. John Davies, *A History of Wales*, Penguin Books, 1993, p. 64-66.
11. G. Evans et I. Rhys, « Wales » dans O. D. Edwards, *Celtic Nationalism*, Routledge, 1968, p. 223.
12. M. Hroch, *Social Preconditions of National Revival in Europe*, Cambridge, 1985, cité dans E. J. Hobsbawm, *Nations et nationalisme depuis 1780*, Pari, Gallimard, 1992, p. 31-32.

13. E. J. Hobsbawm, *op. cit.*
14. E. Gellner, *Nation and Nationalism*, Oxford, 1983.
15. H. Abalain, *Histoire du Pays de Galles*, Ed. Jean-Pierre Gisserot, 1991, p. 78.
16. *Ibid.*, p.78
17. G. A. Williams, *op. cit.*, p. 206.
18. A. Poulin, « La famille ouvrière dans une communauté minière du Sud du Pays de Galles, Treherbert, 1861-1891 », thèse de doctorat, Université de Montréal, 1996, p. 44-70.
19. D. Williams, *A History of Modern Wales*, Londres, p. 269.
20. Sur la question de l'anglicisation du Pays de Galles, voir A. Poulin, « Industrialisation, migration et anglicisation dans le sud du Pays de Galles : Treherbert, vallée de la Rhondda, 1861-91 », *Canadian Journal of History/Annales canadiennes d'histoire*, XXXVII, août 2002, p. 229-251.
21. K. O. Morgan, *Wales in British Politics 1868-1922*, University of Wales Press, 1980. p. 160-1
22. *Ibid.*, p. 163.
23. A. Poulin, « La famille ouvrière ... », *op. cit.*, p. 54.
24. A. Poulin, « Industrialisation, migration... », p. 232.
25. D. Jones, *Statistical Evidence relating to the Welsh Language 1810-1911*, University of Wales Press, 1998, p. 222-225.
26. Comme l'a démontré W. T. R. Pryce, le bilinguisme au Pays de Galles ne fut qu'une étape transitoire vers l'anglicisation « *if a Welsh-speaking [person] would experience linguistic deculturation, displaying a marked tendency to pass through a transitional bilingual stage before reaching complete Anglicization.* » W. T. R. Pryce, « Migration and the Evolution of Cultural Areas : Cultural and Linguistic Frontiers in North-East Wales, 1750-1850 », *Transactions of the Institute of British Geographers*, no. 65, 1975, p. 90-91.
27. K. Morgan, *Wales in British Politics...*, *op. cit.*, p. 42.
28. *Ibid.*, p. 42
29. H. Abalain, *op. cit.*, p. 83.
30. Cité dans H. Abalain, *ibid.*, p. 83.
31. *Ibid.*
32. D. G. Evans, *A History of Wales 1815-1906*, University of Wales Press, 1989, p.245-60 ; K. O. Morgan, *Rebirth of a Nation...*, *op. cit.*, p. 102-112.
33. D. G. Evans, *op. cit.*, 314 p.
34. J'utilise le terme « conscience de classe » tel que defini par E. P. Thompson dans *The Making of the English Working Class*, Penguin, 1980 [1968], 958 p.
35. Pour un survol détaillé de cette période, voir H. Francis et D. Smith, *The Fed. A History of the South Wales Miners in the Twentieth Century*, Lawrence And Wishart, 1980, p. 1-52.
36. I. G. Jones, « Language and Community in Nineteenth Century Wales », dans I. G. Jones, *The Observers and the Observed*, Wales University Press, 1992, p. 76-77.
37. G. A. Williams, *op. cit.*, p. 195.
38. C. Charlot, « Plaid Cymru (1925-1979) : nationalisme gallois et dévolution », *Revue française de civilisation britannique*, vol. XIV, no. 1, p. 90
39. Cité dans *ibid.*, p. 90.
40. G.A. Williams, *op. cit.*, p. 278-282.

41. *Ibid.*, p.282.
42. Voir à ce sujet L. MacAllister, « The Peril of Community as a Construct For Political Ideology of Welsh Nationalism », *Government and Opposition*, vol. 33, no. 4, octobre 1998, p. 497-518.
43. W. Griffith, « Saving the Soul of the Nation : Essentialist Nationalism and Interwar Rural Wales », *Rural History*, vol. 21, no. 2, 2010, p. 177-194.
44. Cité dans C. Charlot, *op. cit.*, p. 89.
45. *Ibid.*, p. 91.
46. P. Jenkins, *op. cit.*, p. 386.
47. Cité dans *Contemporary Wales, Open University.*
48. J. Humphries, *Freedom Fighters. Wales's Forgotten « War », 1963-1993*, University of Wales Press, 2008, p. 70.
49. *Ibid.*, p. 108.
50. Selon les archives policières, la tête dirigeante de la Free Wales Army avait l'intelligence d'un enfant de 12 ans !
51. Voir les articles de P. Merriman et R. Jones, « Symbols of Justice : the Welsh Language Society's Campaign for bilingual signs in Wales, 1967-1980 », *Journal of Historical Geography*, no. 35, 2009, p. 350-375 ; « Hot, banal and everyday nationalism : Bilingual roads signs in Wales », *Political Geography*, no. 28, 2009, p. 164-173.
52. Dans *Contemporary Wales, Open University.*
53. Pour un survol de l'évolution du statut du gallois voir L. Cardinal, « Politiques linguistiques et mobilisations sociolinguistiques au Canada et en Grande-Bretagne depuis les années 1990 », *Cultures & Conflits*, no. 79-80, automne/hiver 2010, p. 37-54. ; BBC, 7 octobre 2010.
54. Dans *Contemporary Wales, Open University.*
55. C. Charlot, *op.cit.*, p. 101-103.
56. J. Humphries, *op. cit.*, p. 158-161.

# D'une ethnie à une nation ? Les trois moments de l'identité cornouaillaise moderne

BERNARD DEACON
*Institute of Cornish Studies*
*University of Exeter's Cornwall Campus*

Si le nationalisme cornouaillais est un spectre qui hante les Cornouailles depuis plus d'un siècle, il ne mérite pas plus qu'une simple note de bas de page pour la plupart des historiens anglais. Selon eux, le passé des Cornouailles ne peut être interprété que dans la perspective de l'intégration à l'Angleterre. Conquises par les Anglais avant l'arrivée de Guillaume de Normandie en 1066, les Cornouailles ont été intégrées avec une relative facilitée dans l'État anglais. Des historiens tels que John Morrill affirme carrément que l'histoire des Cornouailles n'est qu'un aspect de l'histoire anglaise[1]. Lorsque les tenants de ce discours sont confrontés à des affirmations de l'identité cornouaillaise, disons la « cornicitude » (*cornishness*), ils demeurent perplexes. Dans les années 1980, à la lecture de « *Cornish* » dans la colonne réservée à la nationalité dans le registre d'un hôtel, Bernard Crick ne pouvait y voir là que l'œuvre d'un plaisantin ou d'un fou[2]. Pour les historiens anglais donc, les Cornouailles sont « *too insignificant to figure... in its dazzling image of greatness and global reach*[3] ». Récemment, cependant, cette attitude condescendante a été tempérée. Bryan Ward-Perkins s'est demandé pourquoi les « *Cornwall remains the one part of England where not all indigenous inhabitants automatically describe themselves as English*[4] ». Christopher Bryant reconnaît aussi les « *peculiarities of the Cornish*[5] ». Pourtant les universitaires peinent à sortir des paradigmes spatiaux dominants. Les Cornouailles et la cornicitude sont perçues soit comme une version à petite échelle des nationalismes écossais et gallois soit comme un exemple de localisme anglais.

Par contre, la cornicitude est mieux comprise quand on adopte une perspective ethniciste. Anthony Smith définit une ethnie comme un groupe qui possède un nom « *with common ancestry myths and shared historical memories, elements of a shared culture, a link with a historic territory, and some measure of solidarity, at least among the elites*[6] ». Les Cornouaillais correspondent à tous ces critères de groupe depuis le XVIIe siècle sinon plus tôt[7]. Cependant, l'ethnicité et la nationalité ne sont pas la même chose. Pour les modernistes, les nations sont le résultat de l'industrialisation, de l'alphabétisation de masse ou de l'essor d'un état bureaucratique. Pour les « pérennialistes » les nations ou du moins certains éléments associés aux nations et au nationalisme sont déjà présents avant la modernité[8]. Que les ethnies soient d'origine moderne ou ancienne, il n'en demeure pas moins que le moment et les circonstances de leur transformation en nation demeurent flous. Les ethnies peuvent posséder un « sens de la continuité » pendant des générations, voire des siècles, mais elles changent également avec le temps, en fonction des forces historiques à l'œuvre. Dans ce mélange de continuités et de changements, certaines ethnies revendiquent leur statut de nation[9]. Dans le présent article, je démontre comment, au cours des deux derniers siècles, l'ethnie cornouaillaise est progressivement passée d'une identité associée à une composante de l'identité anglaise à une identité qui est consciemment non anglaise. Ce changement de paradigme identitaire a été encouragé en partie par un mouvement nationaliste explicite même si celui-ci n'a pas encore été en mesure de transformer sans équivoque l'ethnie en nation.

Krishan Kumar observe un « moment of Englishness » (moment d'anglicitude) à la fin du XIXe siècle, lorsque les Anglais ont commencé à enquêter sur leur identité nationale au moment où leurs entreprises impérialistes périclitaient[10]. Ce moment d'*anglicitude* était également un moment de *non-anglicitude*, car les peuples qui partageaient l'île avec les Anglais réaffirmaient aussi leur identité. On peut aussi parler d'un moment de « cornicitude », puisqu'on observe, à ce moment, quelques intellectuels cornouaillais examinant consciemment leur vocation nationale, un examen qui a mené à une entreprise de régénération morale au début du XXe siècle, une caractéristique typique de l'apparition des nations[11]. Cependant, nous pouvons établir d'autres moments de cornicitude qui représentent des moments charnières dans la généalogie de la construction de l'identité cornouaillaise et de son récit. Le moment de cornicitude de la fin du XIXe siècle n'est donc ni le premier ni le dernier. J'en identifie trois. Le premier a connu son apogée entre les années 1820 et 1850 et le troisième s'est produit entre les années 1950 et 1980. Chacun de ces moments a été précédé par une période de changements structurels préfigurant les changements discursifs opérés durant ces temps forts de la cornicitude.

## Le premier « moment de cornicitude »

Au XIXe siècle, alors que la Grande-Bretagne s'industrialisait, les classes moyennes étaient activement à la recherche des particularités de leur communauté. Pendant que les bourgs se développaient en grandes villes et que l'industrialisation transformait le paysage, des archéologues et des historiens amateurs cherchaient des certitudes dans l'étude du passé au moment où la modernité transformait leur présent. Leur communauté devait être intéressante et particulière ; elle devait également être différente des autres. Aux Cornouailles, les historiens amateurs ont déterré un passé qui laissait suggérer la présence d'une nation.

Herman Merivale, avocat et professeur d'université qui travaillait dans les Cornouailles dans les années 1840 a noté que les Cornouaillais étaient « *considerably self-opinionated*[12] ». À la même époque, Wilkie Collins a écrit « *a man speaks of himself as Cornish in much the same way as a Welshman speaks of himself as Welsh*[13] ». Ces indices d'une identité cornouaillaise, profondément ancrée dans la population, était déjà présente dans les années 1840[14].

Dans cette recherche de la différence, l'identité cornouaillaise va favoriser la production d'une histoire ethnique, une contre-histoire qui possède ses mythes fondateurs et ses âges d'or[15]. Les principaux auteurs de l'histoire ethnique cornouaillaise sont deux prêtres anglicans, William Borlase (1769) et Richard Polwhele (1800). Leurs travaux ont été poursuivis par le penseur méthodiste Samuel Drew dans les années 1820. Pour Borlase des « Cornu-Britons », en conflit avec les « Saxons », ont fui vers le Pays de Galles, les Cornouailles et la Bretagne[16]. Drew considère la défaite des Cornouaillais au IX^e siècle et leur incorporation plus tard dans le royaume de Wessex comme « *the era of the first subjugation of the Cornish by the English*[17] ». Les pères de l'histoire cornouaillaise avaient ainsi développé un mythe fondateur qui unissait les Cornouaillais et une frontière ethnique entre les Cornouaillais et les Anglais, sans pour autant avoir réussi à étouffer un récit populaire dans lequel les Cornouaillais étaient des Anglais. Ce récit mythique, qui révélait la période de l'âge d'or de l'indépendance des Cornouailles quelque 900 ans auparavant, était repris par les historiens et archéologues locaux et, plus tard, il le sera par les nationalistes.

Au même moment, l'intelligentsia cornouaillaise, formée de journalistes, médecins, avocats, banquiers et marchands s'intéressait à l'identité cornouaillaise. De plus en plus nombreux, ces professionnels, qui habitaient les petites villes dynamiques des régions industrielles des Cornouailles, étaient fiers de la place occupée par les Cornouailles dans la « civilisation industrielle ». Dans leur quête, ils n'étaient pas seulement à la recherche de traces d'un passé lointain ni de représentations romantiques de celui-ci, mais aussi d'artéfacts témoignant de la croissance dynamique de l'industrie métallurgique depuis le XVIII^e siècle. Dans les années 1850, le poète John Harris décrivait les Cornouailles comme un « paysage affamé », traversé par des « locomotives hurlantes » et des « tiges de pompage», et peuplé d'une «forêt de machines à vapeur» dont le tout créait «*an astonishing maze of machinery and motion*[18]». Les visiteurs étaient autant impressionnés par ce «paysage de feu» que le seront les générations futures devant les paysages côtiers des Cornouailles[19]. Les Cornouailles avaient été au XVIIIe siècle l'une des premières régions industrielles de l'Europe[20]. L'industrialisation avait créé des nouveaux symboles de différence et une classe moyenne qui était intensément fière du rôle avant-gardiste des Cornouailles dans le développement de la machine à vapeur au début du XIXe siècle. L'industrialisation précoce avait lié des éléments radicalement nouveaux à la «tradition» rassurante, bonifiant ainsi la différence cornouaillaise.

Ces conditions nouvelles multipliaient les symboles potentiels pour forger une identité cornouaillaise. Un développement industriel distinct, une ethnohistoire, construite par les historiens amateurs, et une conscience populaire fortement influencée par les modes de vie communs associés au travail et à la religion ont façonné la forte conscience de groupe observée par Merivale dans les années 1840. L'identité cornouaillaise, transmise de la noblesse cléricale du XVIIIe siècle aux classes moyennes et aux classes ouvrières du XIXe siècle, était devenue claire et explicite.

Mais dans ce premier moment de cornicitude, cette identité n'était pas encore une identité nationale. Les classes moyennes cornouaillaises ne ressemblaient pas à cette classe désabusée, selon Gellner, qui s'est tournée vers le nationalisme comme moyen de modernisation[21]. Ici, il est question d'une classe moyenne qui prospérait à l'intérieur de l'état britannique. En effet, les Cornouailles, dans cette phase de développement industriel, n'affichaient pas les caractéristiques d'une région périphérique, puisqu'elles étaient moins dépendantes économiquement et politiquement de Londres qu'aux siècles précédents et même qu'aujourd'hui. D'ailleurs, pour de nombreux contemporains, l'industrialisation des Cornouailles marquait la fin des modes de vie traditionnels. Après la mort du dernier locuteur cornique, vers 1800, les intellectuels s'empressèrent de sauvegarder ce qui restait de l'ancienne langue, même s'ils accueillaient en même temps le fait que les Cornouaillais avaient adopté l'anglais, une langue qu'ils jugeaient mieux adaptée au rythme d'une société commerciale. Dans les années 1840 et 1850, les Cornouaillais se considéraient comme «différents», mais pas encore celtes. Pour cela, il faudra attendre au deuxième moment de cornicitude.

### Le deuxième «moment du cornicitude»

La survie du cornique jusqu'au XVIIIe siècle avait assuré aux Cornouailles une place dans la famille des langues celtiques établie par Edward Lhuyd vers 1700. Dans les années 1760, William Borlase considérait lui aussi les Cornouaillais comme celtes. Un siècle plus tard, Meriville dépeignait les Cornouaillais comme « *strongly characterised Celtic people*[22] ». Trois ans plus tard, le président de la *Royal Institution of Cornwall*, principale institution littéraire de la région, abondait dans le même sens lorsqu'il répondit à une lettre d'une société archéologique du Pays de Galles : « *We are here at the utmost verge of the Celtic system; we want to connect our local antiquities with the antiquities of other Celtic tribes*[23] ». Dans les années 1860 le prêtre anglican de Newlyn affirmait aussi que les Cornouaillais étaient pour la plupart celtes, une « race » différente des saxons[24]. Cette idée n'était pas acceptée par tous, puisque d'autres récits sur l'origine des Cornouaillais étaient populaires à cette époque. Pour certains, ils étaient des descendants d'Espagnols, pour d'autres de Phéniciens. Ces croyances ont perduré jusqu'au milieu du XX^e^ siècle, même plus tard. Cependant, le deuxième moment de cornicitude est celui de l'affirmation de l'origine celte des Cornouaillais, moment important pour une renaissance nationaliste.

Cette affirmation identitaire fut possible en raison de changements structurels qui, selon certains, ont profondément transformé les Cornouailles et leur identité[25]. Vers la fin des années 1860, la chute soudaine du prix du cuivre a provoqué l'effondrement de son exploitation. L'extraction du cuivre représentait l'activité principale du développement industriel des Cornouailles. De son côté, l'exploitation de l'étain, qui a survécu bien après 1870, a connu un parcours jalonné de courts booms et de récessions prolongées jusqu'à la fermeture de la dernière mine en 1999. L'exploitation du cuivre et de l'étain, au cœur de l'identité cornouaillaise, avait favorisé le développement de la confiance affichée dans la région au cours du premier moment de cornicitude au début XIX^e^ siècle. Les difficultés économiques, provoquant du même coup la diminution de l'influence de la région, ont fait disparaitre des symboles centraux de la représentation que les Cornouaillais avaient d'eux-mêmes.

Pour certains, ces difficultés ont exposé les Cornouailles aux représentations externes. Pour Jane Korey un « vide sémantique » est apparu à la fin du XIX^e^ siècle[26]. Impuissants à se défendre, les Cornouaillais ne pouvaient pas lutter contre les représentations romantiques des Cornouailles en tant que périphérie celte véhiculées par les Anglais[27]. Même si ces représentations romantiques sont devenues courantes à partir des années 1880, cette interprétation passe sous silence le rôle joué par les intellectuels cornouaillais dans la sélection et l'adaptation de ces représentations. En outre, cette interprétation ne dépeint pas correctement l'image que les Anglais se faisaient des Cornouailles. Pour eux, ce n'était pas une région celte, mais une relique du monde préindustriel, par contraste à l'Angleterre industrielle et urbanisée, et un rappel vivant que leur civilisation fut autrefois primitive, pure et naturelle.

De telles représentations montrent que, même si elles sont considérées comme celtes, les Cornouailles sont perçues comme une facette de l'identité anglaise, puisqu'elles étaient ainsi reléguées, malgré leurs différences, au statut de comté, comme tous les autres comtés anglais. Le premier moment de cornicitude avait produit parmi la population des Cornouailles un sentiment de différence et une identité distincte. En conséquence, vers 1880 les Cornouaillais étaient interpellés régulièrement dans les journaux, par des politiciens, à l'église, en tant que cornouaillais et non anglais. Mais cette identification avait ses limites et ses frontières discursives qui circonscrivaient ses pouvoirs.

La campagne menée entre les années 1881 et 1883 pour la fermeture des pubs le dimanche aux Cornouailles l'a bien illustré. Même si les Cornouailles étaient, depuis 1840, à l'avant-garde des mouvements pour la prohibition, la campagne menée au début des années 1880 comportait une autre dimension politique. Elle n'aurait pas eu lieu sans la ratification du *Welsh Sunday Closing Act* en 1881. Les militants d'un projet de loi similaire pour les Cornouaillais exploitèrent rapidement les origines communes entre eux et les Gallois. William C. Borlase, député de la Cornouailles-Est et descendant de l'historien William Borlase, affirmait que le peuple cornouaillais faisait partie de ce peuple ancien et avait du sang celte[28]. D'autres personnes exigeaient l'égalité avec les « royaumes sœurs » de l'Écosse et de l'Irlande et avec « la principauté » du Pays de Galles, et se demandaient « *Why should we not attempt similar legislation for the Duchy of Cornwall*[29] ». Cette rhétorique contrastait nettement avec les campagnes pour un veto par comté menées dans le Durham et le Northumberland dans le nord de l'Angleterre, puisque ces dernières visaient à établir une législation nationale, c'est-à-dire anglaise.

Pourtant, la campagne cornouaillaise a échoué à cause du discours qui présentait les Cornouailles comme un comté anglais. Dès le dépôt du projet de loi, il fut attaqué par ses adversaires qui se demandaient pourquoi les Cornouailles auraient droit à un projet de loi spécial contrairement aux autres régions de l'Angleterre[30]. Pour eux, ce projet, qui témoignait d'un réel esprit de clocher, conduirait à l'isolement des Cornouailles du reste de l'Angleterre[31]. Même ceux qui défendaient le projet en invoquant les principes d'égalité avec le Pays de Galles et l'Écosse n'allaient pas jusqu'à dire que les Cornouailles ne faisaient pas partie de l'Angleterre, « *the Cornish people were very happy to be united to England, and they did not wish for Home Rule*[32] ». Ce fut le talon d'Achille de cette campagne. Malgré une pétition contenant plus de 120 000 signatures (plus du tiers de la population totale) le projet a été battu au Parlement. Les Celtes cornouaillais n'étaient pas comme les Irlandais, ils ne représentaient aucune menace[33]. Les Anglais les considéraient comme « primitifs » et leur terre comme un endroit de reliques druidiques et de légendes pittoresques. L'image romantique que les Cornouailles évoquaient aux Anglais n'était pas celle d'un peuple luttant pour l'autodétermination politique.

Bien que le discours régionaliste cornouaillais s'est construit dans une perspective anglaise, ce deuxième moment de cornicitude a produit, après 1900, un mouvement de renouveau culturel. En tant que « Celtes », les intellectuels cornouaillais, qui voulaient se libérer du discours condescendant de l'Angleterre métropolitaine et qui étaient à la recherche de modèles, se sont tournés vers le renouveau gaélique en Irlande et politique au Pays de Galles de la fin du XIXe siècle. En Irlande, comme au Pays de Galles, la langue était au cœur du renouveau national. Depuis 1820, les partisans du renouveau rassemblaient et éditaient des documents en cornique; et, à partir des années 1870, il y eut des tentatives de normaliser l'orthographe et de produire des manuels d'enseignement. Ces efforts ont mené à la publication du *Handbook of the Cornish Language*, de Henry Jenner en 1904. Dans cette vague de celtitude, les partisans du renouveau, s'appuyant sur les travaux d'archéologie linguistique en cours de Jenner et sur l'aide de l'éphémère Cornish Celtic Society, faisaient campagne pour que les Cornouailles soient admises dans le Congrès celte. Après quelques tentatives infructueuses, les Cornouailles y furent admises en 1902.

La désindustrialisation plongea les masses populaires cornouaillaises dans la nostalgie et provoqua une paralysie culturelle et politique. Leur repère identitaire changea de cadre spatial. En raison des grandes vagues migratoires du XIXe siècle, provoquées par les difficultés économiques de l'industrie extractive, elles tournèrent leur regard vers le Nouveau Monde. Un nouveau mythe identitaire était né: celui d'une migration héroïque du peuple cornouaillais. De leur côté, les classes moyennes et la noblesse se sont tournées vers le passé. Le XVIIe siècle allait devenir leur nouveau repère identitaire. Le renouveau proposé par les classes moyennes et la noblesse était empreint d'un légitimisme conservateur qui puisait ses racines dans le Toryisme des classes terriennes qui dominaient au XVIIe siècle et au début du XVIIIe siècle[34]. Ce régionalisme conservateur était similaire au carlisme espagnol et, à bien des égards, pouvait être associé à la lutte menée par les unionistes d'Irlande du Nord pour défendre leur identité britannique[35]. Ce renouveau, marqué par l'hyperloyalisme et le conservatisme, rejetait la modernité en faveur d'une civilisation médiévale idéalisée et défendait farouchement les droits régionaux traditionnels contre le centralisme. Jenner lui-même fut impliqué dans un trafic d'armes avec les Carlistes en 1899[36].

La paralysie culturelle du deuxième moment de cornicitude a donné lieu à un renouveau passéiste teinté de romantisme. Bien que dans les années 1920 il y eût une tentative d'établir un mouvement *Old Cornwall* pour associer renouveau celtique et le cornique à l'histoire locale et un intérêt populaire pour le dialecte anglo-cornouaillais (dialecte anglais), la conformité de la culture cornouaillaise de l'époque a étouffé ces mouvements. En même temps, le mouvement pour le renouveau de la langue a pris une tournure désastreuse vers une esthétique médiévale en adoptant le cornique écrit du XIVe siècle comme standard, condamnant ainsi le cornique à perdre toute pertinence dans le présent. Tandis que les partisans du renouveau s'enfermèrent dans une forteresse culturelle coupée de la réalité de leur quotidien, l'identité culturelle régionaliste plus populiste, dont la fierté avait été fortement diminuée par le déclin de l'économie minière, était assujettie au processus de méconnaissance décrit par Bourdieu[37]. Des décennies de stéréotypes négatifs sur la culture du groupe minoritaire et la dégradation constante de son capital culturel ont provoqué un sentiment d'humiliation intériorisée par les membres de ce groupe. Abandonnés par les grands intellectuels cornouaillais qui n'avaient que d'intérêt pour le passé médiéval et qui étaient désespérés par une culture ouvrière qui se réfugiait dans la sûreté d'une identité locale peu exigeante, certains des intellectuels tels que l'historien A. L. Rowse ont ouvertement renié leur origine cornouaillaise pour adopter fièrement l'identité anglaise[38]. Au milieu du XXe siècle, l'ethnie cornouaillaise semblait avoir abandonné et accepté son incorporation à l'Angleterre. Cependant, la tournure des événements a favorisé l'émergence d'un troisième moment de cornicitude dans les années 1960 et 1970. Ce moment sera caractérisé par le regain d'un sentiment de fierté en raison d'une revalorisation de l'appartenance au peuple cornouaillais.

## Le troisième « moment de cornicitude »

C'est durant cette période que va se développer un mouvement nationaliste cornouaillais semblable à ceux développés au Pays de Galles, en Écosse et en Bretagne au cours de l'entre-deux-guerres. Cependant, l'agitation nationaliste n'était qu'un des éléments, probablement le moins important, qui ont amené des changements qualitatifs apportés à l'identité cornouaillaise après 1960. Le mouvement Mebyon Kernow (MK) a vu le jour au cours de la décennie suivant la fin de la Seconde Guerre mondiale. Ce mouvement politique réclame pour les Cornouailles une autonomie interne à l'intérieur d'un Royaume-Uni fédéral[39]. Cette formation est demeurée un petit groupe de pression jusqu'à la fin des années 1960, concentrant ses efforts dans le domaine culturel en inventant et diffusant des symboles nationaux, tels que le drapeau noir et blanc de Saint Piran et le kilt cornouaillais, et en faisant la promotion de l'enseignement en cornique. Bien que le MK ait changé d'orientation au fil des années, ses principales sphères d'activité sont demeurées culturelles, comme certaines organisations d'avant-guerre telles que Tyr ha Tavas (Terre et Langue), un groupe de pression établi en 1932. Le MK est demeuré prisonnier d'une sous-culture marginale qui existait parallèlement, mais socialement éloigné, à une identité cornouaillaise populaire de masse. Cette identité a été façonnée à la fin des années 1940 et des années 1950 par les fruits du boom économique de l'après-guerre et les avantages de l'État providence. À bien des égards, malgré l'apparition d'un mouvement nationaliste, les années 1950 donnaient l'impression que l'assimilation des Cornouailles à la Grande-Bretagne était inévitable. Et puisque le discours spatial dominant présentait toujours les Cornouailles comme un comté anglais, l'assimilation se faisait selon les termes de l'Angleterre.

Mais les changements structuraux survenus dans la société britannique d'après-guerre ont également favorisé l'éclosion d'une nouvelle assurance cornouaillaise. Pendant la Seconde Guerre mondiale, les Cornouailles ont connu une forte croissance de leur population. Après une longue période de stagnation, la population des Cornouailles s'est accrue de 20 % durant la guerre. Bien qu'une grande partie des migrants ait quitté la région après la guerre, le profil changeant de la population semblait, selon certains intellectuels de la classe moyenne, mettre en danger les traditions cornouaillaises. Les membres de cette classe ont connu à partir de la fin des années 1940 une concurrence de plus en plus féroce sur le marché du travail. Les emplois professionnels dans le secteur public (enseignement, santé et gouvernement local) se sont multipliés en raison de l'accroissement des services offerts par l'État providence, mais en même temps la compétition pour ces emplois était nationale. Le développement d'une classe moyenne issue du secteur public, confrontée à une concurrence plus vive sur le marché du travail, combinée aux menaces aux modes de vie cornouaillais par la modernité, créait les conditions structurelles favorables au développement d'un mouvement nationaliste comme l'ont observé les spécialistes des mouvements nationaux ailleurs dans le monde.

Cependant les inquiétudes de cette classe moyenne craintive avaient peu d'impacts sur la culture cornouaillaise populaire. Deux facteurs en limitaient les effets. La pression démographique s'est atténuée après la guerre et l'impact de l'immigration de retraités était largement contrebalancé par l'émigration plus importante des Cornouaillais à la recherche d'un travail. En conséquence, l'accroissement de la population fut de courte durée. La décroissance de la population des Cornouailles reprit le rythme observé durant l'entre-deux-guerres. Culturellement, le renouveau, prisonnier de son héritage médiéval et légitimiste, et teinté d'un romantisme arthurien, n'avait aucun attrait pour la classe ouvrière cornouaillaise qui goûtait aux plaisirs de la société de consommation.

Toutefois, cette situation n'était qu'un interlude, un point d'équilibre provisoire avant l'arrivée des changements sociaux intensifs des années 1960 qui ont mis en place des conditions plus favorables à un renouveau nationaliste et encouragé le MK à présenter des candidats aux élections[40]. Dès les années 1950, on pouvait percevoir ces changements en raison du développement d'un tourisme de masse rendu possible par l'augmentation des revenus des ouvriers qualifiés du sud-est de l'Angleterre. Ceux-ci prirent l'habitude de se déplacer davantage et sur de plus longues distances lorsqu'ils prenaient leurs vacances. De nombreux touristes allaient devenir de futurs résidents des Cornouailles. Charmés par leurs souvenirs de vacances, plusieurs vacanciers décidèrent de s'y établir. Durant les années 1960, le déclin démographique n'était plus qu'un souvenir du passé, en raison d'une immigration importante et soutenue en provenance majoritairement des banlieues du sud-est de l'Angleterre. Cette fois-ci, la croissance démographique ne fut pas de courte durée. Depuis les années 1960, la population des Cornouailles augmente en moyenne de 10 % par décennie. Elle est passée de 360 000 en 1961 à 540 000 en 2010.

Cette migration relativement importante allait produire des tensions ethniques. Pour plusieurs, les nouveaux arrivants menaçaient le mode de vie réconfortant associé à la cornicitude du temps de la « paralysie culturelle ». Ce ne fut donc pas par hasard que le MK fut propulsé au-devant de la scène en 1966-1968 lorsqu'il s'opposa avec vigueur au projet de transferts planifiés de population en provenance de Londres. Ces transferts de population devaient suivre les investissements proposés par le gouvernement pour la construction de logements sociaux et la réalisation de projets industriels dans plusieurs villes cornouaillaises. Le succès de MK, qui a forcé le gouvernement à abandonner la majorité des projets, s'est avéré être une victoire à la Pyrrhus. Au début des années 1970, les militants nationalistes se sont rendu compte que, en dépit de l'arrêt de la migration planifiée d'ouvriers, la migration non planifiée des classes moyennes se poursuivait et prenait de l'ampleur. À partir de ce moment, l'intelligentsia nationaliste tenait un discours du désespoir dans lequel elle déplorait la disparition des Cornouailles historiques et s'inquiétait pour l'avenir du peuple cornouaillais[41].

Pendant ce temps, le reste de la population cornouaillaise semblait indifférente, mais pas inactive. Durant les années 1970 et 1980, les Cornouaillais se sont lancés dans une recherche frénétique de leurs racines familiales. Ces recherches généalogiques avaient pour fonction d'associer leur histoire familiale à celle des Cornouailles et d'affirmer leurs différences avec les nouveaux arrivants. Ce désir d'appartenance survenait à un moment où les Cornouaillais voyaient leur monde se transformer profondément. Ils n'avaient pas quitté les Cornouailles, pourtant leur paysage social familier se métamorphosait rapidement de façon imprévisible et méconnaissable. Pris dans ce maelstrom vertigineux les Cornouaillais trouvaient réconfort dans leur histoire familiale. Il ne fallait qu'un petit pas pour trouver réconfort dans l'histoire des Cornouailles, un autre pour remplacer les différences matérielles qui disparaissaient entre eux et les nouveaux arrivants par des différences symboliques. À partir des années 1970, en se tournant vers leur histoire, certains d'entre eux redécouvrirent le «passé utilisable» créé par les pères de l'histoire cornouaillaise du XIXe siècle et les partisans du renouveau celtique.

Seuls certains symboles ont été retenus dans cette quête du passé. Des inventions du renouveau celtique telles que le Gorseth cornouaillais (établi en 1928), qui puise ses racines dans les rituels et les cérémonies des élites légitimistes anglo-cornouaillaises ont été ignorées, alors que d'autres, comme le drapeau de Saint Piran et le tartan noir et or, ont été adoptés comme emblèmes des Cornouailles. Cette nouvelle fierté a été spectaculairement démontrée à la fin des années 1990 lorsque plus de 40 000 cornouaillais ont fait le voyage à Londres pour soutenir leur équipe de rugby qui avait atteint pour la seconde fois la finale du Championnat des comtés. Cette fois, contrairement à 1908, les partisans étaient ornés de symboles celtes. Toutes ces manifestations démontrent l'arrivée dans les dernières décennies du XXe siècle d'une nouvelle cornicitude, qui se vit au quotidien et de façon plus explicite.

Dans le plébiscite quotidien sur l'identité aux Cornouailles les symboles de cornicitude sont maintenant visibles en permanence dans ce paysage «re-cornicisé», comme le drapeau national et les panneaux routiers bilingues où une version revitalisée du cornique médiéval partage l'espace avec l'anglais. Dans ce troisième moment de cornicitude, une culture cornouaillaise populaire, dont l'origine remonte à la période industrielle, a fusionné avec les représentations celtes léguées par le deuxième moment de cornicitude[42] pour produire une identité plus affirmée. Cette nouvelle réalité est illustrée par le fait que lorsque la population des Cornouailles est appelée à définir son identité, plus d'un tiers des répondants se considèrent comme cornouaillais plutôt que comme anglais[43]. En tenant compte de la proportion élevée de la population venant de l'extérieur, ceci semble indiquer qu'une identité, qui s'inscrivait dans le cadre de l'anglicitude, a fait place à une identité qui s'y oppose.

Mais peut-on parler d'identité nationale? Un renouveau culturel, certains diraient une renaissance, c'est en effet produit depuis les années 1960. Pourtant le MK n'a jamais réussi à s'imposer sur la scène électorale alors qu'il est fermement établi depuis plusieurs années dans le paysage politique cornouaillais. Ses appuis dépassent rarement 2% aux élections britanniques. Il a enregistré son meilleur score lors des élections européennes de 2009 avec 6% des voix. Cette même année, il a remporté trois de 123 sièges du conseil régional (Cornwall Council). De plus, la campagne menée en 2000 pour l'obtention d'une assemblée régionale, faisant directement appel à un régionalisme cornouaillais, a échoué, malgré l'appui de 50 000 signataires, pour les mêmes raisons que la campagne pour la fermeture le dimanche des pubs en 1882. Les demandes pour que les Cornouailles obtiennent un « statut spécial » en Angleterre se heurtent à la représentation géographique du territoire national défendue par les Anglais et l'élite cornouaillaise. Cette représentation, où les Cornouailles sont considérées comme un simple comté anglais, sert les intérêts de ceux qui s'opposent aux campagnes menées pour défendre et mettre en valeur l'identité cornouaillaise.

Quelques nationalistes s'en rendent compte. Une nouvelle génération d'historiens cornouaillais, plus confiants et plus agressifs, s'est manifestée dans les années 1990. Ces historiens interprètent le passé des Cornouailles dans une perspective d'agression et d'oppression coloniale[44]. Leurs écrits séduisent quelques courants nationalistes minoritaires et pourraient même être considérés comme un exemple de la phase finale du nationalisme proposé par Liah Greenfield. Dans cette phase, les valeurs traditionnelles du nationalisme d'origine sont réinterprétées et remplacées[45]. Même si la vision élitiste du deuxième moment de cornicitude qui défendait l'ordre établi a été rejetée, les nouveaux nationalistes n'ont pas été en mesure de défaire l'engouement historique des Cornouailles pour la monarchie anglaise, comme le laisse voir leur obsession pour les droits traditionnels du Duché des Cornouailles.

Du point de vue discursif, chacun des trois moments de cornicitude a fourni des arguments crédibles aux élites culturelles cornouaillaises pour développer leur pensée. Une petite minorité de cette élite s'est tournée vers l'agitation nationaliste et l'affirmation culturelle. La majorité, toutefois, a résisté à la logique de la différence culturelle et a incorporé sa cornicitude culturelle avec un consentement passif dans le discours identitaire anglais. Sur le plan matériel, chacun des trois moments de cornicitude peut être associé à des changements socioéconomiques importants qui ont mis en place les conditions structurelles à la base des discontinuités dans le discours identitaire cornouaillais. L'exemple des Cornouailles donne des munitions autant à l'interprétation perrenialiste qu'à l'interprétation moderniste, même s'il cause régulièrement des maux de tête aux nationalistes cornouaillais contemporains.

## Notes et références

1. John Morrill, « The British problem, c.1534-1707 », dans Brendan Bradshaw and John Morrill (dir.), *The British problem, c.1534-1707 : State Formation in the Atlantic Archipelago*, Macmillan, Basingstoke, 1996, p. 1-38.
2. Bernard Crick, « An Englishman considers his passport », dans Neil Evans (dir.), *National Identity in the British Isles*, Coleg Harlech, 1989.
3. Tom Nairn, *After Britain : New Labour and the Return of Scotland*, London, Granta, 2000, p. 14.

4. Bryan Ward-Perkins, « Why did the Anglo-Saxons not become more British ? », *English Historical Review*, CVX, 462, 2000, p. 513-33.
5. Christopher Bryant, *The Nations of Britain*, Oxford, Oxford University Press, 2006, 230 p.
6. Anthony D. Smith, *Nations and Nationalism in a Global Era*, Cambridge, Polity Press, p. 97.
7. Mark Stoyle, « The dissidence of despair : rebellion and identity in early modern Cornwall », *Journal of British Studies*, no. 38, 1999, p. 423-44.
8. Anthony Smith, *Nationalism and Modernism*, Routledge, 1998, p. 159-65.
9. Umut Özkirimli, *Theories of Nationalism : A Critical Introduction*, Palgrave, Basingstoke, 2000, p. 58.
10. Krishan Kumar, *The Making of English National Identity*, Cambridge, Cambridge University Press, 2003, 224 p.
11. John Hutchinson, *The Dynamics of Cultural Nationalism : The Gaelic Revival and the Creation of the Irish Nation State*, Londres, Allen and Unwin, 1987, p. 35.
12. Herman Merivale, « Cornwall », *The Quarterly Review*, no. 102, 1857, p. 289-329.
13. Wilkie Collins, *Rambles Beyond Railways*, Londres, Richard Bentley, 1852, p. 70.
14. Voir Walker Connor, « When is a nation ? », *Ethnic and racial Studies*, no. 13, 1990, p. 92-103 qui défend l'identification des masses avec la nation. Pour d'autres exemples d'une identité cornouaillaise populaire au début du XIXe siècle voir Bernard Deacon, « The reformulation of territorial identity : Cornwall in the late eighteenth and nineteenth centuries », unpublished Ph. D. thesis, Open University, 2001, p. 103-24.
15. Gerhard Brunn, « Historical consciousness and historical myths », dans Andreas Kappeler (dir.), *The Formation of National Elites*, Aldershot, Dartmouth Publishing, 1992, p. 327-38 ; Anthony D. Smith, *The Ethnic Origin of Nations*, Blackwell, Oxford, 1986, p. 32.
16. William Borlase, *Antiquities Historical and Monumental of the County of Cornwall*, Londres, Bowyer and Nichols, 1769, p. 40.
17. Fortescue Hitchins and Samuel Drew, *The History of Cornwall*, Helston, William Penaluna, 1824, 725 p.
18. Cité dans Paul Newman, *The Meads of Love : The Life and Poetry of John Harris*, Redruth, Dyllansow Truran, 1994, p. 27.
19. Bernard Deacon, « The hollow jarring of the distant steam engines images of Cornwall between West Barbary and delectable Duchy », dans Ella Westland (dir.), *Cornwall : The Cultural Construction of Place*, Penzance, Patten Press, 1997, p. 7-24.
20. Sidney Pollard, *Peaceful Conquest : the Industrialisation of Europe 1760-1970*, Oxford, Oxford University Press, 1981, p. 14.
21. Ernest Gellner, *Nations and Nationalism*, Oxford, Blackwell, 1993.
22. Merivale, « Cornwall », *op. cit.*, p. 302.
23. Charles Barham, « President's Address », *Journal of the Royal Institution of Cornwall* 43, 1861, p. 15-16.
24. Wladislaw Lach-Szyrma, *the Bishopric of Cornwall : a letter to W. E. Gladstone*, Truro, J. R. Netherton, 1869, p. 8.
25. Philip Payton, *The Making of Modern Cornwall*, Redruth, Dyllansow Truran,

1992, p. 119-38.

26. Jane Korey, *As we belong to be : the ethnic movement in Cornwall*, England, unpublished Ph. D. thesis, Brandeis University, 1992.
27. Voir aussi Malcolm Chapman, *The Celts : The Construction of a Myth*, Londres, Macmillan, 1992.
28. *West Briton*, 28 Septembre 1882.
29. *West Briton*, 10 Novembre 1881.
30. *West Briton*, 5 Janvier 1882.
31. *West Briton*, 5 Octobre 1882.
32. *West Briton*, 10 Novembre 1881.
33. Simon Trezise, «The Celt, the Saxon and the Cornishman : stereotypes and counter-stereotypes of the Victorian period», dans Philip Payton (dir.), *Cornish Studies Eight*, Exeter, University of Exeter Press, 2000, p. 54-68.
34. Mark Stoyle, *West Britons : Cornish Identities and the Early Modern British State*, Exeter, University of Exeter Press, p. 157-80.
35. Philip Payton, «Inconvenient peripheries : ethnic identity and the "United Kingdom estate" — the cases of "protestant Ulster" and Cornwall», dans Ian Hampsher-Monk and Jeffrey Stanyer (dir.), *Contemporary Political Studies*, Belfast, Political Studies Association, 1996, p. 395-407.
36. Sharon Lowenna, «"*Noscitur a sociis*" : Jenner, Duncombe-Jewell and their milieu», dans Philip Payton (dir.), *Cornish Studies Twelve*, Exeter, University of Exeter Press, p. 61-87.
37. Pierre Bourdieu, *Language and Symbolic Power*, Cambridge, Polity Press, 1991.
38. Philip Payton, *A. L. Rowse and Cornwall : A Paradoxical Patriot*, Exeter, University of Exeter Press, 2005.
39. Pour l'histoire du MK voir Bernard Deacon, Dick Cole and Garry Tregidga, *Mebyon Kernow and Cornish Nationalism*, Cardiff, Welsh Academic Press, 2003.
40. Pour les changements sociaux de la période d'après-guerre voir Bernard Deacon, *Cornwall : A Concise History*, Cardiff, University of Wales Press, 2007, p. 207-234.
41. Charles Thomas, *The Importance of Being Cornish in Cornwall*, Redruth, Institute of Cornish Studies, 1973.
42. Amy Hale, «Representing the Cornish : contesting heritage interpretation in Cornwall», *Tourist Studies*, no. 1, 2001, p. 185-96.
43. Ian Saltern, *Cornish National Minority Report* 2, Truro, Cornwall Council, 2011, p. 8. Voir aussi Joanie Willetts, «Cornish Identity : Vague Notion or Social Fact ?», dans Philip Payton (dir.), *Cornish Studies : Sixteen*, Exeter, University of Exeter Press, 2008, p. 183-205.
44. Par exemple John Angarrack, *Our Future is History : Identity, Law and the Cornish Question*, Bodmin, Independent Academic Press, 2002.
45. Liah Greenfield, *Nationalism : Five Roads to Modernity*, Cambridge (MA), Harvard University Press, 1992, p. 16.

# L'Irish Trade Union Congress et le nationalisme irlandais, 1894-1930

JOHN CUNNINGHAM
*National University of Ireland*

L'Irish Trade Union Congress (ITUC) a été fondé en 1894 pour donner une voix aux préoccupations spécifiques des ouvriers irlandais. Si cette voix a souvent eu de la difficulté à se faire entendre, les dirigeants syndicaux considéraient l'ITUC comme un forum important et plusieurs d'entre eux ont travaillé d'arrache-pied pour en influencer l'orientation. Les historiens soutiennent que les tergiversations incessantes au sein du CSI et les mauvaises décisions prises par celui-ci à des moments critiques concernant son engagement politique à l'endroit du nationalisme irlandais ont eu d'importantes conséquences négatives sur le développement du mouvement ouvrier irlandais[1]. L'analyse des politiques de l'ITUC au cours des années agitées allant de sa fondation à 1930, durant laquelle a été prise la décision stratégique de séparer les activités industrielles des activités politiques, permettra de faire la lumière sur cette question au moment où deux nouveaux États ont été conçus, établis et consolidés sur l'île d'Erin.

Avant la fondation de l'ITUC, les débats sur le Home Rule avaient enflammé l'Irlande. La mobilisation engendrée par le rejet des projets de loi portant sur le Home Rule en 1886 et en 1893 a consolidé les mouvements politiques nationaliste et unioniste tout en accroissant les tensions entre leurs partisans. Ce n'était pas la seule source de division. En 1890-1891, un scandale impliquant Charles Stewart Parnell, le leader nationaliste charismatique, a provoqué des divisions profondes au sein de son mouvement. Lorsque cette controverse s'est dissipée, le cléricalisme catholique avait accru son influence sur le mouvement nationaliste. Les partisans du Home Rule se recrutaient principalement parmi les tenanciers catholiques, qui s'étaient engagés dans une guerre agraire (*land war*) contre les propriétaires terriens, majoritairement protestants, afin de reprendre le contrôle de leur terre et de leur destin[2]. Il y avait aussi le républicanisme irlandais qui représentait une tendance plus radicale du mouvement séparatiste. La Fraternité républicaine irlandaise (The Irish Republican Brotherhood), mieux connue sous le nom de mouvement «*Fenian*», fondée sur des principes révolutionnaires en Irlande et parmi des émigrants irlandais aux États-Unis à la fin des années 1850, a exercé une profonde influence sur le nationalisme constitutionnel à des moments critiques, mais a aussi été «contaminée» par cette relation. Composés en majorité d'ouvriers, les *fenians* entretenaient des liens avec le mouvement ouvrier irlandais, avec la diaspora irlandaise et, dans une certaine mesure, avec le socialisme international[3].

L'Unionisme irlandais, dont l'allié politique était les conservateurs britanniques, recevait l'appui des protestants (formant 25 % de la population de l'île, concentrée dans le nord de la province d'Ulster, principalement dans la région de Belfast). Les protestants, dont plusieurs étaient réceptifs à la propagande anticatholique de l'Ordre d'Orange, étaient alarmés par les craintes formulées au sujet du danger d'oppression et d'appauvrissement en cas d'accession au pouvoir à Dublin d'un gouvernement Home Rule sous la tutelle du clergé et incompétent en matière économique. Le slogan unioniste: «*Home Rule is Rome Rule*» résume bien ces craintes[4].

La création de l'ITUC représente un appui mitigé envers le Home Rule de la part des travailleurs irlandais. Le mouvement ouvrier irlandais était présent lors du premier British Trade Union Congress (BTUC) en 1868; il a envoyé, à l'occasion, de petites délégations les années suivantes et a accueilli le Congrès à deux reprises. Si le Home Rule prôné par la majorité des politiciens nationalistes ne préconisait pas une rupture totale avec les institutions britanniques, la création de l'ITUC représentait encore moins un appui à l'autonomie. En raison des liens organisationnels et sentimentaux entre les mouvements ouvriers anglais et irlandais, il avait été envisagé que les délégués irlandais continuent de participer au congrès britannique si l'autonomie devenait effective, jusqu'à la limite du possible évidemment[5].

La frustration découlant du peu de résultats obtenus par la participation au BTUC est la raison principale de la création de l'ITUC. Il était difficile pour les délégués irlandais de se faire entendre dans une organisation qui considérait comme marginales les questions irlandaises. Il était de plus impossible d'obtenir une représentation irlandaise à l'exécutif du Congrès en raison des nouveaux règlements adoptés dans les années 1890 (l'objectif était de diminuer la présence de socialistes), qui ont eu pour conséquence de réduire le nombre de délégués syndicaux irlandais. Même si la fondation de l'ITUC découlait de la déception à l'endroit du BTUC, les premiers dirigeants ouvriers irlandais insistaient sur le fait que leur organisation n'était pas un rival de l'organisation des travailleurs britanniques, mais un partenaire[6].

L'ITUC était au début du XXe siècle une petite organisation prudente sous influence britannique. Sa petite taille était le résultat du développement limité et très inégal de l'économie irlandaise depuis l'acte d'Union de 1801. L'industrialisation s'est développée principalement dans la vallée de Lagan dans la région de Belfast où fleurissaient des entreprises dans les domaines du textile et de la construction mécanique. Dans les autres régions, les améliorations dans les infrastructures du transport ont non seulement entraîné la désindustrialisation et la stagnation économique, mais aussi l'émigration de masse vers la Grande-Bretagne et les États-Unis. Conséquemment, la majorité des emplois était dans les secteurs difficiles à syndiquer des services et de l'agriculture[7]. Même si dans ses débuts l'ITUC était une petite organisation, selon Emmet O'Connor elle était plus petite qu'elle n'aurait dû l'être en raison de la « mentalité de colonisé » de ses dirigeants, conséquence de leur engagement étroit avec le mouvement ouvrier britannique. Pour ce dernier, l'ITUC avait adhéré aveuglément aux normes des syndicats britanniques et n'avait ni tenu compte adéquatement des caractéristiques du marché du travail irlandais, ni n'avait réellement cherché à accommoder des groupes tels les travailleurs agricoles. Même en adoptant les normes britanniques, l'ITUC ne parvenait pas à satisfaire les membres des prétendus « syndicats unifiés » de Belfast, qui continuaient à s'identifier avec le Congrès britannique. Les délégués de Belfast à l'ITUC représentaient généralement les travailleurs municipaux ou les petits syndicats locaux[8].

L'influence britannique était diffusée par les syndicats britanniques qui avaient absorbé de petits syndicats indépendants irlandais au cours de la première moitié du siècle. Ce processus s'est poursuivi au point où, selon l'estimation de John Boyle, près des trois quarts des syndiqués étaient membres d'un syndicat britannique à la fin du XIXe siècle[9]. Cependant, l'influence n'allait pas dans une direction seulement, jusqu'à un certain degré du moins, puisqu'il y avait une influence irlandaise sur le syndicalisme britannique, comme le démontre le rôle joué par les immigrants irlandais dans le développement du nouveau syndicalisme britannique à la fin des années 1880. En effet, un des nouveaux syndicats, le National Union of Dock Labourers (NUDL), était mieux connu sous le nom de syndicat irlandais, les dirigeants fondateurs, les « trois Mac » étaient tous nés en Irlande. Le NUDL et d'autres nouveaux syndicats ouvrirent des bureaux en Irlande, recrutèrent des membres parmi les travailleurs urbains semi et non qualifiés, firent la promotion de la revendication internationale de la journée de travail de huit heures et organisèrent les manifestations du 1er mai à Dublin en 1890 et quelques années par la suite[10]. Les beaux jours du nouveau syndicalisme étaient cependant terminés en 1894, ce qui explique pourquoi les syndicats des travailleurs qualifiés contrôlaient l'ITUC à ses débuts.

L'ITUC était très prudent à ses débuts en raison du contexte politique en Irlande qui divisait ses militants de base et qui menaçait son existence. En raison du vif antagonisme à propos de l'avenir constitutionnel de l'Irlande, antagonisme qui d'ailleurs coïncidait en grande partie avec les divisions religieuses, il y avait une extrême vigilance de la part des dirigeants ouvriers pour ignorer ou rejeter les sensibilités politiques et religieuses. À Belfast, où il y avait des tensions interconfessionnelles entre protestants et catholiques, causées en partie par la concurrence pour les emplois, les tensions étaient particulièrement vives. Pour demeurer viable, l'ITUC devait inclure dans ses rangs des travailleurs catholiques et protestants ; et tandis que plusieurs dirigeants syndicalistes considéraient leur mouvement comme un instrument permettant de transcender les divisions politiques, les membres de la classe ouvrière étaient résolument unionistes ou nationalistes comme tout le reste de la population irlandaise. Au cours des années précédant la création de l'ITUC, le manque d'attention portée à la réalité politique a conduit à l'échec de plusieurs initiatives ouvrières. Une de ces initiatives vient des Chevaliers du Travail, originaires de Philadelphie, qui se sont établis en Irlande en 1888-1889. L'association d'un représentant de passage avec la cause nationaliste a aliéné les membres protestants de Belfast, entraînant du même coup l'échec de l'implantation de cette organisation sur l'île. La même année, l'Irish Federated Trade and Labour Union (IFTLU), organisation proto-TUC dans laquelle étaient représentées les Trade Councils de Dublin, de Belfast et de plusieurs autres villes, fut elle aussi victime des tensions politiques. Malgré des débuts prometteurs, cette organisation s'effondra après que des membres de Dublin organisèrent un événement sportif sous les auspices de l'IFTLU, aliénant ainsi les ouvriers syndiqués protestants de Belfast, partisans de l'observance stricte du dimanche[11].

Maintenir la nécessaire unité du mouvement ouvrier irlandais, un des défis étant d'obtenir l'adhésion des Trade Councils de Dublin et de Belfast, était donc une affaire très délicate qui demandait un très haut degré d'autocensure. Les questions politiques, qui soulevaient les passions parmi la majorité de la population irlandaise, devaient être traitées avec beaucoup de circonspection. Les élans *fenians*, lorsqu'ils se manifestaient, devaient être freinés. Il fallait donc résister aux pressions internes, mais aussi externes, notamment durant la crise qui a provoqué la chute de Parnell où les factions nationalistes se disputaient les électeurs de la classe ouvrière[12].

La tâche principale des dirigeants nationaux de l'ITUC était de faire pression sur les parlementaires afin de promouvoir les résolutions adoptées annuellement par les délégués du Congrès. Les parlementaires unionistes et nationalistes étaient sollicités sans distinction, mais il s'est avéré que les parlementaires nationalistes étaient plus réceptifs[13]. Cette réalité s'explique par le fait que de nombreux députés nationalistes étaient en faveur des revendications des travailleurs, ayant fait leur apprentissage politique dans le mouvement radical en faveur de la redistribution des terres (Land League). Keir Hardie, un des fondateurs de l'Independent Labour Party et du Labour Party, l'avait d'ailleurs observée. Pour lui, les députés nationalistes étaient des hommes qui :

> [...] *by training and instinct, were in the closest sympathy with the claims and aspirations of the workers.* [*The*] *truest representatives of Democratic feeling in the House of Commons,* [...] *were the Irish Parliamentary Party (IPP)*[14].

Bien que les membres de l'ITUC de Belfast reconnaissaient l'aide des parlementaires nationalistes, ils ne voulaient pas devenir dépendants de ceux-ci. Par conséquent, ils ont développé des liens avec le Labour Representation Committee, qui deviendra par la suite le Parti travailliste britannique. Le Trade Council de Belfast était devenu par le fait même un ardent partisan d'une collaboration politique plus étroite entre l'ITUC et les travaillistes anglais. Le principal promoteur de cette idée était Williams Walker (1871-1918), dirigeant du Trade Council de Belfast au début des années 1890, président de l'ITUC en 1904 et membre de l'exécutif du Parti travailliste britannique. En tant que candidat du Parti travailliste à Belfast, Walker a fait des concessions aux orangistes s'aliénant ainsi les votes des travailleurs catholiques. Paradoxalement, le Parti travailliste auquel adhérait Walker souhaitait que le Home Rule soit appliqué à l'ensemble de l'Irlande[15]. C'est cependant l'empressement de l'ITUC d'embrasser les paradoxes, les contradictions et les accommodements qui lui a permis de survivre durant la première décennie du XX^e^ siècle.

*
* *

Des changements dans les contextes politique et économique, en particulier après 1910, ont modifié la nature du mouvement ouvrier irlandais, une modification qui s'observa dans les activités de l'ITUC. Sur le plan culturel, l'essor d'un « nouveau nationalisme » a permis au mouvement *fenian* moribond de se revigorer. La Gaelic League, dévouée à la sauvegarde de la langue irlandaise, la Gaelic Athletic Association, engagée dans la promotion de la pratique des sports traditionnels irlandais, et le Sinn Féin, parti politique créé en 1905 par des nationalistes en rupture avec l'IPP (Irish Parliamentary Party, mieux connu sous le nom Home Rule Party), exprimaient cet esprit nouveau[16]. Le mouvement ouvrier allait lui aussi connaître des transformations sous l'impulsion de deux membres de la diaspora irlandaise catholique. James Larkin et James Connolly, deux personnages dominants de l'Irlande du XX^e^ siècle, devenus socialistes en raison de privations durant leur enfance, ont réussi, malgré une éducation déficiente, à devenir orateurs, écrivains et meneurs. Ils ont contribué au développement et à la propagation de l'idéologie du républicanisme socialiste et à accroître la syndicalisation des travailleurs non qualifiés, ce qui favorisa la diffusion de leurs idées à un auditoire plus large et politisa davantage l'ITUC.

Connolly, né à Édimbourg en 1868, s'est enrôlé dans l'armée britannique en Irlande et l'a désertée par la suite. De retour en Écosse en 1890, il est devenu une figure importante du mouvement socialiste et développa une analyse marxiste de la question irlandaise. Nommé organisateur de la Dublin Socialist Society en 1896, il abandonna rapidement cette société pour établir l'Irish Socialist Republican Party (ISRP). Jusqu'alors, les organisations socialistes en Irlande étaient des succursales d'organisations anglaises, ce qui était toujours le cas à Belfast[17]. L'IRSP était différent : son nom reflétait la détermination de Connolly de joindre au socialisme l'énergie de la tradition feniane, qu'il considérait comme une expression légitime, mais mal orientée de la résistance au colonialisme[18]. Il a écrit à ce sujet :

> *If you remove the English Army tomorrow and hoist the green flag over Dublin Castle, unless you set about the organization of the Socialist Republic your efforts will be in vain. England will still rule you... through her landlords, through her financiers, through the whole array of commercial and individualist institutions she has planted in this country and watered with the tears of our mothers and the blood of our martyrs*[19].

L'IRSP est demeuré petit, mais grâce au journal *The Workers Republic* (créé en 1898), Connolly a pu développer et diffuser ses idées. Il a établi des liens avec un petit syndicat de travailleurs de la construction, qui l'appuyait dans ses tentatives électorales infructueuses, même s'il était très critique à l'endroit de l'ambiguïté démontrée par l'ITUC envers les questions ouvrière et nationale. Selon Connolly, les délégués aux Trade Union Congresses : « *are, as a rule, not the flower of the working class, but are rather the intriguers who because they are willing to perform... the routine work of trade unionism, are allowed by the too indulgent rank and file to work... to pose as leaders* »[20].

Connolly a passé les années 1903-1910 aux États-Unis où son engagement dans les questions socialistes et ouvrières lui a valu, entre autres, sa nomination au poste d'organisateur de l'Industrial Workers of the World, dont le syndicalisme influencera grandement sa pensée. Dans le journal *The Harp* (crée en 1908), il diffusa parmi les Irlando-Américains des idées similaires à celles qu'il avait déjà présentées dans le *Workers Republic*, mais enrichies de son expérience américaine. Bien qu'il ait un faible tirage en Irlande, ce journal a grandement influencé James Larkin. Avant le retour prévu de Connolly en Irlande en 1910, la publication du journal a été transférée à Dublin sous la direction de Larkin. Larkin a conservé le ton républicain et socialiste dans l'édition dublinoise de *The Harp*, cependant la publication fut interrompue quelques mois plus tard en raison de son emprisonnement[21].

Contrairement à Connolly, qui est resté longtemps à la marge du mouvement, James Larkin a joué un rôle central dès son arrivée en Irlande. Né à Liverpool en 1874, il était un activiste socialiste alors qu'il était encore un jeune homme, mais il était de ceux qui croyaient que le syndicalisme détournait les travailleurs de la lutte pour transformer la société. Il était cependant passionné et intègre, c'est pourquoi il a pris position lorsqu'il fut témoin d'une injustice patronale sur son lieu de travail lors de la grève des débardeurs au port de Liverpool en 1905. Son militantisme lui a mérité un poste au sein du NUDL. C'est en qualité d'organisateur irlandais de ce syndicat qu'il s'est présenté à Belfast au début de l'année 1907[22].

Bien que le NUDL fût peu important en Irlande en 1907, la situation à Belfast était favorable pour son expansion : il y avait du mécontentement chez les ouvriers, les conditions économiques renforçaient le pouvoir de négociation des travailleurs et les tensions intercommunautaires étaient relativement faibles. Une série de grèves déclenchée en raison des conditions de vie dans cette ville et attisée par les discours publics de Larkin, maintenant figure publique importante, a frappé Belfast au cours du printemps et de l'été 1907. Même la police, accablée par les tâches supplémentaires découlant des conflits de travail, était en grève. Au siège social du NUDL, cependant, on s'interrogeait sur l'approche de Larkin. Pourquoi avait-on permis à des travailleurs qui n'œuvraient pas dans le secteur portuaire d'adhérer au syndicat ? Est-ce que l'agitation ouvrière allait se transformer en violence intercommunautaire ? Était-il nécessaire de mettre en danger les finances du syndicat ? Pour Larkin, la détermination à faire la grève était nécessaire si on voulait démontrer l'efficacité du NUDL aux patrons et aux travailleurs[23].

Il était impossible de concilier l'approche de Larkin et celle des dirigeants du NUDL. Les conflits ouvriers furent résolus sans que le nom de Larkin fût mentionné. Évidemment, il ne fut ni tenu responsable par ses membres des décisions qui ont privé les grévistes d'une protection syndicale, ni que la violence intercommunautaire n'ait réapparu durant le conflit de travail. Bien qu'il fût désillusionné par l'attitude des syndicats britanniques à l'endroit de leurs membres irlandais, Larkin a travaillé à poursuivre l'expansion du NUDL à Dublin et ailleurs. Même s'il avait recruté de nouveaux membres, ses relations avec le siège social du NUDL demeuraient glaciales. La séparation inévitable est survenue à la fin de 1908, lorsque Larkin fut suspendu à la suite de grèves non autorisées à Dublin et d'allégations d'irrégularités dans la conduite des affaires syndicales à Cork[24].

Larkin a agi de manière déterminée en fondant l'Irish Transport and General Workers Union (ITGWU) avec des membres qu'il avait recrutés alors qu'il travaillait pour le NUDL. Dans cette entreprise, il a reçu de l'aide de plusieurs socialistes, anciennement membres du Sinn Féin, désillusionnés maintenant par ce parti. En seulement deux ans, Larkin est passé du statut de représentant du syndicalisme britannique à celui de principal défenseur du principe selon lequel les travailleurs irlandais devaient être membres de syndicats irlandais[25].

Des difficultés ont surgi dès les débuts de la création de l'ITGWU. En raison d'une plainte déposée par le NUDL concernant la conduite des affaires syndicales, Larkin a été condamné à un an de prison pour fraude. Le NUDL a usé de son influence pour bloquer la participation de l'ITGWU à l'ITUC. Larkin a cependant été en mesure de transformer ses difficultés en avantages. Avec l'appui de ses collègues socialistes, il a réussi à se faire élire comme délégué syndical de Dublin au congrès (ITUC) de 1910, où il réussit à faire admettre l'ITGWU au sein de l'ITUC. En outre, la campagne fructueuse menée pour obtenir sa libération de prison l'a élevé au rang de champion de la cause, puni par l'establishment, incluant les travaillistes britanniques, pour avoir défendu les travailleurs irlandais[26].

Après avoir été libéré de prison en octobre 1910, Larkin, profitant de l'augmentation du militantisme ouvrier et de l'instauration d'un programme national de sécurité sociale, a été en mesure d'accroître le nombre d'adhérents à l'ITGWU et d'en consolider la base. Dans sa démarche, il était de plus en plus influencé par le syndicalisme, une doctrine qui gagnait en popularité parmi la gauche du mouvement ouvrier britannique. Cette influence était apparente dans les relations de travail ainsi que dans l'orientation générale donnée à l'ITGWU. Larkin insistait sur la solidarité ouvrière, comme en témoigne l'application du concept de « produits frelatés » (*tainted goods*) qui demande aux travailleurs syndiqués de ne pas consommer, transporter, ni manipuler des biens produits par des briseurs de grève ou par des entreprises qui ne respectent pas les principes du syndicalisme[27]. Dans les activités de loisirs qu'il organisait, l'ITGWU faisait la promotion des valeurs ouvrières et socialistes. Il accordait aussi de l'importance aux activités en lien avec le « nouveau nationalisme », dont la langue irlandaise et les sports gaéliques. La culture et les valeurs défendues par l'ITGWU étaient diffusées dans les pages du *Irish Worker*, autrefois *The Harp*, un hebdomadaire fondé par Larkin en avril 1911. Ce journal d'orientation radicale était très populaire à Dublin[28]. Dans le premier numéro, le journal annonçait ses couleurs. Sa mission était la lutte en faveur des libertés politique et économique :

> *We owe no allegiance to any other nation, not the kings, governors, or representatives of any other nation. That all such persons are interlopers and trespassers on this our land, and that we*

*are determined to accomplish not only National Freedom, but a greater thing — Individual Freedom — Freedom from military and political slavery, economic or wage slavery! How then are we to achieve Freedom and Liberty? To accomplish political and economic freedom, we must have our own party!*[29]

Tout comme l'*Irish Worker*, l'ITGWU demeurait une institution principalement dublinoise, malgré qu'il fût présent dans d'autres villes. Connolly, qui était de retour en Irlande en 1910 à titre d'organisateur du Socialist Party of Ireland, auparavant l'ISRP, travailla, à Belfast en 1911, pour l'ITGWU. Il profita de son séjour pour y faire la promotion d'un républicanisme de gauche, ce qui lui attira des critiques, mais aussi des éloges[30].

Alors qu'il consolidait l'ITGWU et qu'il obtenait des appuis politiques au sein du Trade Council de Dublin, Larkin s'était donné comme mission de transformer le mouvement ouvrier à l'intérieur de l'ITUC. Comme il l'avait mentionné dans le premier numéro du *Irish Worker*, il croyait que le mouvement ouvrier irlandais avait besoin d'un parti politique. Au cours des années 1911 et 1912, lui et ses alliés proposèrent que l'ITUC créé ce parti. Cependant, il y avait toujours de syndicalistes qui affirmaient qu'il existait *de facto* un Parti travailliste irlandais, alors que le Trade Council de Belfast souhaitait consolider ses liens avec le Parti travailliste britannique. Au congrès de 1911, une résolution appuyée par Larkin a été bloquée par les délégués de Belfast, qui avaient obtenu un appui stratégique des nationalistes irlandais. Au cours de la même semaine, cependant, il y a eu des changements au sein de la direction de l'ITUC, lorsque Larkin et ses alliés, anciennement du Sinn Féin, s'emparèrent de la direction du mouvement[31]. Alors que le troisième projet de loi du Home Rule était débattu à la Chambre de communes, la nouvelle direction de l'ITUC réussit, lors du congrès de 1912 à Clonmel, à convaincre les délégués du bien-fondé de leur proposition. Ce fut James Connolly, autrefois critique de l'ITUC, maintenant délégué de l'ITGWU, qui présenta cette proposition victorieuse. Lors de discussions ultérieures, il fut convenu que le nouveau parti serait une filiale de l'ITUC et que les adhésions individuelles ne seraient pas acceptées – Connolly était, d'un point de vue syndicaliste, contre l'admission de « politiciens professionnels ». En 1914, l'ITUC est devenu l'Irish Trade Union Congress and Labour Party (ITUC & LP)[32].

L'ITUC était d'une certaine façon plus représentative et mieux placé pour parler au nom de la classe ouvrière irlandaise, mais demeurait en même temps plutôt petit et mal outillé pour donner une direction au mouvement ouvrier. Cela fut apparent lors du lock-out de 1913-1914 à Dublin, cette grande lutte épique du mouvement ouvrier irlandais, dans laquelle le rôle du mouvement ouvrier britannique, dont les dirigeants de l'ITGWU se méfiaient pourtant, fut crucial.

Le lock-out fut instauré à la suite des tentatives de Larkin d'implanter l'ITGWU dans les secteurs qui offraient des emplois stables afin d'en assurer la survie. Ces tentatives ont provoqué un conflit entre le syndicat et William Martin Murphy, propriétaire du quotidien *Irish Independent* et de la Dublin Tramway Company, et président de la Fédération des employeurs de Dublin[33]. En congédiant les membres de l'ITGWU, Murphy força Larkin à déclencher la grève dans les tramways. S'assurant de l'appui des autorités et d'autres employeurs de Dublin, Murphy mit en lock-out environ 20 000 travailleurs dublinois, qui furent informés qu'ils seraient réengagés seulement s'ils signaient un document stipulant qu'ils renonçaient à être membres de l'ITGWU[34]. L'Église catholique, qui se méfiait déjà de Larkin, afficha ouvertement son hostilité à l'ITGWU, dès lors que ce syndicat décida d'envoyer les enfants des grévistes dans des familles de sympathisants britanniques pour la durée du conflit de travail. La plupart des politiciens nationalistes, très proches des milieux d'affaires et soumis à l'autorité de l'Église catholique, furent hostiles à cette nouvelle manifestation du « larkinisme »[35].

Les grévistes reçurent une aide financière considérable de la Grande-Bretagne, sans laquelle ils n'auraient pu poursuivre la grève longtemps. Malgré tout, Larkin en demandait davantage. Il voulait que les travailleurs anglais refusent de manipuler les produits devant être acheminés vers Dublin, afin de mettre de la pression sur les employeurs. Bien qu'il y ait eu des gestes de solidarité posés par les ouvriers du transport britanniques, les dirigeants du TUC britanniques décourageaient fortement le boycottage de Dublin. Larkin a obtenu le soutien d'une minorité des syndicats du mouvement ouvrier britannique. Une réunion spéciale du TUC britannique avait été convoquée en décembre pour examiner cette question. Au cours d'âpres discussions, les délégués ont voté par une forte majorité contre l'accroissement des moyens de pression. Même si la continuation de l'aide financière avait été promise, le résultat du vote rendait inévitable la défaite de l'ITGWU[36].

Le lock-out est survenu au moment où la controverse sur le Home Rule atteignit son paroxysme. Les unionistes, qui s'étaient jusqu'ici opposés à l'autonomie de l'Irlande, ont décidé pour des raisons tactiques de demander l'exclusion de l'Ulster du Home Rule. Il y eut une importante mobilisation de la population protestante et une intensification des tensions intercommunautaires. Les travailleurs catholiques furent expulsés des chantiers navals, tout comme les « protestants corrompus », c'est-à-dire les socialistes et syndicalistes protestants qui étaient considérés par les unionistes comme peu fiables au sujet du Home Rule[37]. En janvier 1913, ayant fait le serment de résister au Home Rule en Ulster, les milices unionistes formèrent l'Ulster Volunteer Force. En novembre de la même année, les nationalistes répliquèrent par la formation des Irish Volunteers.

Inévitablement, des événements aussi importants que le lock-out et la crise du Home Rule eurent des conséquences l'un sur l'autre. L'exemple des Ulster Volunteers inspira l'ITGWU. Afin de défendre les piquets de grève, celui-ci forma l'Irish Citizen Army (ICA), une petite milice ouvrière. Après la fin du lock-out, les membres de l'ICA, qui épousaient les objectifs plus larges du « larkinisme », continuèrent les manœuvres militaires. Contrairement à la majorité des partisans du Home Rule, les nationalistes radicaux, choqués par les abus de pouvoir des employeurs lors du lock-out, se solidarisèrent à la cause ouvrière. À partir de ce moment, les relations entre les syndicalistes et les républicains séparatistes de l'IRB devinrent plus étroites[38].

*

*  *

L'orientation politique du mouvement ouvrier durant la période révolutionnaire (1917-1923) fut considérablement influencée par la décision de James Connolly d'engager la petite ICA aux côtés des Irish Volunteers, sous contrôle de l'IRB, dans le soulèvement de Pâques en 1916. La décision de Connolly fut motivée par la défaite ouvrière lors du lock-out de Dublin au début de l'année 1914 et le déclenchement de la Première Guerre mondiale peu après. De son côté, Larkin, démoralisé et épuisé s'en est allé aux États-Unis, soi-disant afin de faire une collecte de fonds et une tournée de conférences. Son séjour américain se prolongea jusqu'en 1923. En reprenant les principales fonctions de Larkin, Connolly devint le secrétaire général par intérim de l'ITGWU, rédacteur en chef du *Irish Worker* et commandant de l'ICA[39].

Au début, la guerre en Europe diminua les tensions en Irlande. L'application du Home Rule, adopté par le parlement britannique en septembre 1914 avec l'exclusion temporaire de l'Ulster, fut reportée à la fin de la guerre. Le chef nationalise, John Redmond, soutenait l'effort de guerre britannique afin de favoriser le rapprochement entre l'Irlande et la Grande-Bretagne, ainsi qu'entre les nationalistes et les unionistes irlandais. Il encouragea même les Irish Volunteers à s'enrôler dans l'armée britannique. Pour les Volontaires qui provenaient de la IRB/fenian, l'appel de Redmond était une hérésie totale. La scission au sein du mouvement était inévitable. L'écrasante majorité resta fidèle à Redmond et forma la nouvelle organisation des National Volunteers. Quelques centaines de membres se dissocièrent cependant du chef nationaliste et demeurèrent au sein de l'organisation séparatiste des Irish Volunteers[40].

James Connolly était aussi scandalisé par les propos de Redmond pour les mêmes raisons que les membres des IRB. Il considérait que les concessions faites aux unionistes sur la question du Home Rule et l'appel de Redmond aux nationalistes irlandais pour s'engager dans l'armée britannique allèrent préparer la voie à la partition de l'île, dont chacune des parties serait sous le contrôle de conservateurs sectaires qui collaboreraient aux entreprises impérialistes britanniques.

Pour Connolly, il était difficile de voir de jeunes Irlandais, dont plusieurs sans-emploi en raison du lock-out, s'enrôler dans une armée impérialiste. Il était aussi troublé par le fait que les socialistes et les dirigeants syndicaux partout en Europe avaient appuyé la guerre et encouragé leurs membres à aller défendre leur patrie. Connolly se servait des pages du *Irish Worker* et, après son interdiction, du *Workers Republic* pour s'opposer à la guerre et aux partisans de la guerre en Irlande, et faire la promotion d'une résistance militante. Il associa l'ITGWU à la cause antiguerre en suspendant sur la façade de son édifice une bannière sur laquelle on pouvait lire: « *We serve neither King or Kaiser, but Ireland* » (Nous ne servons ni le Roi, ni le Kaiser, mais l'Irlande). En se consacrant à l'entraînement de l'ICA, il préparait ses membres pour la révolution[41]. Le conseil militaire de l'IRB préparait aussi secrètement son propre soulèvement. Connolly remettait cependant en question l'engagement du conseil dans la lutte pour l'indépendance. De son côté, le conseil craignait que les discours inflammatoires de Connolly révèlent aux autorités ses plans. Pour cette raison, les membres du conseil ont divulgué à Connolly leurs intentions. Connolly, après avoir critiqué pendant vingt ans les méthodes conspiratrices et la conception étroite de la « liberté » de l'Irlande de l'IRB, en est devenu membre en janvier 1916[42].

Connolly fut nommé commandant de la force mixte (Irish Volunteer/ ICA) qui s'est emparée des édifices stratégiques de Dublin le lundi de Pâques 1916. La contribution de Connolly au soulèvement ne fut pas que militaire, elle fut aussi idéologique, comme le démontre la Déclaration d'indépendance de la République lue sur les marches de l'Hôtel des postes. Il y avait, cependant, peu d'espoir de victoire militaire puisque, en raison de problèmes de dernières minutes, les forces rebelles étaient beaucoup moins nombreuses que prévu et pauvrement armées. À la fin de la semaine sanglante de Pâques, les rebelles avaient capitulé. Ce soulèvement aurait peut-être eu peu de conséquences si ce n'était de la réaction peu judicieuse des autorités britanniques. Les meneurs du soulèvement furent accusés d'avoir « aidé l'ennemi » et exécutés; des milliers de nationalistes, dont plusieurs qui n'avaient pas participé à la rébellion, furent emprisonnés en Grande-Bretagne et la loi martiale fut instaurée. Si les nationalistes irlandais éprouvaient du ressentiment à l'endroit des autorités britanniques, la population catholique en général admirait la bravoure des rebelles.

Tout comme les autres dirigeants du soulèvement de Pâques, James Connolly, peu connu de son vivant, fut, après sa mort, élevé au panthéon des martyrs de la cause républicaine. Le mouvement républicain, par l'entremise du Sinn Féin, qu'il contrôlait maintenant, profitait de la popularité des rebelles de 1916, de la désillusion à l'endroit de la guerre et de la crainte de la conscription pour supplanter l'IIP de John Redmond[43].

Si la guerre a créé des conditions favorables à la rébellion et à l'émergence d'un nouveau nationalisme, elle fut aussi bénéfique au mouvement ouvrier. La diminution du nombre de travailleurs en raison du recrutement militaire et les demandes pressantes en hommes et en biens liées à la conduite de la guerre ont augmenté le pouvoir de négociation des syndicats. De plus, l'inflation incita les travailleurs à s'organiser afin de protéger leur niveau de vie. Dans cette période de demande généralisée d'augmentation des salaires, les syndicats ont recruté de nombreux nouveaux membres. L'ITGWU, qui ne comptait que 4 000 membres au moment de l'exécution de Connolly, en comptait 68 000 à la fin de la guerre. Les syndicats poursuivirent leur expansion dans les années suivant la guerre. Entre 1916 et 1920, le nombre de syndiqués affiliés à l'ITUC est passé de 100 000 à 225 000, dont plus de la moitié provenait de l'ITGWU[44].

C'est au cours de ces années que l'influence de Connolly fut à son apogée. Après quelques hésitations, entraînées principalement par le désir de ne pas mécontenter les unionistes qui soutenaient l'effort de guerre en Europe, les chefs syndicaux décidèrent de poursuivre l'œuvre de Connolly. William O'Brien et Cathal O'Shannon, tous deux à la tête de l'ITGWU et membres du Socialist Party of Ireland de Connolly, ne manquèrent rarement l'occasion de citer en exemple Connolly. La Révolution bolchevik était souvent présentée comme une réalisation des idées de Connolly et célébrée par ses héritiers qui se décrivaient à l'occasion comme des bolcheviks irlandais[45].

Les dirigeants de l'ITGWU entretenaient des relations amicales avec le Sinn Féin en plein essor. D'ailleurs le mouvement ouvrier en général se rapprochait des nationalistes en raison des événements. L'alliance fut consommée en avril 1918 lorsque les nationalistes irlandais, l'IPP sur le déclin, le Sinn Féin, les Irish Volunteers reformés, l'Église catholique et les travaillistes, s'unirent contre la conscription. Le mouvement ouvrier déclencha une grève générale d'une journée, largement respectée sauf en Ulster. Le succès de cette grève a renforcé la confiance de l'ITUC & LP, qui décida peu après de disputer les prochaines élections générales. Lors des discussions, il fut décidé provisoirement que le Sinn Féin ne présenterait aucun candidat dans certaines circonscriptions urbaines afin de ne pas nuire aux candidats ouvriers, à condition que l'ITUC & LP se tienne à l'écart dans d'autres circonscriptions et que les candidats ouvriers victorieux refusent de siéger au Parlement[46].

Puisque la guerre se termina avant le déclenchement des élections générales, la conscription n'était plus un enjeu, ce qui rendait difficile pour l'ITUC & LP de maintenir sa politique d'abstentionnisme (par le boycott du parlement britannique), s'il ne voulait pas s'aliéner davantage les protestants et risquer de diviser le mouvement. Bien qu'il décida finalement de ne pas participer aux élections, l'ITUC & LP adopta une politique radicale, soulignant son engagement politique en changeant son nom pour l'Irish Labour Party and Trade Union Congress (ILP & TUC), tout en élevant au rang de vertu sa pusillanimité en déclarant qu'il se tenait à l'écart afin de permettre aux électeurs de s'exprimer clairement sur l'avenir constitutionnel de l'Irlande[47]. Même si l'ILP & TUC ne présenta aucun candidat, il y en avait plusieurs qui portaient l'étiquette « ouvrière ». Le Belfast Labour Party (BLF), appuyé par le Trade Council, présenta quatre candidats. De plus, l'Unionist Party fonda l'Ulster Unionist Labour Association (UULA) de crainte de perdre les votes des travailleurs protestants. La stratégie unioniste fut fructueuse comme en témoigne l'élection de trois candidats de l'UULA. Si aucun des quatre candidats du BLP ne fut élu, chacun obtint en moyenne 22 % des suffrages exprimés[48].

Si le monolithe unioniste se maintint avec succès, l'autre grand monolithe de la politique irlandaise s'écroula. De son côté, l'IPP ne réussit à conserver que six sièges. Le Sinn Féin, qui fit élire 73 députés, réalisa sa promesse de boycotter le parlement britannique et fonda un parlement (Dáil Éireann) révolutionnaire à Dublin en janvier 1919. Tous ceux qui avaient été élus dans des circonscriptions irlandaises étaient invités à siéger à ce nouveau parlement. Cependant, ni les députés IPP, ni les unionistes ne s'y présentèrent. Lors de la session inaugurale, la déclaration de la République irlandaise de 1916 fut ratifiée et un gouvernement dirigé par Eamon de Valera fut élu. L'ILP & TUC ne fut pas représenté dans ce premier parlement, mais son influence se faisait sentir, puisque son programme démocratique avait été rédigé par Tom Johnson, secrétaire général de l'ILP & TUC[49]. Lors du congrès de l'Internationale socialiste à Berne, l'ILP & TUC rendit un autre service au Sinn Féin. Les délégués irlandais réussirent à convaincre les délégués britanniques d'abandonner leur appui au Home Rule au profit de l'autodétermination de l'Irlande. En outre, l'autodétermination de l'Irlande fut adoptée comme politique officielle de l'Internationale socialiste avant la conférence de paix de Versailles[50].

L'établissement du Dáil Éireann provoqua un conflit militaire qui se transforma progressivement en guerre d'indépendance. Les postes de police ruraux furent abandonnés, après que les Irish Volunteers les prirent pour cible, représentants visibles de l'État britannique et gardiens de fusils convoités. Un autre développement important fut l'établissement par le Dáil de tribunaux révolutionnaires, qui rapidement remplacèrent les tribunaux officiels. Londres considérait cet affront comme un problème d'ordre public. Pour résoudre la situation, le gouvernement britannique s'appuya sur une législation plus sévère et l'envoi de renforts policiers. Les services de l'ordre reçurent l'aide de vétérans de la guerre, les « Auxiliaries » et les « Black and Tans », qui avaient pour mission de combattre les Irish Volunteers, devenus l'Irish Republican Army (IRA), plutôt que de maintenir l'ordre public[51]. L'agitation sociale qui gagna l'Irlande se manifesta entre autres par la confiscation de terres par de petits agriculteurs frustrés ou des vagues de grèves, souvent menées par des individus engagés dans la guerre d'indépendance. Les dirigeants républicains désapprouvaient cependant que des membres de l'IRA s'engagent dans les conflits sociaux.

Durant la guerre d'indépendance, il y eut plusieurs grèves générales dans les grandes et petites villes de l'Irlande. Cependant, le militantisme ouvrier connut son apogée durant la période des « soviets » en 1920. Parmi les faits saillants de cette période, on peut souligner la prise de possession de crémeries par des travailleurs l'ITGWU. Dans les « soviets », les drapeaux rouges étaient hissés et des slogans étaient affichés comme celui-ci : « *We Make Butter, Not Profits, Knocklong Creamery Soviet* ». Même si les « soviets » étaient répandus pendant un certain temps, ils ne représentaient pas un effort concerté pour prendre le contrôle de la vie économique. Ils étaient plutôt le résultat de grèves menées par des travailleurs radicaux. D'ailleurs, les entreprises ont été remises aux propriétaires lorsque ceux-ci avaient consenti à améliorer les conditions de travail[52]. En dépit d'un soutien rhétorique au bolchévisme, un examen des discours des travailleurs en grève révèle que leur idéologie est de nature syndicaliste plutôt que communiste.

Il y avait aussi des grèves politiques, mais celles-ci appuyaient la lutte pour l'indépendance. Parmi ces grèves, il y eut celle du « soviet de Limerick » en avril 1919, provoquée par la brutalité des forces de l'ordre. Pendant une semaine, la ville était sous le contrôle du Trade Council, qui s'occupait du rationnement de la nourriture et du maintien de l'ordre[53]. L'année suivante, en avril 1920, il y eut une grève à la grandeur de l'Irlande nationaliste en appui aux grévistes de la faim, au cours de laquelle les syndicats avaient la responsabilité de maintenir l'ordre public et d'assurer les services essentiels. Pour le *Manchester Guardian*, cette grève, qui se termina en moins de deux jours parce que les autorités avaient cédé aux demandes des grévistes, avait des allures de dictature du prolétariat. La grève fut utilisée plus tard pour nuire à l'armée britannique. Par exemple, les membres du National Union of Railwaymen (NUR), un syndicat anglais, refusèrent de transporter des munitions sur leurs trains[54].

Malgré que l'ILP & TUC ait donné son appui à la lutte pour l'indépendance, il a refusé de reconnaître le Dáil Éireann. Comme pour les autres dérobades, la crainte de se mettre à dos les travailleurs unionistes et de provoquer une division au sein du mouvement fut à l'origine de cette décision. Cependant, il n'y avait pas grands avantages à fournir de l'aide aux républicains tout en refusant de reconnaître leurs institutions. Pour les protestants, l'ILP & TUC était perçu comme hypocrite, ce que semblait confirmer les allégations des unionistes voulant que l'ILP soit en fait le Sinn Féin sous un autre nom. En général, les travailleurs de la région de Belfast ne suivirent pas la même voie que ceux du reste de l'Irlande. Il y avait certainement du militantisme ouvrier, comme durant la grève des mécaniciens de Belfast en 1919. À Belfast, cependant, les drapeaux rouges étaient absents et les grèves politiques menées par l'ITUC n'étaient pas suivies. Même si le nombre de syndiqués augmentait en Ulster, les gains n'étaient pas enregistrés dans les rangs de l'ITGWU.

Contrairement aux dirigeants ouvriers de Belfast qui s'opposaient à la partition de l'île, la majorité des syndiqués étaient unionistes. La politique du NUR de refuser de transporter des munitions relança indirectement les violences sectaires sur les lieux de travail. Les catholiques et les « protestants corrompus » furent une fois de plus chassés des chantiers navals en juillet 1920. Selon Austen Morgan parmi les 1 850 ouvriers expulsés, on comptait presque la totalité des cadres politiques et économiques du mouvement ouvrier[55]. Il y eut d'autres événements moins tragiques, mais tout aussi emblématiques dans d'autres secteurs du mouvement ouvrier. Lorsque l'association des enseignants irlandais s'affilia à l'ITUC durant la période d'agitations ouvrières à la fin de la guerre, ses membres protestants démissionnèrent. Pour les enseignants protestants, le mouvement ouvrier : « *was a body which was frankly bolshevist and Sinn Féin… of which Larkin* [*is*] *the prophet and Connolly* [*is*] *the martyr*[56] ».

*

* *

Deux nouveaux États irlandais ont vu le jour au début des années 1920 à travers le désordre civil et l'effusion de sang. L'Irlande du Nord, un état autonome à l'intérieur du Royaume-Uni formé de six des neuf comtés historiques de l'Ulster, a été créée par le *Governement of Ireland Act* de 1920. Cette nouvelle loi britannique sur le Home Rule n'était pas acceptée par les républicains irlandais puisqu'elle ne tenait pas compte de la tournure des événements politiques survenus depuis les élections de 1918. Malgré tout, le Sinn Féin participa aux élections des deux parlements partitionnistes en 1921, les considérant comme des élections au Daìl, comme ils l'avaient fait en 1918. Encore une fois, l'ILP & TUC ne présenta aucun candidat à ces élections[57].

Le BLP qui avait pris part aux élections de 1918 s'abstint en 1921. Puisque le mouvement n'avait pas réussi à réintégrer les travailleurs qui avaient été expulsés des chantiers navals et parce que les dirigeants unionistes associaient toujours l'ILP au Sinn Féin, les conditions n'étaient pas favorables. Quelques membres du BLP se présentaient à titre d'indépendants. Ils récoltèrent toutefois très peu d'appuis. Les unionistes sortirent les grands gagnants de ces élections en remportant 48 des 60 sièges du parlement d'Irlande du Nord. Les autres sièges étaient divisés également entre le Sinn Féin et l'IPP. Malgré une majorité écrasante, le gouvernement unioniste ne se sentait pas en sécurité du fait qu'un tiers de la population d'Irlande du Nord avait voté pour des partis nationalistes. Pour affirmer son autorité et contrecarrer l'IRA, le gouvernement comptait en grande partie sur la ferveur unioniste de ses partisans, principalement pour le recrutement de forces de police supplétives[58].

L'état libre d'Irlande ou Saorstát Éireann (possédant un statut de Dominion équivalant à celui du Canada) fut établi par le controversé Traité anglo-irlandais, signé sous la contrainte par les négociateurs irlandais et approuvé par une faible majorité des députés au Dáil. Les opposants au traité, dont Eamon de Valera, ne pouvaient accepter certaines de ses clauses, dont le maintien du souverain britannique à la tête de l'État et le contrôle des ports stratégiques par les Britanniques. La division politique allait se répercuter dans les rangs de l'IRA. Les partisans et les opposants du traité durcirent leurs positions durant les premiers mois de 1922. Alarmé par la tournure des événements, l'ILP & TUC déclara une autre grève générale en avril 1921, cette fois contre le militarisme. Les dirigeants du Sinn Féin étaient aussi inquiets d'une possible dérive vers un conflit armé entre anciens camarades. C'est pour cette raison qu'il y eut une ultime tentative pour former un gouvernement composé d'adversaires et de partisans du traité[59].

Dans des conditions moins qu'idéales, l'ILP & TUC présenta pour une première fois une liste provisoire de candidats pour les élections générales de juin 1922. Dans les rangs du mouvement ouvrier, il y avait des membres de gauche opposés au traité qui étaient contre la participation aux élections. James Larkin, engagé dans le mouvement communiste américain et emprisonné pour « anarchie criminelle » refusa d'être candidat travailliste. Il y avait aussi de fortes pressions locales à l'endroit des candidats de l'ILP pour qu'ils se désistent de la part de ceux qui s'opposaient au traité. En fin de compte, les candidats de l'ILP furent surpris de leurs résultats. Sur les 18 candidats, 17 ont été élus, clairement il y avait possibilité pour d'autres victoires. Avec beaucoup moins de candidats, les travaillistes ont obtenu plus de votes que la faction opposée au traité du Sinn Féin[60].

Le rapprochement des partisans et des adversaires du traité n'a pas survécu aux élections, ni à la promulgation de la constitution de l'État libre. Avant la fin de juin, la guerre civile faisait rage, alors que le gouvernement de l'État libre, avec l'appui du gouvernement britannique, entreprit de déloger les adversaires du traité de leur retranchement à Dublin.

Plusieurs centaines de vies ont été perdues durant ce conflit violent qui se termina en avril 1923 par une défaite du mouvement opposé au traité, qui dut déclarer un cessez-le-feu unilatéral. Bien que l'ILP demeurât officiellement neutre dans ce conflit, il fut considéré comme partisan du traité puisque les députés de ce parti participaient au Dáil, ce qui donnait une légitimité accrue aux politiques économiques conservatrices du nouveau gouvernement. Les adversaires du traité boycottèrent ce gouvernement jusqu'en 1927 du fait qu'ils refusaient de prêter le serment d'allégeance à la couronne britannique[61].

En plus de l'instabilité politique, les citoyens des deux nouveaux états étaient aux prises avec des difficultés économiques. Un ralentissement de l'économie avait déjà entraîné une baisse des salaires en Grande-Bretagne, cependant en raison du chaos de la guerre d'indépendance, les travailleurs irlandais avaient réussi à conserver les gains obtenus durant la guerre. Alors que l'État libre se consolidait, les employeurs réussirent à réimposer leur autorité. Les syndicats furent incapables de défendre leurs membres dans ces nouvelles conditions. L'échec des débardeurs de Dublin et les difficultés découlant des grèves généralisées des travailleurs agricoles forcèrent l'ITGWU de se retirer des régions rurales. En Irlande du Nord, le ralentissement économique frappa fortement les industries textiles et les chantiers navals, qui avaient connu la prospérité durant la guerre[62].

Puisque les syndicats ne pouvaient les défendre adéquatement, plusieurs syndiqués résilièrent leur adhésion. L'ITGWU chercha à compenser ses pertes en recrutant des membres des syndicats mixtes (c'est-à-dire des syndicats anglais), qu'il avait auparavant critiqués pour leur inefficacité. Il y avait déjà des frictions entre les différents syndicats lorsque Larkin revint à Dublin en avril 1923, après sa libération de prison. En théorie toujours, le secrétaire général de l'ITGWU tenta de reprendre les rênes du pouvoir là où il les avait laissées huit ans auparavant, ce qui l'entraîna dans un conflit avec ceux qui avaient dirigé le syndicat en son absence. Les batailles légales et physiques qui s'en suivirent se terminèrent par la formation en juin 1924 d'une centrale syndicale « larkiniste », le *Workers Union of Ireland*. Le mouvement ouvrier dublinois était désormais divisé. Alors que le nombre de syndiqués diminuait, les syndicats s'enfermaient dans des querelles destructives.

Il y avait aussi des divisions dans le domaine politique. En 1924, Larkin fonda la Irish Workers League, qui devint membre du Kominterm. Lors des élections de 1927, il collabora avec le Fianna Fáil, nouveau parti politique formé d'opposants au traité. Il fut élu au Dáil Éireann comme communiste *de facto*[63].

Puisque les opposants au traité boycottaient le Dáil, l'ILP formait l'opposition officielle au Dail Eireann et avait la lourde tâche de s'attaquer aux politiques économiques conservatrices du parti Cumann na nGaedheal qui formait les premiers gouvernements de l'État libre d'Irlande du Sud. Le chef de l'ILP, Tom Johnson, était un parlementaire constructif et souvent efficace, mais rarement radical. La plupart des radicaux continuaient à graviter autour du milieu opposé au traité, qui était lui-même en pleine transformation. Craignant que la politique d'abstentionnisme leur enlève toute raison d'être, Eamon de Valera et ses partisans se dissocièrent du Sinn Féin et formèrent le Fianna Fáil en 1926. Ce nouveau parti politique, qui était dynamique et populiste, « légèrement constitutionnel » selon un des membres fondateurs, obtint de très bons résultats lors des élections générales de juin 1927. Ces candidats récoltèrent plus du quart des votes, reléguant le Sinn Féin à la marginalité[64].

Durant les élections, l'ILP était un adversaire du Fianna Fáil, mais puisque leurs politiques économiques étaient similaires, les deux partis furent en mesure de collaborer. L'ILP encouragea les élus du Fianna Fáil à siéger au Dáil, ce qu'ils ont fait en août 1927 après l'entrée en vigueur de nouvelles lois qui rendaient difficile d'agir efficacement sans participer au parlement. L'entrée des membres du Fianna Fáil modifia l'arithmétique politique, et pour un court moment, un gouvernement travailliste appuyé par le Fianna Fáil semblait possible. Ce scénario échoua cependant et le gouvernement du Cumann na nGaedheal survécut. En septembre 1927, l'ILP se présenta aux élections fortement affaibli. Lors de ces élections, l'ILP reçut quatre fois moins de votes que le Fianna Fáil, alors qu'il en avait obtenu deux fois moins trois mois plus tôt. De l'opposition officielle au Dáil, l'ILP était relégué au rang de petit parti[65].

En Irlande du Nord, le BLP retrouva suffisamment de confiance pour présenter un candidat dans Belfast Ouest en décembre 1923. Son candidat, Harry Midgley, était l'un de ceux qui avaient obtenu des résultats humiliants aux élections de 1921. Belfast Ouest était traditionnellement nationaliste, cependant le parti nationaliste boycottait ces élections en guise de protestation contre le redécoupage de la circonscription qui en augmentait le nombre de protestants. Bien que Midgley récolta plus de 22 000 votes, provenant autant des catholiques que des protestants, il perdit l'élection par une faible marge aux mains d'un unioniste. Ce bon résultat conduit à la formation du Northern Ireland Labour Party (NILP). Avec une plateforme électorale identique à celle du parti travailliste britannique, le NILP, contrairement au Irish Labour Party, n'était pas affilié au TUC, mais conservait son affiliation au Northern Ireland Trade Unionists. Midgley était le seul candidat aux élections d'octobre 1924, il obtint encore une fois de très bons résultats, même si les unionistes l'ont dépeint comme un *crypto Sinn Féiner*[66].

Comme l'ILP dans l'État libre d'Irlande, le NILP formait l'opposition au parlement d'Irlande du Nord après les élections de 1925. En collaborant avec les nationalistes et les unionistes indépendants, le NILP réussit à se démarquer dans une période de difficultés économiques. La crainte de voir les travaillistes et les indépendants gagner de nouveaux votes et ultimement mettre fin à l'hégémonie de l'Unionist Party força le gouvernement à abolir la représentation proportionnelle aux élections parlementaires de 1928. Le succès de cette mesure freina le développement du NILP[67].

Alors que le NILP devenait de plus en plus indépendant du mouvement ouvrier dans la seconde moitié des années 1920, l'ILP dans l'État libre conserva ses liens avec le mouvement syndical. Cependant, cette relation était remise en question à la suite de tensions intersyndicales qui provoquèrent du mécontentement dans les rangs de l'ILP. Plusieurs se plaignaient que les dirigeants de l'ILP accordaient une attention démesurée aux préoccupations des syndicats ce qui nuisait à la progression du parti[68]. Pour Tom Johnson, le leader parlementaire jusqu'en 1927, les visées politiques et syndicales n'étaient pas compatibles. Il souligna en 1928 qu'il y avait: «*a growing feeling… that the trade union appeal is too often narrow, anti-social and unduly selfish*», ce qui le rendait incapable «*of arousing enthusiasm among trade unionists or working with satisfaction to the unions*[69]». Les liens entre le mouvement ouvrier et le parti furent remis en question lors des congrès de 1928 et 1929, où il fut décidé de mettre en place un comité spécial responsable de réorganisation. Le comité recommanda que le parti et l'ITUC deviennent des entités autonomes ce qui fut accepté au congrès de février 1930, malgré que certains délégués avaient des réserves concernant le nouveau programme politique de l'ILP. Ceux qui s'opposaient à cette décision considéraient les politiques du nouveau programme comme des «*pale pink bourgeois objects that anyone could subscribe to*»[70]. Malgré les espoirs caressés par les partisans de la réorganisation, le déclin de l'ILP se poursuivit. Le parti se retrouvera dans les décennies suivantes dans la position du «demi-parti», dans un système politique qualifié de «système de deux partis et demi»[71]. Les grands partis, le Fine Gael et le Fianna Fáil, regroupaient respectivement les partisans et les adversaires du traité, membres du Sinn Féin des années 1921 et 1922.

Au moment de la réorganisation du mouvement ouvrier en 1930, l'ITUC était à son plus bas. Le nombre de ses membres avait chuté au niveau de celui de 1916 en raison des difficultés économiques et des disputes internes. Les syndicats réussirent cependant, à accroître de façon significative le nombre de leurs membres après l'avènement au pouvoir du Fianna Fáil (avec l'appui de l'ILP) en 1932, en raison de l'approche interventionniste de ce parti dans les domaines économique et social.

*

*   *

La faiblesse historique des travaillistes en Irlande a été attribuée à plusieurs facteurs, dont la prédominance dans les différentes régions du pays de petites exploitations agricoles, de l'importance du pouvoir de l'Église qui était méfiante à l'endroit du mouvement ouvrier, des erreurs faites par le mouvement ouvrier à des moments cruciaux ainsi que l'importance de la question nationale. Les questions politiques, économiques et culturelles étaient étroitement liées en Irlande comme elles l'étaient ailleurs, mais il est clair que c'est la question nationale qui était le principal défi de l'ITUC dans les quatre premières décennies de son existence. L'ITUC fit de mauvais choix en tentant d'aborder ce défi. Ces mauvais choix avaient été faits pour de bonnes raisons, généralement pour maintenir l'unité précaire du mouvement ou pour protéger ses militants, mais ils ont eu l'effet de marginaliser le mouvement ouvrier (ILP). Le mouvement ouvrier s'était lui-même exclu des débats entourant la question nationale, qui était fondamentale pour la grande majorité de la population irlandaise. De plus, l'inclination de l'ILP et du NILP à s'attaquer aux questions économiques, tout en évitant d'aborder la question constitutionnelle, a eu pour conséquence de minimiser les liens entre économie et souveraineté parmi les électeurs.

Ce fut durant la période révolutionnaire (1917-1923), lorsque les enjeux étaient les plus élevés, que la question nationale était la plus difficile à éviter. La direction de l'ILP & TUC à cette époque, parmi laquelle les soi-disant républicains socialistes étaient majoritaires, résolut ce dilemme en adoptant une rhétorique ouvriériste radicale tout en apportant une aide concrète aux séparatistes du mouvement républicain sans toutefois leur accorder une reconnaissance officielle. Aux yeux des protestants, l'ILP était malhonnête. Le mouvement ouvrier était donc incapable ni de maintenir son unité, ni de protéger ses militants dans le maelstrom qu'était le nouvel état d'Irlande du Nord.

L'ILP prit sa place dans les structures de l'État libre d'Irlande dans une meilleure position que les travaillistes dans le Nord. Bien qu'il soit généralement admis que la décision de ne pas présenter des candidats aux élections de 1918 ait sérieusement hypothéqué l'ILP dans le sud[72], il y a de nombreux indices importants qui laissent penser le contraire, notamment la performance intéressante de ce parti lors des élections générales de 1922. Les résultats auraient été sûrement meilleurs s'il avait présenté plus de candidats. La dérive de l'ILP au statut de « demi-parti » s'est produite après l'établissement de l'État libre d'Irlande et non avant. Aux prises avec des divisions politiques profondes, l'ILP & TUC a agi plus ou moins comme il l'avait fait auparavant. Il prit position tout en clamant sa neutralité, il donna priorité à l'économie sur la politique tout en minimisant le lien entre les deux. Par conséquent, alors que le parti populiste Fianna Fáil est apparu au milieu des années 1920, l'ILP & ITUC était mal outillé pour relever le défi. La seule solution apportée, de séparer l'ILP de l'ITUC, n'a pas permis de freiner le déclin politique du parti. Le mouvement ouvrier irlandais est entré dans les années 1930 fortement affaibli. L'ITUC demeurait une organisation présente sur l'ensemble de l'île, en pratique cependant Belfast et la région avoisinante demeuraient semi-autonomes. Les deux partis politiques qui sont nés de l'ITUC étaient petits, mais ils furent en mesure de continuer à exprimer les préoccupations de la classe ouvrière dans les deux états irlandais.

## NOTES ET RÉFÉRENCES

1. Voir J. D. Clarkson, *Labour and Irish Nationalism,* New York, Columbia University, 1925; C. D. Greaves, *The Life and Times of James Connolly,* Londres, Lawrence & Wishart, 1961; E. Rumpf & A. C. Hepburn, *Nationalism and Socialism in Twentieth Century Ireland,* Liverpool University Press, 1977; E. O'Connor, *A Labour History of Ireland,* Dublin, Gill & Macmillan, 1992.
2. P. Bew, *Land and the national question 1858-82,* Dublin, Gill & Macmillan, 1978, *passim*; F. S. L. Lyons, *Charles Stewart Parnell,* Dublin, Four Courts, 2005 éd., p. 478-548
3. O. McGee, *The Irish Republican Brotherhood: from the Land League to Sinn Fein,* Dublin, Four Courts, 2005, p. 15-37; M. Cronin, *Country, Class or Craft: the Politicisation of the Skilled Artisan in Nineteenth Century Cork,* Cork, Cork University Press, 1994, p. 133-134 et p. 154-158; C. Ó Gráda, «Fenianism and socialism: the career of Joseph Patrick McDonnell», *Saothar: journal of the Irish Labour History Society,* vol. 1, 1975, p. 31-41.
4. B. M. Walker, *Ulster Politics; the Formative Years, 1868-86,* Belfast, Ulster Historical Foundation & Institute of Irish Studies, 1989, p. 176-254; H. Patterson, *Class Conflict and Sectarianism, the Protestant Working Class and the Belfast Labour Movement,* Belfast, Blackstaff, 1980, p. 25-27.
5. J. Boyle, *The Irish Labor Movement in the Nineteenth Century,* Washington, Catholic University of America Press, 1988, p. 127-143.
6. *Ibid.*, p. 144-147; D. Keogh, *The Rise of the Irish Working Class,* Belfast, Appletree Press, 1982, p 42-43.
7. C. Ó Gráda, *Ireland: a New Economic History, 1780-1939,* Oxford University Press, 1994, p. 224-35 et p. 282-313.
8. E. O'Connor, «Labour and politics, 1830-1945: colonisation and mental colonisation», dans F. Lane & D. Ó Drisceoil (dir.), *Politics and the Irish Working Class,* Houndmills, Palgrave Macmillan, 2005, p. 27-43; P. Collins, «Irish labour politics in the late nineteenth and earlier twentieth centuries», dans Collins (dir.), *Nationalism and Unionism: Conflict in Ireland, 1885-1921,* Belfast, Institute of Irish Studies, 1994, p. 123-153.
9. J. Boyle, *Irish Labor, op. cit.*, p. 125-126.
10. E. Taplin, *The Dockers' Union: a Study of the National Union of Dock Labourers, 1889-1922,* Leicester University Press, 1985, p.39-49; Keogh, *Irish Working Class,* p. 87-104.
11. J. Boyle, *Irish Labor, op. cit.*, p. 105-107 et 132-135.

12. *Ibid.*, p. 135-138.
13. *Ibid.*, p. 221-224.
14. *Ibid.*, p. 240.
15. H. Patterson, « William Walker, labour, sectarianism and the Union, 1894-1912 », dans Lane & Ó Drisceoil (dir.), p. 154-171
16. J. Hutchinson, *The Dynamics of Cultural Nationalism : the Gaelic Revival and the Creation of the Irish Nation state,* London, Allen & Unwin, 1987, p. 151-195.
17. F. Lane, *The Origins of Irish Socialism, 1881-1896,* Cork University Press, 1997, *passim.*
18. Il y a au moins neuf biographies de Connolly, dont Greaves, *The Life and Times of James Connolly,* et plus récemment D. Nevin, *James Connolly : « a full life »,* Dublin, Gill & Macmillan, 2004, p. 153.
19. J. Connolly Heron (dir.), *The Words of James Connolly,* Cork, Mercier, 1986, p. 17-18.
20. Nevin, *Connolly, op. cit.*, p. 153.
21. *Ibid.*, p. 225-304 ; E. O'Connor, *James Larkin,* Cork University Press, 2002, p. 28-29.
22. Contrairement à Connolly, Larkin a été le sujet de deux biographies seulement : « O'Connor », *op. cit.*, et E. Larkin, *James Larkin : Irish Labour Leader, 1876-1947,* London, Mentor, 1968.
23. John Gray, *City in Revolt : James Larkin and the Belfast dock strike of 1907,* Belfast, Blackstaff Press, 1985, p. 44-136.
24. O'Connor, *Larkin, op. cit.*, p. 10-22.
25. C. D. Greaves, *The Irish Transport and General Workers Union : the Formative Years, 1909-1923,* Dublin, Gill & Macmillan, 1982, p. 23-34 ; F. Devine, *Organising History : a Centenary of SIPTU, 1909-2009,* Dublin, Gill & Macmillan, 2009, p. 16-26.
26. O'Connor, *Larkin, op. cit.*, p. 23-30.
27. J. Newsinger, *Rebel City : Larkin, Connolly and the Dublin Labour Movement,* London, Merlin Press, 2004, p 2-23.
28. *Ibid.*, p. 24-43.
29. Cité dans *ibid.*, p. 26.
30. Nevin, *Connolly,* p. 394-452 ; G. Walker, *The Politics of Frustration : Harry Midgley and the Failure of Labour in Northern Ireland,* Manchester University Press, 1985, p. 4-9.
31. J. Cunningham, « "Something that is new and strange" : the 1911 Irish Trade Union Congress in Galway », *Journal of the Galway Archaeological and Historical Society,* vol. 64, 2012, *passim ;* T. J. Morrissey, *William O'Brien, 1881-1968,* Dublin, Four Courts, 2007, p. 54-55.
32. A. Mitchell, *Labour in Irish politics, 1890-1930,* Dublin, Irish Academic Press, 1974, p. 32-42.
33. T. J. Morrissey, *William Martin Murphy, 1845-1919,* Dundalk, Dundalgan Press, 1997, p. 31-59.
34. P. Yeates, *Lockout : Dublin, 1913, op. cit.*, p. 1-46 et p. 110-17
35. *Ibid.*, p. 181-191 ; Newsinger, *Rebel City, op. cit.*, p. 88-110.
36. Yeates, *Lockout, op. cit.*, p. 465-473 ; Newsinger, *op. cit.*, p. 88-110.
37. A. Morgan, *Labour and Partition : the Belfast Working Class and Partition, 1905-1923,* London, Pluto Press, 1991, p. 121-44

38. D. Nevin, « The Irish Citizen Army, 1913-16 », dans Nevin (dir.), *James Larkin, Lion of the Fold,* Dublin, Gill & Macmillan, 1998, p. 257-265.
39. Nevin, *Connolly, op. cit.*, p. 523-537.
40. Fearghal McGarry, *The Rising. Ireland : Easter 1916,* Oxford University Press, 2010, p. 80-84.
41. Nevin *Connolly, op. cit.*, p. 572-608.
42. *Ibid.*, p. 626-638.
43. McGarry, *Rising, op. cit.*, p. 276-293 ; J. Lee, *The modernisation of Irish society, 1848-1918,* Dublin, Gill & Macmillan, 1989, p. 152-158.
44. E. O'Connor, *Syndicalism in Ireland, 1917-1923,* Cork University Press, 1988, p. 20-38 et p. 59-64.
45. H. Woggon, « Interpreting James Connolly, 1916-23 », dans Lane & Ó Drisceoil (dir.), *op. cit.*, p. 172-186 ; Brian Farrell, « Labour and the political revolution », dans Donal Nevin (dir.), *Trade Union Century,* Cork, Mercier Press, 1994, p. 44-53
46. Mitchell, *Labour in Irish politics, op. cit.*, p. 91-103.
47. *Ibid.*, p.101-103.
48. Morgan, *Labour and Partition, op. cit.*, p. 215-228 et p. 250-264.
49. A. Mitchell, *Revolutionary Government in Ireland, 1919-22,* Dublin, Gill & Macmillan, 1995, p. 10-50.
50. Mitchell, *Labour in Irish politics, op. cit.*, p. 110-12.
51. M. Hopkinson, *The Irish War of Independence,* Dublin, Gill & Macmillan, 2002, p. 25-50.
52. O'Connor, *Syndicalism, op. cit.*, p. 51-53.
53. C. Kostick, *Revolution in Ireland : popular militancy, 1917-23,* Cork University Press, 2009, p. 74-93 ; D. R. O'Connor Lysaght, *The story of the Limerick Soviet,* Limerick Soviet Commemoration Committee, 2003 éd., *passim.*
54. Connor, *Syndicalism, op. cit.*, p. 87-89 ; E. O'Connor, « The Waterford soviet : fact or fancy, *History Ireland,* vol. 8, no. 1, Spring 2000, p. 10-12.
55. *Labour and Partition, op. cit.*, p. 268-271.
56. J. Cunningham, *Unlikely Radicals : Irish Post-primary Teachers and the ASTI, 1909-2009,* Cork University Press, 2009, p. 45-46.
57. J. Lee, *Ireland, 1912-1985 : Politics and Society,* Cambridge 1989, p. 43-47.
58. Morgan, *Labour and Partition, op. cit.*, p. 285-312.
59. Lee, *Ireland, op. cit., 1912-1985,* p. 50-58 ; Mitchell, *Labour in Irish Politics, op. cit.*, p. 156-62
60. Niamh Puirséil, *The Irish Labour Party, 1922-1973,* University College Dublin Press, 2007, p. 9-15.
61. Lee, *Ireland, 1912-1985, op. cit.*, p. 56-69 et p. 94-107.
62. O'Connor, *Syndicalism, op. cit.*, p. 97-110.
63. O'Connor, *A labour history, op. cit.*, p. 108-116 ; O'Connor, *Larkin, op. cit.*, p. 70-79.
64. Puirséil, *Labour Party, op. cit.*, p. 18-33.
65. *Ibid.* ; Aindrias Ó Cathasaigh (dir.), *The Life and Times of Gilbert Lynch,* Dublin, Irish Labour History Society, 2011, p. 58-64.
66. Walker, *Harry Midgley, op. cit.*, p. 20-40 ; Aaron Edwards, *A History of the Northern Ireland Labour Party,* Manchester University Press, 2009, p. 10-16.
67. Edwards, *Northern Ireland Labour, op. cit.*, p. 12-16.

68. Enda McKay, « Changing with the tide : the Irish Labour Party, 1927-1933 », *Saothar : Journal of the Irish Labour History Society*, vol. 11, 1986, p. 27-38.
69. Cité dans *ibid.*, p. 31.
70. Puirséil, *Irish Labour Party, op. cit.*, p. 30-33.
71. B. Farrell, « Labour and the Irish political party system », *Economic and Social Review*, vol. 1, mars 1970, p. 477-502.
72. Mitchell, *Labour in Irish Politics, op. cit.*, p. 102-103.

# Langue et nationalisme en Écosse : trois langues pour une nation

James Costa
*Laboratoire ICAR / École Normale Supérieure de Lyon*

C'est apparemment un fait acquis, le nationalisme écossais ne serait pas un nationalisme linguistique, mais économique, ce qui le rendrait très différent de ce que l'on peut observer par exemple au Pays de Galles, en Catalogne, au Pays Basque ou encore au Québec. De plus, le sentiment « identitaire » ou « national » écossais ne se nourrirait pas de références linguistiques ; et d'ailleurs, à quelle langue pourrait-il se référer ? Au gaélique, qui n'est plus parlé que par moins de 2 % de la population, principalement dans l'Ouest et de manière isolée dans les grands centres urbains ? À l'écossais[1] (*Scots*), apparemment largement pratiqué mais qui, selon 64 % des personnes interrogées lors d'un sondage récent commandé par le gouvernement écossais, n'est pas une langue[2] ?

A priori, la situation est donc aisément caractérisable : le nationalisme écossais, c'est-à-dire à la fois un sentiment d'appartenance à une nation plutôt qu'à une région, autant que la volonté de promouvoir une Écosse indépendante, s'est fondé sur autre chose que la langue : l'économie, les institutions telles que les systèmes éducatifs et légaux. Pourtant, je voudrais montrer dans cet article que la situation est sensiblement plus compliquée, et que si les liens entre langue et nationalisme se présentent sous une forme moins immédiatement appréhensible qu'en d'autres lieux, ils n'en existent pas moins, à la fois historiquement et sociologiquement. La perspective que j'adopte ici est celle d'un sociolinguiste critique, à la suite d'un travail de terrain de 2007 à 2009 à la fois en domaine occitan (Provence) et en Écosse où je me suis intéressé aux questions de revitalisation linguistique dans ces deux espaces. Dans un premier temps, j'explorerai la manière dont différents récits de revitalisation, politique et linguistique, ont été élaborés en Écosse. Dans un second temps, j'analyserai la manière dont les liens, plus nombreux qu'on le pense généralement, se sont tissés entre langue, identité nationale et nationalisme.

## Revitalisation linguistique et nationale en Écosse

Cet article part de l'idée que les mouvements nationaux, comme les mouvements linguistiques, sont des exemples de ce que l'anthropologue américain Anthony Wallace a nommé des « mouvements de revitalisation »[3]. Ces mouvements représentent des tentatives conscientes et structurées d'organiser un changement culturel rapide, dans des contextes de contact asymétrique entre un groupe constitué comme majoritaire et un autre perçu et se percevant comme minorisé. Les mouvements de revitalisation cherchent donc à renégocier les termes du contact d'une manière qui leur soit plus favorable, en imposant de nouveaux découpages du monde social[4]. Ils sont avant tout discursifs, et pour réussir ils doivent pouvoir imposer un *récit* capable d'emporter l'adhésion de ceux qu'ils prétendent représenter. Pour comprendre les enjeux idéologiques et les éléments qui figurent au cœur du mouvement de revitalisation, il convient donc d'en dégager le récit fondateur, au moins dans ses grandes lignes.

En Écosse, plusieurs récits de revitalisation circulent, se complétant parfois, entrant souvent en compétition. On trouve ainsi :

– un récit national écossais, qui vise à établir l'Écosse comme nation, égale en cela aux autres nations européennes ;

– un récit accompagnant la revitalisation du gaélique, qui répond partiellement à d'autres logiques et d'autres allégeances, en particulier aux ensembles « gaélique » et « celtique » ;

– et enfin, un récit promu par les avocats de la revitalisation de l'écossais.

Dans les trois cas, il s'agit de créer de la continuité à partir d'éléments discontinus ou antérieurement perçus comme tels.

Le récit national écossais est bien connu[5]. Il émerge sous sa forme actuelle au XVIIIe siècle, et il est permis par l'écrasement de la révolte jacobite à Culloden en 1746 et l'interdiction des symboles de l'Écosse gaélique, au moment de l'intégration pleine et entière du pays dans la gestion de l'Empire britannique. Graduellement, si auparavant les Highlands[6] étaient considérés par la bourgeoisie écossaise du sud comme un rebus de l'Irlande, les symboles de cette région sont retravaillés et adoptés par l'élite anglophone comme les véritables symboles de l'identité écossaise[7]. La littérature joue un rôle particulièrement important dans ce processus : *Waverley*, publié par Walter Scott en 1814 montre un jeune Anglais en voyage en Écosse se rendre puis séjourner dans ces Highlands sauvages mais si romantiques. Langue gaélique, mode de vie clanique, place des arts et des poètes sont autant d'éléments qui forment un tableau quasi-idyllique d'une société sur le point de disparaître. Pour le héros du roman, ils se mêlent à l'image de la femme aimée et inaccessible. Puis survient l'équipée de 1745/1746, qui voit la défaite des forces catholiques du Prince Charles Edward Stewart (« Bonnie Prince Charlie »), élément clef de la tragédie du roman, et dans le même temps élément historique essentiel de la transformation des Highlands en conservatoire de l'Écosse véritable. De même, au moment où cette région est vidée de ses habitants au profit de moutons par la noblesse écossaise, qu'elle soit des Lowlands ou des Highlands d'ailleurs, l'*Ossian* de James Macpherson connaît un écho considérable dans toute l'Europe. Cette œuvre littéraire se présente alors comme la collecte de chants bardiques datant du IIIe siècle, recueillis en gaélique puis traduits en anglais. L'Écosse est ainsi construite dans le discours par une certaine élite comme une nation essentiellement celtique, dont l'âme véritable se trouve dans les montagnes du Nord. Le récit national sera l'objet d'une série de renégociations au fil du temps, et divers éléments seront apportés à l'édifice, dans un esprit de différentiation d'avec l'Angleterre.

Les images actuelles furent mises en place entre la fin du XVIIIe siècle et le début du XIXe, et encore aujourd'hui on peut lire et entendre un récit national qui fait remonter la fondation de l'Écosse aux Scots venus d'Irlande, à la lutte contre les Vikings, se poursuivant avec les guerres d'indépendance contre l'Angleterre et à la Vieille Alliance avec la France, et qui se caractérise par un certain nombre de symboles supposés d'une haute antiquité (tartan, kilt), et par un paysage particulier. Il s'agit là d'un panorama très sommaire, mais ce qui est particulièrement notable, c'est d'une part le rôle considérable de l'Écosse gaélique (du moins de sa représentation telle qu'elle émerge à la fin du XVIIIe siècle) dans cette construction, et d'autre part la quasi-absence de la langue gaélique elle-même dans le récit national.

La configuration écossaise est donc bien différente de celle que l'on observe au Pays de Galles ou même en Irlande. Elle serait même assez unique en Europe, si l'on considère que l'existence d'une langue autochtone était un point de focalisation fort pour les mouvements nationaux au XIXe siècle. Les promoteurs du gaélique ont de ce fait dû développer leur propre mythe à partir de la seconde moitié du XIXe siècle pour légitimer leurs propres aspirations. Il fallait en quelque sorte nationaliser une langue que l'on appelait peu de temps avant encore « *Erse* », c'est-à-dire irlandais. Il faut noter également qu'en gaélique le lien langue/nation n'est pas immédiat, puisque le nom de la langue, *Gàidhlig*, n'est pas lié au nom de l'Écosse, *Alba*. Les liens avec l'Irlande gaélique demeurent en fait très forts jusqu'au XVIIe siècle. Un pas décisif dans la promotion du gaélique est réalisé en 1891 lorsqu'est créée An Comunn Gaidhealach (l'Association gaélique), qui vise non pas à développer une thématique nationale ou nationaliste, mais à promouvoir la langue, la littérature et la musique des

Highlands. La langue gaélique, contrairement à d'autres symboles des Highlands, n'est donc pas spontanément associée avec l'ensemble de l'Écosse, mais seulement avec le nord et l'ouest. Au XIXe siècle toujours, la langue gaélique est associée aux luttes de *crofters* (petits fermiers) pour le droit à la terre, à travers l'association Comunn an Fhearainn, (ligue de la terre). Langue de paysans, langue de la pauvreté, elle ne fascine la haute société d'Édimbourg que par son antiquité. C'est seulement plus tard que le gaélique a été nationalisé dans l'ensemble de l'Écosse. Mais si c'est aujourd'hui une donnée du récit de revitalisation du gaélique, parlé désormais par moins de 2 % de la population, le lien entre langue et nationalité n'est pas officiellement mis en avant, et ce bien que depuis 2005 le gaélique soit langue officielle en Écosse. Pour l'association *Comunn na Gàidhlig* par exemple, les raisons actuelles pour apprendre le gaélique sont les suivantes[8] :

> *Reasons why you might want to learn Gaelic…*
>
> *Better communication with the whole family and community*
>
> *Access to two cultures*
>
> *Increased awareness of other languages and cultures*
>
> *Makes learning other languages easier*
>
> *Enhanced Employment opportunities*

On le voit, il n'est pas question d'identité, ni individuelle ni collective. Au contraire, l'accent est mis sur les avantages cognitifs du bilinguisme et le rôle de la langue dans un multiculturalisme non défini, ainsi que sur le rôle du plurilinguisme comme commodité valorisable sur le marché de l'emploi[9].

Le cas de l'écossais est plus compliqué encore. Le vernaculaire écossais ne fait l'objet d'une mise en récit systématique qu'à partir des années 1920[10], à une époque où les enjeux linguistiques rencontrent des enjeux politiques (enjeux de classes) et des enjeux nationalistes. Le poète Hugh MacDiarmid joue un rôle déterminant dans la construction de ces associations entre langue, nationalisme et socialisme. Il s'agit d'un récit particulièrement complexe[11], qui fait de l'écossais une langue sœur de l'anglais, ayant longtemps voisiné avec le picte, le breton, le gaélique, le normand, le latin, etc. et empruntant de nombreux éléments à ces langues, en faisant une langue éminemment composite[12]. L'écossais aurait ainsi émergé en tant que tel, avec son appellation nationale « Scots », au XVe siècle, moment auquel cette langue aurait achevé de se substituer au gaélique dans les usages officiels. Après une période de gloire, littéraire et politique, serait venu un long moment de déclin qui aurait vu cette langue nationale[13] être remplacée par l'anglais dans les domaines de la religion et de la politique (Actes d'Union des Couronnes en 1603 puis des Parlements en 1707). À partir du XX$^{e}$ siècle, on aurait assisté à une Renaissance à travers la littérature, qui se traduirait actuellement par une présence accrue de l'écossais dans les écoles et dans la politique. Ce récit vise à légitimer l'écossais comme l'une *des langues* de l'Écosse, en diachronie comme en synchronie, et non comme variété de l'anglais. C'est là un élément capital : ce récit ne prétend pas imposer l'écossais comme seule expression linguistique légitime de l'Écosse. Il faut noter qu'il existe des divergences très importantes au sein du mouvement de revitalisation de la langue : pour certains, l'écossais serait encore la langue de tous, en particulier des classes populaires ; pour d'autres, il s'agit d'une langue en voie de disparition, parlée seulement dans quelques conservatoires de la côte Est et qu'il faudrait sauver par l'application de mesures de politique linguistique comparables à celles mises en œuvre pour le gaélique. L'écossais serait dans un cas parlé par près de deux millions de personnes, dans l'autre par quelques milliers au plus. Ce débat, profondément idéologique, permet difficilement l'émergence d'un consensus sur le lien entre langue et identité nationale.

## Langue, identité nationale et nationalisme en Écosse

Cela semble être une affaire entendue : il n'existe pas, ou très peu, de liens entre langue et identité nationale en Écosse, encore moins entre langue et nationalisme. Kim Hardie pouvait ainsi écrire, en 1996 :

> *One could argue that the essence of Scottish national identity never comprised 'language' as such. And when it became important to state what the national identity of Scotland was at the beginning of the Union, the middle classes referred to the Scottish institutions which were / are so distinct from their English/Welsh counterparts : Education, Law and the Kirk*[14].

Les questions linguistiques seraient donc reléguées au second plan, par rapport à d'autres symboles plus évocateurs que seraient certaines institutions. De fait, contrairement aux langues autochtones, ces institutions sont perçues comme ayant résisté aux 300 ans pendant lesquels l'Écosse fut gouvernée de Londres. Ces éléments, combinés à d'autres symboles, comme une littérature autochtone, des traditions musicales propres, des événements annuels ritualisés comme le *Burns Supper* en l'honneur du poète Robert Burns font dire à Hardie qu'il semble évident que les écossais ont un fort sentiment d'être écossais[15].

Un travail sociologique récent (2006) posait la question de l'importance relative de divers types de symboles culturels dans la définition de leur scotticité. Dans la colonne de gauche figure l'élément le plus important, dans celle de droite le second élément le plus important[16] :

| | Plus important | Second |
|---|---|---|
| Sentiment d'égalité | 23 % | 12 % |
| Paysage écossais | 22 % | 24 % |
| Musique et arts écossais | 18 % | 20 % |
| Drapeau écossais (saltire) | 14 % | 13 % |
| Exploits sportifs | 6 % | 8 % |
| Langage (Gaelic ou Scots)<br>(n. = 1594) | 12 % | 18 % |

Les langues autochtones arrivent en cinquième position pour l'élément le plus important, juste avant les résultats sportifs des équipes nationales écossaises ; et en troisième position pour le second élément le plus important. Plus que sur ces résultats, il faut s'attarder sur les éléments jugés les plus importants : le sens de l'égalité ; le paysage distinctif écossais ; la musique/les arts. En seconde position, les deux éléments les plus importants sont le paysage et la musique/les arts. Si le sens de l'égalité révèle à la fois une problématique de classes sociales, mais aussi un stéréotype, celui de la propension des écossais à l'égalité, et celui de l'héritage radical en Écosse. Les deux autres éléments sont également mal définis : quel paysage ? quelle musique ? Les paysages des Lowlands, ou ceux des Highlands ? L'ensemble de ces éléments, mal définis, révèle un paysage mythologique de la scotticité, que les enquêtes de ce type contribuent à reproduire plutôt qu'à mettre à jour. De la même manière, présenter le gaélique et l'écossais comme des éléments culturels significatifs n'est pas en soi une garantie d'avoir une réponse objective sur la question du lien entre langue et identité nationale. Le gaélique est peu parlé, et son extension géographique est faible, et l'écossais est peu reconnu comme catégorie linguistique légitime.

Si j'ai choisi cet exemple, c'est parce qu'il montre que la question des langues est généralement mal traitée lorsqu'il s'agit d'étudier les questions d'identité en Écosse. Il me semble au contraire que ce lien entre identité et langue (et entre langue et nationalisme) est loin d'être absent, mais il demeure par contre aussi confus[17] que diffus, tant en ce qui concerne le gaélique que l'écossais. Cette confusion tient en grande partie à la manière de poser le sujet, face à une situation linguistique complexe qui ne suit pas les schémas habituels mettant en présence une minorité et une majorité, du moins en Europe. Au contraire, un lien existe entre langue, identité et nationalisme, et il est constant depuis le XIXe siècle, en particulier sous une forme symbolique. Ce lien est présent à la fois dans les discours sur la langue et dans le discours nationaliste.

Les trois récits présentés plus haut, récit national, de revitalisation du gaélique et de l'écossais, ne fonctionnent ainsi pas de manière parallèle mais comportent de multiples passerelles les uns vers les autres, rendant la question des liens entre langue, identité et nationalisme plus complexe qu'on ne la présente habituellement. Je prendrai ici trois exemples, deux historiques et un plus contemporain, pour illustrer cette affirmation.

Historiquement d'abord, les mouvements nationalistes ont constamment joué sur l'imbrication de ces trois récits, donnant à une langue ou une autre, une place qui lui permettait de promouvoir son propre récit en fonction des conditions idéologiques du moment dans lequel ils apparaissaient. Je donnerai ici comme exemples la manière dont langage et nationalisme ont pu être historiquement imbriqués dans des discours de types racialistes comme dans des discours de promotion d'un socialisme national. On rencontre le discours racialiste dans la propagande de la *Scots National League*, fondée au début des années 1920 et basée principalement à Londres. Ce mouvement revendiquait la celticité de l'Écosse au même titre que celle de l'Irlande, et comme dans le cas de l'Irlande il estimait que cette pureté celtique avait été altérée par des siècles de contact avec l'élément anglo-saxon, d'où la centralité discursive du gaélique[18].

Le discours socialiste apparaît principalement dans le discours de Hugh MacDiarmid dans les années 1920 et 1930, poète écossais ayant produit une œuvre abondante en écossais, ainsi qu'un travail philologique de création lexicale important. Son œuvre est tournée à la fois vers l'indépendantisme et vers le socialisme. Son attitude face à l'écossais demeure toutefois ambiguë, puisque pour lui l'usage de cette langue ne doit être qu'une étape vers la récupération de la vraie langue, le gaélique. La langue écossaise n'est pas utilisée pour elle-même mais en vue de convertir le monde ouvrier au socialisme :

> *MacDiarmid's intentions for Lallans went far beyond the liberal-minded* Gemeinschaft *ideals of most vernacular revivalists. In political poems written around 1930 — the first two 'Hymns to Lenin' and 'The Seamless Garment' — he used it to communicate directly with working people to promote communism and political mobilisation*[19].

Finalement, Brian Taylor résume ainsi les débuts d'un nationalisme écossais organisé et structuré :

> *The Scots National League was founded in 1921 on a platform of Highland land reform and gaelic revivalism. The Scottish National Movement grew out of the Scottish literary renaissance. In 1927, John MacCormick — a key figure in Home Rule politics — formed the Glasgow University Scottish Nationalist Association. These groups came together in January 1928 to form*

*the National Party of Scotland. A separate organization, the Scottish Party, was founded in 1932. Eventually, these two merged in 1934*[20].

On observe donc dès les origines du mouvement nationaliste écossais moderne la présence de liens forts avec la défense des langues autochtones, qui sont instrumentalisées pour accentuer d'une part les aspects celtiques de l'Écosse, d'autre part sa classe ouvrière. Le nationalisme écossais trouve donc l'une de ses origines dans un discours somme toute classique sur langue et identité nationale.

Il est vrai que ce lien semble s'être partiellement distendu par la suite, et lorsque le SNP émerge comme réelle force politique dans les années 1970, ce sont les questions économiques qui dominent le discours nationaliste, cristallisé par le débat autour du pétrole de la mer du Nord et de la répartition des revenus qu'il génère. Cependant, en se concentrant sur les thèmes économiques, le SNP ne poursuit-il pas la ligne fixée par ses lointains prédécesseurs qui faisaient de la langue écossaise un véhicule pour de nouvelles idées sur les rapports de classe ?

Si des liens forts existent historiquement, ils ont perduré jusqu'à présent. Kim Hardie a montré dans une série de travaux qu'il existe des liens entre langue et militants nationalistes. Dans le tableau suivant, il rend compte d'une étude menée en 1992-1993 qui comportait une série de questions sur l'écossais, sa nature et le degré de pratiques langagières. Les personnes interrogées étaient divisées en nationalistes et unionistes[21] :

| | **Conscience linguistique** | **Degré de confusion par rapport au Scots** | **Connaissance du Scots** |
|---|---|---|---|
| « Nationalistes » | Oui | Faible | ? |
| « Unionistes » | ? | Fort | Oui |

Si l'on ne peut parler de liens d'indexicalité (de co-occurrence) forte entre langue et nationalisme comme on peut l'observer au Pays de Galles, ces liens demeurent bien présents.

Langue et nationalisme sont donc liés d'une manière inhabituelle. Pour finir, j'interrogerai les raisons pour lesquelles les liens entre langue et nationalisme sont moins directs que dans d'autres contextes. C'est semble-t-il vers le rôle du gaélique qu'il faut regarder pour une explication. L'étude en termes de mouvement de revitalisation permet de mettre la dimension narrative au cœur du processus historique d'émergence de la nation écossaise. Très tôt, le gaélique cristallise une identité écossaise authentique, celle dont la bourgeoisie s'emparera, même si elle ne mobilisera jamais la langue pour elle-même. L'écossais servant à mobiliser une identité tout autant sociale que nationale, il était condamné à rester un phénomène de classe. Or sans bourgeoisie pour mobiliser une identité linguistique, dans le contexte du XXe siècle l'écossais ne pouvait émerger durablement comme langue légitime. C'est donc le gaélique qui a servi de catalyseur dans de multiples domaines, comme celui de la poésie par exemple. Dans une anthologie de la littérature écossaise, Tom Scott écrit :

> *Nor should we think of the earlier poetry and prose in Gaelic and Latin, especially the latter, as in any way inferior, less civilized, less highly developed culturally than the latter work in Scots or English : the contrary is true*[22].

C'est dans ce type de discours que l'on peut situer le mystère de la langue en Écosse. La voix légitime de l'Écosse est de fait peu à peu passée par une iconisation du gaélique, langue de personne donc langue de tous, langue de Highlands largement transformés en camp de vacances vidé de ses habitants, langue de fantômes et langue des Ancêtres, les Scots venus d'Irlande et qui donnent son nom à l'Écosse, langue aussi de ceux qui périrent à Culloden en 1746 dans un conflit dynastique largement réinterprété dans des termes nationalistes. Il s'est opéré un transfert de la langue maternelle vers la langue ethnique fantasmée, qui est devenue un totem au sens freudien.

Qu'est-ce que la revitalisation linguistique, sinon la redéfinition du groupe en des termes valorisants selon des critères définis par et compréhensibles pour le groupe dominant, ici les « Anglais » ? L'écossais est dans cette configuration un assez mauvais candidat linguistique. La revitalisation, c'est aussi la sélection d'éléments qui vont permettre de circonscrire et de déterminer le groupe, en lui fournissant un mythe des origines.

On peut faire l'hypothèse qu'il s'est établi au fil des siècles un binôme pratique et symbolique entre un accent écossais en anglais, langue symbolique d'usage au prestige certain et désormais reconnu, et un gaélique sublimé, objet d'un respect teinté de crainte, et de désir.

## Conclusion

Dans cet article, j'ai voulu partir de l'idée que les questions linguistiques jouaient un rôle négligeable dans la formation d'un nationalisme écossais. J'ai ainsi retracé la manière dont divers discours se sont tissés en Écosse autour des questions de nation et de langues, en montrant que trois récits co-existent. Ces récits sont les supports à divers types de mouvements de revitalisation, nationale et linguistique, et dans ce dernier cas ils concernent d'une part le gaélique et d'autre part l'écossais. Or ces trois récits sont en fait profondément imbriqués les uns dans les autres. Dans un second temps, j'ai montré que les liens entre langue, identité nationale et nationalisme étaient sans doute plus complexes que la manière dont ils sont habituellement présentés. Les préoccupations de langue sont en fait à l'origine des divers types de nationalisme écossais, ethnique ou économique. De même, dans l'esprit des nationalistes se revendiquant comme tels, l'écossais et le gaélique jouent un rôle symbolique encore important.

Les liens entre langue et nationalisme ne sont clairement pas les mêmes en Écosse et au Pays de Galles ou au Québec. Cela ne signifie pas pour autant qu'ils n'existent pas. Ils ont présidé à la naissance du nationalisme écossais moderne, et sont présents de manière symbolique. On peut en outre faire le pari qu'ils sont appelés à se développer compte tenu de la place de plus en plus prépondérante des langues dans les discours minoritaires à travers le monde.

Dans la définition d'une identité nationale propre à soutenir un nationalisme, la part du mythe est capitale. On peut ici légitimement s'interroger pour savoir si l'absence si souvent proclamée de liens entre langue et nationalisme en Écosse n'est pas en soi également un mythe.

## Notes et références

1. Par écossais, il faut entendre l'ensemble des vernaculaires écossais autochtones d'origine anglo-saxonne, dialectes ou sociolectes. Pour une présentation récente, voir Paul Johnson, « Scottish English and Scots », dans David Britain (dir.), *Language in the British Isles*, Cambridge, Cambridge University Press, 2007, p. 105-121. Je traduis « Scots » par « Écossais », suivant en cela le gaélique moderne, qui utilise le mot « Albais », basé sur « Alba » : l'Écosse.
2. TNS-BMRB, 2010. *Public Attitudes Towards the Scots Language*, Edinburgh, Scottish Government Social Research.
3. A. F. C. Wallace, « Revitalization Movements », *American Anthropologist*, vol. 58, no. 2, 1956, p. 264-281.
4. Voir aussi Pierre Bourdieu, « L'identité et la représentation : éléments pour une réflexion critique sur l'idée de région », *Actes de la Recherche en Sciences Sociales*, vol. 35, no. 1, 1980, p. 63-72.
5. Voir par exemple Hugh Trevor-Roper, « The Invention of Tradition : The Highland Tradition of Scotland », dans Eric J. Hobsbawm & Terence O. Ranger (dir.), *The Invention of Tradition*, Cambridge, Cambridge University Press, 1983, p. 15-41 et *The Invention of Scotland : Myth and History*, New Haven & London, Yale University Press, 2008.
6. Par « Highlands », on entend à la fois une région géographiquement délimitée au Nord et à l'Ouest par un relief montagneux, par opposition aux « Lowlands », et une région culturellement marquée par la présence historique récente du gaélique et le système clanique, par opposition à un Sud anglophone ou scottophone. Cette opposition mériterait d'être relativisée pour plusieurs raisons, le gaélique a par exemple été parlé dans le Sud-ouest de l'Écosse jusqu'au XVIIe siècle.

7. Hugh Trevor-Roper, 1983, *op. cit.*
8. <www.cnag.org.uk/munghaidhlig/eachdraidh>.
9. Il s'agit là d'un développement récent, analysé en particulier par Monica Heller, par exemple « Globalization, the new economy, and the commodification of language and identity », *Journal of Sociolinguistics*, vol. 7, no. 4, 2003 p. 473-492. Voir aussi Alexandre Duchêne et Monica Heller, *Language in Late Capitalism : Pride and Profit*, Londres et New York, Routledge, à paraître.
10. On peut à ce sujet consulter le volume de Margery Palmer McCulloch, *Modernism and Nationalism : Literature and Society in Scotland 1918-1939, Source documents for the Scottish Renaissance*, Glasgow, ASLS, 2004.
11. Voir pour une analyse détaillée de ce récit : James Costa, « Language History as Charter Myth ? Scots and the (Re)invention of Scotland », *Scottish Language*, no. 28, 2009, p. 1-25 et « Language, ideologies, and the "Scottish voice" », *International Journal of Scottish Literature*, no. 7, 2011.
12. Voir par exemple J. Derrick McClure, *Why Scots Matters*, 3e éd., Édimbourg, Saltire Society, 2009.
13. *Ibid.*
14. Kim Hardie, « Lowland Scots : Issues in Nationalism and Identity », dans Charlotte Hoffmann (dir.), *Language, culture and communication in contemporary Europe*, Clevedon, Multilingual Matters, 1996, p. 63.
15. *Ibid.*, p. 64.
16. Frank Bechhofer et David McCrone, « Being Scottish », dans Frank Bechhofer et D. McCrone (dir.), *National Identity, Nationalism and Constitutional Change*, Basingstoke et New York, Palgrave MacMillan, 2009, p. 75.
17. Voir à ce sujet Robert McColl Millar, « An Historical National Identity ? The Case of Scots », dans Carmen Llamas et Dominic Watt (dir.), *Language and Identities*, Édimbourg, Edinburgh University Press, 2010, p. 247-256.
18. R. Finlay, « Gaelic, Scots and English : the politics of language in inter-war Scotland », dans W. Kelly & J. R. Young (dir.), *Ulster and Scotland 1600-2000*, Dublin, Four Courts Press, 2004, p. 133-141.
19. Christopher Harvie, *Scotland and Nationalism : Scottish Society and Politics 1707 to the Present*, 4e édition, Londres et New York, Routledge, 2004, p. 79.
20. Brian Taylor, *Scotland's Parliament : Triumph and Disaster*, Edimbourg, Edinburgh University Press, 2002, p. 160.
21. Kim Hardie, « Scots : Matters of Identity and Nationalism », *Scottish Language*, 14/15, 1995/1996, p. 141-147.
22. Tom Scott, *The Penguin book of Scottish verse*, Harmondsworth, Penguin, 1970, p. 29.

# Aspects politiques et historiques de la langue irlandaise aux XIXe et XXe siècles

JANET MULLER
*POBAL (organisation cadre pour la défense de la langue irlandaise, Belfast)*

*To recognise the political utility of the choice of English was O'Connell's achievement : his failure to acknowledge the cultural consequences of the choice was either a notable oversight or a calculated decision.*

CROWLEY, 2005

Au début du XIXe siècle, en dépit de 200 ans d'application des lois pénales en Irlande, la langue irlandaise demeurait la langue première des masses. Cependant, la population autochtone était pauvre et dépossédée, et survivait dans un système étatique dont les infrastructures économiques, légales et sociales l'excluaient. La défaite à la fin du XVIIIe siècle des Irlandais Unis, l'entrée en vigueur de l'Acte d'Union en 1801 et l'échec du soulèvement de Robert Emmet en 1803 laissèrent les masses paysannes assiégées et la petite et peu influente classe moyenne catholique dans un état de vulnérabilité. Avec une population de 5 millions, l'Irlande comptait plus ou moins 10 000 propriétaires terriens, dont le tiers ne résidait pas sur l'île. Profitant des conséquences néfastes de l'augmentation des droits de fermage durant et après les guerres napoléoniennes, les propriétaires terriens mirent en place un programme d'éviction, facilité par des lois votées à Westminster, afin de libérer les terres pour y pratiquer l'élevage. La rareté des matières premières durant la révolution industrielle a provoqué l'effondrement de l'industrie irlandaise à l'exception des industries du lin et du coton dans le nord-est de l'île, détenues par des presbytériens, qui continuaient à prospérer. Tout au long du siècle, de nombreux facteurs eurent des conséquences désastreuses sur l'usage et le développement de la langue irlandaise. Dans cet article, je ferai un examen succinct de certains de ces éléments.

Au début du XIX^e siècle, les conditions difficiles d'existence provoquèrent colère et frustration parmi la population catholique. En 1808, Daniel O'Connell avait commencé à unir les différents groupes de protestation, incluant même des presbytériens et des protestants, membres de la classe moyenne dynamique et prospère, qui souhaitaient conquérir le pouvoir de l'aristocratie. O'Connell était un avocat descendant d'une famille de la noblesse de Kerry. Malgré qu'il ne puisse prétendre à atteindre le rang supérieur de sa profession (*senior barrister*) du fait qu'il était catholique, il fut l'un des avocats les plus riches d'Irlande. Décrit par Crowley comme le leader politique catholique le plus influent du siècle, il a réussi à construire un mouvement pouvant faire pression pour obtenir des réformes[1]. Locuteur irlandais, il avait le potentiel d'unir le nationalisme politique au nationalisme culturel. Cependant, sa pensée politique était un mélange d'idées libérales et conservatrices. Selon Curtis, O'Connell mobilisait les masses paysannes moins pour accroître les pouvoirs de la population que pour obtenir des réformes limitées pour la classe moyenne catholique à l'intérieur des institutions britanniques[2]. En ce qui concerne la langue irlandaise, Crowley affirme que: «*His attitude to Gaelic signalled a division which was to separate political from cultural nationalism throughout the nineteenth century until its last decades*[3]».

O'Connell a cessé très tôt de s'adresser en irlandais aux milliers de partisans venus l'écouter lors des gigantesques meetings politiques en faveur de réformes. Reynolds a noté qu'à la suite d'un meeting à Tralee au cours duquel O'Connell s'était adressé en irlandais à la foule, «*the reporters from the London papers were ludicrously puzzled, sitting poised and understanding not a word*[4]». Ironiquement, ce sont les paysans, formant la majorité des membres du mouvement, qui avaient de la difficulté à comprendre O'Connell lorsqu'il décida de tenir ces meetings en anglais. Consciemment, O'Connell a décidé que la classe moyenne parlant anglais, les journalistes et les espions politiques de Westminster étaient plus importants à sa cause que les masses irlandophones.

L'attitude d'O'Connell à l'endroit de la langue irlandaise dans le privé nous permet de mieux comprendre son attitude à l'endroit de cette langue dans l'arène politique. Cronin relate l'impatience avec laquelle il a refusé le dictionnaire irlandais-anglais que son oncle lui a offert, en le cataloguant comme: «*an old fool to have spent so much of his life on so useless a work*[5]». Daunt cite l'attitude d'O'Connell envers une possible diminution de l'usage de l'irlandais parmi les paysans. O'Connell affirmait:

> *I am sufficiently utilitarian not to regret its gradual abandonment. A diversity of languages is no benefit: it was first imposed on mankind as a curse, at the building of Babel. It would be of vast advantage to mankind if all the inhabitants spoke the same language. [...] Therefore, although the Irish language is connected with many recollections that twine around the hearts of*

*Irishmen, yet the superior utility of the English tongue, as the medium of modern communication, is so great, that I can witness without a sigh the gradual disuse of the Irish*[6].

En tant que leader du mouvement pour l'émancipation des catholiques et plus tard de l'Association pour la révocation de l'acte d'Union, O'Connell s'est avéré être pragmatique. Cependant, en raison de l'agitation politique qui gagnait en importance, son approche essentiellement réformiste allait conduire à la désillusion et aux accusations selon lesquelles les efforts de la Ladies' Land League, mouvement plus radical, étaient délibérément sabotés et que la campagne pour le Home Rule n'apporterait aucun changement, si ce n'est que de permettre à la classe moyenne irlandaise d'occuper un rôle de subalterne dans l'administration du pouvoir britannique.

L'agitation politique au XIXe siècle allait propulser d'autres mouvements nationaux à l'avant-scène, dont les Fenians. Cependant, même si l'un des leaders de ce mouvement, John Devoy affirmait en 1926 que : « *the intention to restore the language was as strong* [...] *as that of establishing an Irish republic*[7] », il y a très peu d'indices qui laissent croire que cet objectif était aussi important pour les Fenians que l'établissement de la République par la lutte armée. Même si par la suite d'autres leaders rétablirent l'équilibre entre ces deux objectifs, d'autres facteurs influençaient déjà la question linguistique, facteurs principalement liés aux transformations dans les domaines de l'éducation et de la conversion religieuse.

**Les écoles nationales**

Dans les premières années du XIXe siècle, l'enseignement était sous le contrôle de la religion. Dowling a évalué qu'il y avait jusque dans les années 1820 autour de 7 600 écoles buissonnières, nommées ainsi puisque l'enseignement devait être dispensé en plein air[8]. Cette forme d'enseignement était la seule disponible pour environ 70 % (400 000) des enfants d'âge scolaire. La grande majorité des enfants qui fréquentaient ces écoles étaient catholiques, bien qu'il y ait dans le nord-est des écoles buissonnières presbytériennes. De leur côté, les 11 000 élèves protestants recevaient leur enseignement dans des écoles à charte ou des écoles affiliées à la fondation Erasmus Smith[9].

En 1831, 40 ans avant leur mise en place en Angleterre et au Pays de Galles, les écoles nationales furent implantées en Irlande par les Britanniques à la suite de demandes faites par l'Église catholique pour des écoles financées par l'État. Dans ces écoles, l'anglais était la langue d'instruction et l'utilisation de l'irlandais, peu importe les circonstances, était fortement découragée, souvent par des châtiments physiques, comme on peut le constater dans un rapport des inspecteurs scolaires.

> *The Master adopts a novel mode of procedure to propagate the « new language ». He makes it a cause of punishment to speak Irish in the school, and he has instituted a sort of police among the parents to see that in their intercourse with one another the children speak nothing but English at home. The parents are so eager for English, they exhibit no reluctance to inform the master of every detected breach of the school law; and by this coercive process, the poor children in the course of time become pretty fluent in speaking very incorrect English*[10].

L'anglais était synonyme de pouvoir et d'influence, alors que l'irlandais rimait avec pauvreté et exclusion. Pour la classe moyenne, quand même un peu plus puissante, l'incapacité de fonctionner en anglais pouvait entraîner de grands problèmes. Pour les déshérités, cela pouvait facilement faire la différence entre la vie et la mort. Selon Crowley: « *For Irish speakers there was a paradox: the Irish language was their own but they needed the English language since without it they had no access to official authorities, forms of power, or even indeed the commercial market*[11]. »

### Prosélytisme protestant

Même si les écoles nationales imposaient l'usage de l'anglais seulement, le débat concernant les meilleurs moyens de propager les Écritures saintes protestantes à la population irlandaise mettait en évidence plusieurs arguments en faveur de l'utilisation de l'irlandais, même si la proposition souleva inévitablement la controverse. Bien qu'Anderson comprît les craintes de certains, il considérait que l'enseignement de la Bible en irlandais renforcerait l'obéissance, puisque les enseignements de la Bible « *are equally well calculated to infuse the most exalted and firmly grounded sentiments of loyalty to the ruling powers, and of mutual affectionate sentiment of man towards man*[12] ». Pendant cette période, les violences interconfessionnelles étaient omniprésentes, et le débat prenait souvent une tournure rancunière, allant, par moments, jusqu'à entraîner les pires descriptions de l'infériorité des Irlandais, de leur langue et de leur religion. Même s'il se disait en faveur de l'utilisation de l'irlandais pour enseigner les saintes Écritures, Mason affirmait que:

> *The two inveterate prejudices in the Irish peasant's mind, are that against the Saxon language, and that against the creed of the Protestant...by employing the Scriptures in the much loved native tongue, you neutralise the second prejudice with the first*[13].

Le Synode d'Ulster trancha finalement en faveur de l'utilisation de l'irlandais pour mener à bien la campagne de prosélytisme et en confia la responsabilité de prêcher en irlandais à la Société Missionnaire Presbytérienne. La maison mère de la mission presbytérienne ouvra ses portes en 1833-1834. C'est à partir de ce moment que vont apparaître des écoles irlandaises, principalement en Ulster. Selon les rapports présentés au

Synode, et enregistrés au cours des années 1842-1843, ces écoles connaissent un remarquable succès, mais le projet dans son ensemble fut remis en question en raison d'allégations selon lesquelles des enseignants seraient coupables de fraudes pour avoir empoché l'argent destiné à des activités qui n'ont pas été réalisées. Certains enseignants visés par ces allégations ont aussi vu remettre en question leur maîtrise de la langue irlandaise. Peu importe si ces accusations étaient véridiques ou non, le scandale provoqué par celles-ci allait nuire à la poursuite du prosélytisme protestant en irlandais.

Il est, cependant, également vrai que l'association de la langue irlandaise avec les tentatives soutenues pour convertir les Irlandais au protestantisme ont eu d'énormes conséquences négatives sur la perception que les Irlandais avaient de leur langue. Ó Snodaigh nous présente l'opinion de John Ó Donovan, conseiller gaélique pour le service de cartographie de l'état, concernant les conséquences dans les milieux irlandophones du prosélytisme protestant en irlandais, qui:

> *...created in the minds of the peasantry a hatred for everything written in that language... the [Presbyterian Mission] society who encourage them could not have adopted a more successful plan to induce them to learn English and hate their own language*[14].

Certains membres importants de l'Église catholique, dont l'archevêque de Tuam, John McHale et les évêques Cornelius Egan de Kerry et Murphy de Cork, étaient de grands défenseurs de la langue irlandaise. Le chanoine Ulick Bourke a publié une grammaire de l'irlandais pour les études universitaires et faisait la promotion de l'enseignement en irlandais. Cependant, l'Église catholique dans son ensemble a échoué à protéger et à faire la promotion de la langue irlandaise parmi la population. Les tentatives de conversion des catholiques au protestantisme ont renforcé les préjugés négatifs qu'avait l'Église catholique à l'endroit de la langue irlandaise. Les prêtres catholiques, qui, pour la plupart, avaient une attitude négative à l'endroit de l'irlandais, refusaient catégoriquement d'utiliser la langue vernaculaire pour communiquer avec leurs paroissiens, ce qui, en retour, allait influencer négativement la perception que les Irlandais avaient de celle-ci.

## Thomas Davis

Même si les masses paysannes subissaient d'énormes pressions afin d'abandonner leur langue maternelle, pour les nationalistes culturels de l'époque, l'irlandais demeurait une question identitaire fondamentale, souvent débattue dans les cercles littéraires et poétiques. En 1831, le livre de James Hardiman, *Irish Minstrelsy, or Bardic remains of Ireland*, a soulevé une vive controverse qui fut suivie par un débat entre l'auteur et Sir Samuel Ferguson, publié dans le *Dublin University Magazine* en 1834. Dans ce débat, Ferguson soutenait vigoureusement que la nationalité irlandaise pouvait s'exprimer en anglais. Cette affirmation servira de point de départ dans les débats subséquents concernant le médium linguistique pouvant exprimer l'identité culturelle irlandaise. Elle aura aussi une influence importante sur Yeats et autres partisans du renouveau celte.

Thomas Davis était l'un des nationalistes les plus exceptionnels du milieu du XIXe siècle. Ami de Ferguson, il était un protestant de la classe moyenne qui appuya O'Connell jusqu'au moment de leur désaccord sur la campagne menée en faveur de la révocation de l'acte d'Union. Davis était l'une des principales figures des « Jeunes Irlandais » et le rédacteur en chef de l'influent journal *The Nation*. Comme les tenants du romantisme culturel européen, Davis soutenait que le nationalisme culturel renforçait le nationalisme politique en liant la langue et le passé, ce que Schlegel appelait « la mémoire collective de la race humaine »[15].

Pour défendre son point de vue, Davis s'est appuyé sur des arguments populaires au siècle dernier, qui seront une source d'inspiration pour le renouveau gaélique du XIXe siècle. Dans les pages du journal *The Nation*, il réexamina la question de savoir si l'on peut être Irlandais sans parler l'irlandais, par l'entremise d'une lettre anonyme qui posait la question suivante : « *Do Irishmen wish to see their language again revived ? Will they be Irishmen again ? Or will they not ?*[16] » Le débat sur la faisabilité de la revitalisation de la langue irlandaise et sur la méthode à adopter pour y parvenir est devenu central, à ce moment, dans les discussions entre nationalistes. Jusqu'à sa mort en 1845, Davis personnifiait la convergence entre les nationalismes politique et culturel, popularisant ainsi l'idée d'un renouveau de la langue irlandaise. Les événements catastrophiques qui suivront, sans oublier la défaite des « Jeunes Irlandais » en 1848, auront des conséquences importantes non seulement sur les choix linguistiques, mais aussi sur la survie même du peuple irlandais.

**La Grande Famine et ses conséquences**

Même si les famines furent répandues et récurrentes au XIXe siècle, la Grande Famine de 1845 à 1850 a eu des effets dévastateurs sur la population. Plus d'un million et demi de personnes sont mortes de faim ou de maladies associées à la famine et un autre million et demi ont fui l'Irlande ou en ont été chassées. Pour la première fois dans l'histoire de l'Irlande, l'usage de l'irlandais était en déclin. L'horreur et l'ampleur des dévastations laissées par la famine accélérèrent la dépopulation des zones rurales et minèrent mortellement la cohésion sociétale favorable à la langue irlandaise. Néanmoins, Lee soutient que si des motifs économiques peuvent peut-être expliquer pourquoi les Irlandais ont appris l'anglais, cela n'explique pas pourquoi ils ont abandonné l'irlandais[17]. De Fréine attribue le déclin de la langue irlandaise après la Famine à un «comportement collectif» déclenché par le traumatisme vécu par la population. Selon le recensement de 1851, le nombre d'irlandophones avait chuté de 23 %[18].

Robert McAdam, presbytérien influent et partisan de la langue irlandaise, commentait ainsi les données du recensement:

> *It is well known that in various districts where the two languages co-exist, but where the English now largely predominates, numbers of individuals returned themselves as ignorant of the Irish language, either from a sort of false shame, or from a secret dread that the government, in making the inquiry (for the first time) had some concealed motive, which could not be for their own good*[19].

## Le mouvement pour le renouveau de la langue irlandaise

À l'aube du XX<sup>e</sup> siècle, la chute rapide du gaélique dans les classes paysannes fut contrebalancée par l'augmentation des activités menées par les classes moyennes en faveur du renouveau linguistique. Parmi les militants les plus importants, il y avait notamment plusieurs protestants, comme il a été mentionné précédemment, McAdam and Dúghlas de hÍde (Douglas Hyde), et à partir de 1893, ils étaient les principaux promoteurs de la langue. Une nouvelle organisation, Conradh na Gaeilge, a été fondée sous la direction de De hÍde.

Au début du XXe siècle, le mouvement pour le renouveau culturel des deux dernières décennies fut incorporé dans les événements liés au débat sur le Home Rule. La convergence des différents courants de résistance à l'injustice sous l'État britannique (le mouvement ouvrier, le mouvement pour le suffrage universel, les nationalismes politique et culturel) mena au soulèvement, voué à l'échec, du lundi de Pâques en 1916, sous la direction de James Connolly et du nationaliste culturel Pádraig Pearse et par la suite à la guerre d'indépendance. L'État libre d'Irlande fut édifié à la suite d'une désastreuse guerre civile. Les germes des âpres divisions ethniques et religieuses présentes dans le nord de l'Irlande, aujourd'hui souvent manifestées dans le domaine linguistique, avaient fermement été établis durant la période d'agitations politiques provoquées par le débat sur le Home Rule au début du siècle dernier. En jouant la carte orangiste et par la suite en forçant la partition, le gouvernement britannique mit en place toutes les conditions pour qu'il y ait deux approches et deux contextes politiques bien différents entourant la question linguistique dans le nord et le sud.

## La langue irlandaise en Irlande du Nord au XXe siècle

Au début du XXe siècle, les efforts pour revitaliser la langue irlandaise se concentraient principalement sur la place de la langue en éducation, une orientation toujours privilégiée dans le sud, au détriment d'une approche plus réaliste s'appuyant sur une base plus large en faveur de la revitalisation linguistique. Depuis la partition, la langue irlandaise a été de plus en plus marginalisée dans le système scolaire en Irlande du Nord. Selon Loughlin pour les unionistes le Home Rule signifiait que l'irlandicitude (irishness) n'était plus une caractéristique de l'identité britannique[20]. La partition n'a pas seulement façonné dans l'esprit des unionistes une vision de l'Irlande du Sud sur les plans culturel, politique et religieux incompatible avec leurs valeurs, mais aussi un sentiment de trahison de la part du gouvernement britannique à l'endroit de leurs citoyens loyaux. La position agressive des unionistes, encouragée par Sir Edward Carson et d'autres dirigeants de la communauté protestante, a mis à l'avant-scène la menace ou l'utilisation de la violence dans la sphère politique. Cependant, selon Mac Póilin, la conviction des protestants que la langue irlandaise devait être proscrite trouve son origine dans la campagne menée par la Conradh na Gaeilge pour l'enseignement obligatoire de l'irlandais dans les écoles catholiques et les répercussions de l'assemblée générale de 1915 de cette organisation qui donnaient l'impression dans l'esprit des protestants que les républicains en avaient pris le contrôle[21].

Peu importe l'origine de cette situation, il n'en demeure pas moins que le nouvel État d'Irlande du Nord a réagi de manière ouvertement hostile à l'endroit de l'irlandais. Au milieu du XXe siècle, la faiblesse apparente de la Conradh na Gaeilge dans le nord a conduit à la formation d'organisations plus radicales, dont Ailtirí na hAiséirí et Glún na Buaidhe, et Fál à Belfast. Mac Seáin rapporte que malgré qu'il y ait eu des centaines d'élèves qui ont suivi des classes d'irlandais données à la Cumann Cluain Ard de Belfast dans les années 1940, il n'a trouvé que sept familles qui élevaient leurs enfants en irlandais dans la ville au cours des années 1950. Néanmoins, il affirme qu'un des grands avantages de sa génération d'irlandophones comparativement à la précédente est que: « *bhí muid i bhfad níba líonmhara / we were much more numerous* »[22]. Liam Carson porte à notre attention le numéro de janvier 1950 de la revue *An tUltach*, qui met en vedette en couverture et dans les pages intérieures ses parents, frères et sœurs irlandophones. Sur sa perception de l'irlandais dans sa jeunesse, il en dit: « Our Irish was house Irish, home Irish, an Irish of the heart. It was a language that felt warm ». Cependant, cela ne l'a pas empêché d'être taquiné par les élèves unilingues anglais de son école à Belfast qui le considéraient: « *as a curiosity, an exotic eccentric nicknamed "Fluent"* »[23].

Les débats et les événements des années 1960 et des débuts des années 1970 ont mené à la mise en place du Gaeltacht de la rue Shaws à Belfast en 1971. Le Gaeltacht de la rue Shaws prit racine dans un climat de violence politique et étatique. Lorsque la rue Bombay située dans l'ouest de Belfast a été réduite en cendres durant les pogroms anti-catholiques, les irlandophones de la rue Shaws, qui avaient entrepris la construction de résidences, possédaient les moyens et les compétences pour venir en aide aux victimes. Avec le soutien des résidents évacués, et en dépit de la vive opposition de l'État, les résidences de la rue Bombay ont été reconstruites et réallouées à leurs occupants sous l'œil vigilant des irlandophones. Ces derniers furent à tous les points de vue une partie intégrante des efforts intenses pour la survie de leur communauté, ce qui modifia l'attitude des Irlandais unilingues anglais à l'endroit de la langue irlandaise. Pour la communauté catholique à Belfast, les « autres » n'étaient pas, comme ils auraient pu être, les membres de leur communauté qui avaient choisi de parler une langue minoritaire, ils étaient plutôt les bandes de maraudeurs protestants qui les terrorisaient et les représentants de l'État qui circulaient dans des véhicules blindés. Cependant, si le nationalisme culturel était important pour certains, il ne l'était pas pour la majorité de la population assiégée dans un État hostile. L'escalade de la violence a aussi eu des impacts sur les peurs et les perceptions des irlandophones. Carson nous instruit sur les motifs qui ont poussé sa mère à abandonner l'irlandais :

> *Once it had meant freedom for her. She would still talk about how the best days of her life had been in Donegal, when the language meant the clean air, little cottages, hillside walks, simple pleasures. But in her mind now, Irish was linked to republicanism, to the IRA, to violence. She was afraid, I think, that if we were to be heard speaking Irish, we might be considered Provies [IRA]*[24].

Ces quelques témoignages soulignent sans aucun doute l'importance des initiatives menées par la classe ouvrière irlandophone de Belfast, mais aussi laissent voir les conséquences du retour de la violence politique et des sentiments antigaéliques de longue date sur certains irlandophones, même ceux qui vivent dans les zones où l'irlandais était au centre des vives initiatives dynamiques. Certainement, à la grandeur du pays, il y avait d'énormes pressions pour séparer le nationalisme politique du nationalisme culturel.

## La paix, l'État et la langue irlandaise

*A peace which shares means but not ends*
PITTOCK, 1999

Entre 1991 et 2001, les recensements d'Irlande du Nord démontrent une augmentation de 142 003 à 167 406 du nombre de personnes affirmant avoir des connaissances de l'irlandais. En 2001, c'est donc 10,4% de la population de l'Irlande du Nord qui entrait dans cette catégorie. Aussi, en 2001, plus de 75 000 personnes ont répondu qu'elles possédaient les quatre compétences langagières recensées : lire, écrire, parler et comprendre l'irlandais[25]. En raison d'une visibilité croissante et d'une diversité de projets locaux en langue irlandaise dans le domaine des arts, du développement économique et de l'éducation aux adultes des avancées durement gagnées ont été réalisées.

Les accords du Vendredi saint, en raison d'une série d'engagements en faveur de la langue irlandaise, ont été accueillis comme le début d'une période potentielle d'ouverture offrant la possibilité de réaliser des progrès. Les irlandophones l'ont surnommé « *An Ré Úr / The New Era* », peut-être autant par défi que par conviction. Selon McCoy, depuis les accords du Vendredi saint, les locuteurs irlandais dans le nord peuvent pour la première fois travailler de façon consensuelle ou conflictuelle, risquant dans le premier cas en raison d'une coopération avec l'État de s'isoler des membres de leur communauté, et dans le deuxième cas, de limiter leur influence à leurs sympathisants[26]. Au cours de cette période, l'organisation cadre POBAL a été fondée en Irlande du Nord et joue un rôle important depuis en faisant de la question linguistique un enjeu des droits de la personne.

En 2000, An Foras Teanga, l'agence transfrontalière responsable des questions linguistiques, a été créée. La division responsable de la langue irlandaise, Foras na Gaeilge, a mis à la disposition des organisations populaires faisant la promotion de la langue irlandaise dans le nord des fonds publics. Cependant, la structure de l'agence transfrontalière reflète la concession d'établir un lien politique entre la langue irlandaise et l'Ulster-Scots, une langue controversée et peu utilisée. De plus, Foras na Gaeilge a de la difficulté à maintenir une relation équilibrée entre les deux départements-chefs, le département de la culture, des arts et des loisirs dans le nord et le département des affaires communautaires, rurales et du Gaeltacht dans le Sud[27]. Depuis les débuts, il y a des tensions entre le Foras na Gaeilge et les organisations non gouvernementales faisant la promotion de la langue irlandaise. Des commentateurs ont observé des problèmes semblables ailleurs. Gruffudd a noté des contradictions qui deviennent souvent apparentes lorsque les efforts populaires sont pris en main par les institutions et/ou par la professionnalisation croissante de la planification linguistique[28]. Selon Williams les initiatives locales de promotion de la langue irlandaise risquent d'être victimes d'une « mort par quango » (organisation non gouvernementale quasi autonome) dès que l'État se met à jouer le rôle « bienfaiteur neutre »[29]. Certainement, les intentions du *Foras na Gaeilge*, sous la direction du Conseil ministériel nord-sud (décembre 2009), de mettre fin au financement de base des 19 organisations faisant la promotion de la langue irlandaise, dont sept sont établies dans le nord, ont mis en évidence le manque de consultation véritable et de réorganisation du financement en raison de l'absence d'une politique officielle concernant la langue irlandaise dans le Nord. En 2011, des menaces pèsent sur les structures fragiles des organismes bénévoles dans le Nord ainsi sur leur expertise et leur expérience accumulées sous d'énormes pressions depuis les Accords du Vendredi Saint.

Les accords du Vendredi saint de 1998 ont précédé la ratification par le gouvernement britannique de la Charte européenne des langues régionales ou minoritaires. En raison de la ratification de la charte en 2001, le gouvernement britannique reconnaît l'irlandais et l'Ulster Scots selon les garanties générales de l'article II, comprenant 36 paragraphes et sous-paragraphes du plus spécifique article III de la charte de la langue irlandaise, seule. Les politiques ratifiées concernant l'irlandais sont plutôt générales. La Charte est le seul vrai instrument législatif de défense de la langue irlandaise dans le nord. Cependant, n'ayant pas le pouvoir de contraindre les récalcitrants, la Charte ne peut être imposée par les tribunaux et trois rapports déposés par POBAL, organisation-cadre pour la défense de la langue irlandaise dans le Nord, ont fortement critiqué l'application jusqu'à présent de la Charte[30]. POBAL a mené la campagne en faveur d'une loi portant sur la langue irlandaise, ce qui a conduit à l'engagement sans équivoque de la part du gouvernement britannique dans les accords de St. Andrews (2006) de déposer le projet de loi, un engagement qui n'a pas encore été réalisé[31].

Lorsqu'ils avaient à choisir les ministères sous leur responsabilité dans la législature d'Irlande du Nord, les partis nationalistes ont à deux reprises laissé de côté le ministère de la Culture, des Arts et des Loisirs, responsable de la langue irlandaise. Conséquemment, depuis la dévolution, le sort de la langue irlandaise était entre les mains d'un ministre unioniste. Lors des élections de 2011, cependant, le Sinn Féin a modifié sa position et a accepté le ministère et a nommé à sa tête Caral Ní Chuilín, une unilingue anglaise. Il reste à voir jusqu'où le Sinn Féin est prêt à aller en matière de langue et jusqu'à quel point la question linguistique correspond aux intérêts du parti.

La langue irlandaise demeure marginalisée dans la sphère publique de l'Irlande du Nord et les locuteurs irlandais, malgré leur détermination et dynamisme, ont peu de pouvoir. Il est clair que les questions culturelles et linguistiques n'occupent pas une place centrale dans les préoccupations des nationalistes dans le Nord et dans le Sud, ce qui fait que la langue irlandaise n'est pas un élément important dans l'élaboration de politiques. Selon Fishman, les langues minoritaires qui ne reçoivent pas le soutien de l'appareil gouvernemental peuvent paradoxalement se retrouver dans une situation pire encore en temps de paix que durant un conflit[32]. Il considère aussi que de faire confiance dans des politiques plus permissives de l'État peut équivaloir à mourir d'euthanasie lente plutôt que devant le peloton d'exécution[33]. Peu importe si cette affirmation ne fait pas l'unanimité, il est clair que la langue irlandaise est arrivée à un moment décisif dans le Nord. Il y a des signes avant-coureurs du retour d'un militantisme non partisan après une période de désillusion. La nomination d'un membre du Sinn Féin au poste de ministre de la Culture laisse entrevoir des changements, cependant la nature que peuvent prendre ceux-ci reste à voir. À travers le pays, cependant, parmi la population en général, il y a un besoin d'une direction stratégique. Les locuteurs irlandais doivent se réunir et aller de l'avant s'ils ne veulent pas se marginaliser davantage ou bien se voir cooptés dans le « *Ré Úr / New Era* » qui ne semble pas répondre à la situation actuelle ni aux besoins de la langue irlandaise au Sud comme au Nord.

## Notes et références


1. T. Crowley, *War of Words : The Politics of Language in Ireland 1537 – 2004*, Oxford, Oxford University Press, 2005, p. 101.
2. L. Curtis, *The Cause of Ireland : From the United Irishmen to Partition*, Belfast, Beyond the Pale Publications, 1994.
3. T. Crowley, *op. cit.*, p. 101
4. J. A. Reynolds, *The Catholic Emancipation Crisis in Ireland 1823-9*, New Haven, Yale University Press, 1954, p. 171.
5. M. Cronin, *Translating Ireland : Translation, Languages, Cultures*, Cork, Cork University Press, 1996, p. 116.
6. W. J. O'Neill Daunt, *Personal Recollections of the Late Daniel*, O'Connell, M. P. London, Chapman and Hall, 1848, p. 14-15.
7. T. Ó Fiaich, T. « The Language and Political History », dans B. Ó Cuív (dir.), *A View of the Irish Language, Stationery Office*, Dublin, 1969, p. 110.
8. P. J. Dowling, *The Hedge Schools of Ireland*, Dublin, Mercier Press, 1968, p. 42.
9. N. Ó Ciosáin, *Print and Popular Culture in Ireland 1750-1850*, Houndmills, Palgrave MacMillan, 1997, p. 40.
10. Rapport de l'année 1857, p. xxi.
11. T. Crowley, *op. cit.*, p. 119.
12. C. Anderson, *A Brief Sketch of the Various Attempts which have been made to Diffuse a Knowledge of the Holy Scriptures through the Medium of Irish*, Dublin, 1818, p. 80-81.

13. H. M. Mason, *Facts Afforded by the History of the Irish Society*, Dublin, 1829, p. 5.
14. P. Ó Snodaigh, *Hidden Ulster: Protestants and the Irish Language*, Belfast, Lagan Press, 1995 (2e édition), p. 58.
15. F. Von Schlegel, « The Philosophy of Life and Philosophy of Language » dans *A course of lectures by Friedrich von Schlegel* (traduc. A. J. W .Morrison), Bonn et Londres, 1847, p. 407.
16. Anon 1843b, 35, 555, « The Irish Language », *The Nation*, vol. 31, no. 35, Dublin, 1843
17. J. Lee, *Ireland 1912-1985, Politics and Society*, Cambridge, Cambridge University Press, 1989, p. 662-663.
18. S. De Fréine, « The Dominance of the English Language in the Nineteenth Century », dans D. Ó Muirithe (dir.), *The English Language in Ireland*, Cork, Mercier, 1977.
19. R. S. McAdam, « Six hundred Gaelic proverbs gathered in Ulster », *Ulster Journal of Archeology*, 1858-1862, no. 6, p.172-183, p. 250-67, no. 7, p. 278-287, no. 9, p. 223-236
20. Loughlin dans Ó Snodaigh, *Hidden Ulster: Protestants and the Irish Language*, Belfast, Lagan Press, 1995, p. 70.
21. A. Mac Póilin, *Irish Language in Northern Ireland*, Belfast, Ultach Trust, 1997.
22. S. Mac Seáin, *D'imigh sin is tháinig seo: Scéal oibrí fir i mBéal Feirste a linne*, Belfast, 2010, p. 73.
23. Liam Carson, *Call a Mother a Lonely Field*, Dublin, Hag's Head Press, 2010, p. 35.
24. *Ibid.*, p. 74-75.
25. La question portant sur la langue irlandaise du recensement de 2001 différait quelque peu de celle du recensement de 1991. Il est donc difficile de faire des comparaisons sur les écarts dans les habilités langagières entre les deux recensements.
26. G. McCoy, « From Cause to Quango », dans J. M. Kirk et D. P. Ó Baoill (dir.), *Linguistic Politics: Language Policies for Northern Ireland, the Republic of Ireland and Scotland*, Belfast, BSLCP, 2001, p. 205-218.
27. Renommé par la suite le *Department of Community Equality and Gaeltacht Affairs*, et en 2011, *Department of Arts, Heritage and Gaeltacht Affairs.*
28. H. Gruffudd, « Planning for the Use of Welsh by Young People », Williams (dir.), *Language Revitalisation: Policy and Planning in Wales*, Cardiff, University of Wales Press, 2000, p. 173-207.
29. C. H Williams, « Development, dependency and the democratic deficit », dans Thomas (dir.), *op. cit.*, p. 7.
30. Ces documents peuvent être consultés à l'adresse suivante: http://www.pobal.org/english/europeancharter.php.
31. Pour un compte rendu détaillé des consultations et des campagnes menées au sujet de la loi sur la langue irlandaise et autres questions, voir J. Muller *Language and Conflict in NI and Canada: A Silent War*, Basingstoke, Palgrave MacMillan, 2010.
32. J. A. Fishman, « The Soft Smile and the Iron Fist, Prefatory Remarks », dans D. O'Neill (dir.), *Rebuilding the Celtic Languages; Reversing Language Shift in the Celtic Countries*, Wales, Ylolfa, 2005, p. 9-12
33. *Ibid.*, p. 10.

# La « Question bretonne » et le nationalisme breton

Sharif Gemie
*Glamorgan University*

Y a-t-il véritablement un nationalisme breton ? En réalité, en tenant compte des crises et tensions vécues en Bretagne depuis le XVIIe siècle, il serait plus juste de parler d'une « Question bretonne ». Cette question, selon Morvan Lebesque, se résume à la suivante : « Comment peut-on être Breton ? »[1] Les historiens Jean-Jacques Monnier et Michel Denis ont fourni une réponse à cette question, qui ne se limite pas à la seule dimension politique et qui intègre des dimensions plus larges comme la culture et l'identité. Pour Monnier, être Breton, c'est faire la promotion de l'identité bretonne ; pour Denis, c'est refuser l'intégration totale de la Bretagne dans la France et défendre les intérêts spécifiquement bretons[2].

En Bretagne, cette question trouve différentes formes d'expression. Il y a, bien sûr, des mouvements prônant un nationalisme séparatiste (comme « Emgann », aujourd'hui, ou « Breiz Atao », dans les années 1930 et 1940), mais ils ont été et sont toujours fortement minoritaires. Plus importantes sont les organisations qui revendiquent des formes nouvelles de relations entre la Bretagne et la France : par exemple, l'Union démocratique bretonne (UDB, créé en 1964), qui revendique une autonomie plus grande pour la Bretagne. Il y a aussi différents courants régionalistes. On pense ici aux monarchistes de l'Association bretonne (créée en 1843, interdite en 1854, puis récréée en 1873) qui défend une Bretagne catholique comme rempart à une France trop moderniste et laïque. Il ne faut cependant pas oublier les organisations comme les Bleus de Bretagne (créée en 1899) qui militent pour la sortie de la Bretagne du conservatisme et pour son intégration dans les structures d'une France républicaine. Cette dernière organisation tire son inspiration des actions vigoureuses des groupes républicains bretons dans les villes de la Bretagne pendant la Révolution française : une dimension de l'histoire politique de Bretagne que l'on occulte ou sous-estime trop souvent[3]. En marge de ces organisations, on retrouve, au fil des ans, une pléthore de groupes, de groupuscules, d'associations et de réseaux, souvent petits et minoritaires, voire sans importance apparente, pour qui la culture et la langue ne peuvent être séparées du politique. Ces derniers forment cet amalgame appelé *Emsav* (littéralement « soulèvement »), une appellation floue pour un mouvement flou.

Après ce tour d'horizon sommaire des différentes tendances politiques bretonnes, on peut tirer deux conclusions. Premièrement, il n'y a aucun mouvement politique fort qui incarne le nationalisme breton équivalant au Front de libération national algérien ou au Congress Party en Inde, par exemple. Parler du nationalisme breton, au singulier, est donc impossible. Deuxièmement, il ne faut cependant pas conclure hâtivement que la dimension nationale n'est pas présente dans le paysage breton. Il demeure toujours cette « Question bretonne », posée de multiples façons et à laquelle des réponses variées ont été formulées, allant du nationalisme classique à des formes d'expression politique indirectes et floues[4]. Pour étudier et comprendre le nationalisme breton, il faut par conséquent être attentif à ces nuances.

Plutôt que de présenter chronologiquement les groupes et les associations nationalistes, je porterai mon regard sur trois relations conflictuelles qui ont marqué l'histoire bretonne et qui ont généré des mouvements ayant contribué directement ou indirectement au nationalisme breton et, par conséquent, apporté quelques réponses à la « Question bretonne ».

## Aristocrates contre Paris

Les nobles bretons ont souvent été au centre des luttes de pouvoir sous l'Ancien Régime. Alors que la bourgeoisie bretonne se développait isolément dans les grandes cités portuaires de Saint-Malo, de Brest et de Nantes, les nobles, en raison des rencontres bisannuelles des États de Bretagne à Rennes, formaient un groupe uni[5]. Comme classe, ils possédaient une culture mixte : pour la plupart, ils parlaient français et non breton ; en plus, ils admiraient les modes de vie de Versailles. Mais, de l'autre côté, ils chérissaient le souvenir de l'autonomie de la Bretagne d'avant 1532. Ils étaient convaincus que la réunion des deux pays ne signifiait pas la fin des privilèges et des particularismes bretons, comme, par exemple, un niveau de taxation très bas et l'exemption de conscription. Au cours du XVIIIe siècle, les nobles bretons ont acquis la réputation d'individus au fort esprit de lutte, illustrée de façon tapageuse lors des fêtes organisées à Rennes pour célébrer la réunion du Parlement, mais aussi exprimée par leur volonté de s'opposer aux édits de Paris. Parmi les nobles, les plus militants provenaient de la frange la plus pauvre.

Une première grande crise éclate en 1718-1720, lorsque le marquis de Pontcallec organise une ligue des nobles et en appelle à une révolte contre la taxation imposée par l'État français. À cette occasion, il s'est tourné vers la monarchie espagnole pour obtenir de l'aide. Sept navires ont été envoyés, mais un seul est arrivé à Quiberon, avec trois cents soldats espagnols à son bord. N'ayant trouvé personne pour les recevoir, ils sont repartis sur-le-champ en Espagne. Pour la monarchie française, Pontcallec était coupable de trahison. Le châtiment fut exemplaire: 70 nobles arrêtés, le marquis et trois de ses acolytes furent décapités sur la place publique à Nantes.

Il est évident que, dans le cas d'un mouvement aussi multiforme et diffus que l'*Emsav*, il serait absurde de vouloir chercher une date officielle de naissance. Cependant, l'affaire Pontcallec pourrait être considérée comme l'un des points de départ de la «Question bretonne». En même temps, cependant, il faut souligner les limites de cette affaire. Pontcallec fait appel à la monarchie espagnole et non pas au peuple breton. Il défend une série de privilèges, non une nation. Il ne fait référence à aucun concept politique d'une communauté nationale; il lutte plutôt pour la reconnaissance des pouvoirs du parlement breton. De plus, les appuis de la population bretonne à la cause défendue par la noblesse demeurent fragiles. Jusqu'à 1788, il semble que celle-ci obtient le soutien populaire. Les nobles sont alors perçus comme des défenseurs du bien-être économique de la Bretagne. Ce soutien s'évapore cependant à l'apparition des premières tensions politiques à l'aube de la Révolution française. Ce qui a fait dire à Michel Denis, peut-être par esprit de provocation, que la Révolution a commencé à Rennes en mai 1788[6]. Cependant, c'est réellement après 1790 que tout change en Bretagne. On observe alors l'apparition d'une haine tenace à l'endroit de la noblesse pour s'être arrogé le droit de parler au nom de la nation. En raison du revirement de la situation, les nobles se voient donc contraints de défendre politiquement leur position. En 1790, le comte de Botherel écrit un plaidoyer en faveur de la cause soutenue par l'aristocratie bretonne. Dans son plaidoyer, ce dernier fait un vibrant appel au peuple l'exhortant de défendre la patrie française et la constitution bretonne contre les factions révolutionnaires, les magistrats incorruptibles contre les petits tribunaux de la Révolution et de s'opposer aux revendications du tiers état[7].

Les activistes bretons membres de la noblesse restent prisonniers de leurs propres contradictions politiques passéistes. Ils expriment un amour pour leur Bretagne: un pays de paysans fidèles et de bons prêtres. Ce conservatisme politique et social n'implique pas nécessairement un conservatisme technique ou culturel. Ces mêmes aristocrates pouvaient encourager la modernisation de l'agriculture et être sensibles aux nouveautés artistiques[8]. Ils demeurent cependant hésitants à l'endroit du nationalisme, comme ils craignent la modernisation des institutions politiques et les appels au peuple. Sur la question de la langue bretonne, ils sont sans passion, la considérant uniquement comme une barrière utile à la modernité parisienne, mais non comme un atout.

### Église contre République

L'église s'implante tardivement en Bretagne, mais elle s'implante avec force. La grande vague de la Réforme catholique coïncide avec l'expansion démographique des villes bretonnes, la volonté d'établir des institutions d'éducation et le développement économique de la région, principalement dans les industries du lin et de la toile. Les églises construites au XVII^e siècle, ces grands édifices de granit, qui surplombent tous les autres dans les villes et les villages, expriment cette confiance et cette puissance. Le chef-d'œuvre de l'époque est, sans contredit, le calvaire de l'église de Saint-Jean-Trolimon (Finistère) : un bloc de granit, de quatre mètres de long par trois mètres de haut, sur lequel est sculptée une bonne centaine des figures religieuses. Ce qui surprend de cet immense bloc de granit, c'est l'absence du nom du sculpteur, comme s'il avait été réalisé par les habitants eux-mêmes[9]. Cette religion renouvelée a profondément interagi avec la culture bretonne. Par exemple, les premiers dictionnaires de la langue bretonne ont été rédigés par des clercs. Certains ont même avancé que les quatre dialectes bretons ne remonteraient pas aux anciennes populations gauloises, mais serait plutôt le résultat des différents dictionnaires produits par l'église. Quoique douteuse comme analyse linguistique, cette thèse montre l'importance culturelle de l'Église dans la société bretonne.

Au XIX^e siècle, les églises vieillissantes n'incarnent plus la ferveur religieuse. Les pardons prendront leur place et deviendront la forme d'expression la plus visible de l'interaction entre culture populaire et culture religieuse. Ces pèlerinages, autrefois courants à travers toute la France, demeuraient toujours populaires en Bretagne, où ils continuaient à attirer la faveur populaire, même parmi de nombreux Bretons anticléricaux. Ces processions saisissantes, qui mélangeaient religiosité austère, beuveries et forte participation populaire, ont fasciné des artistes (comme Courbet, Gauguin et Cottet) et donc des touristes. Cette pratique considérée comme « traditionnelle » est véritablement à son apogée au cours du XIX^e siècle et dans les premières années du XX^e siècle en raison de l'apparition de réseaux de transport modernes et de nouvelles pratiques de loisirs qui ont donné un nouveau souffle à ce rituel ancien. En juillet 1920, deux cent mille personnes ont participé au pardon de Sainte-Anne-d'Auray, probablement le plus grand pardon jamais répertorié[10].

Mais quelle est donc la réponse de l'Église à la Question bretonne ? Comme dans le cas de l'aristocratie bretonne, l'église demeure ambiguë. D'un côté, la majorité des prêtres et évêques est préoccupée par la montée du républicanisme, quoique ce dernier ne soit pas toujours anticlérical, comme en fait foi l'appel de Georges Sand durant la II^e République (1848-1851) en faveur d'une association logique et naturelle entre le tricolore et le crucifix. Mais cet appel n'a pas été entendu, puisque la III^e République

(1870-1940) a été édifiée sur des principes anticléricaux[11]. Pour les prêtres bretons, la priorité est donc de protéger leurs congrégations de cette vague républicaine. Ils possèdent des moyens remarquables pour réaliser cet objectif. L'Église était un instrument puissant de contrôle social et d'encadrement de l'éducation, de la sociabilité, de la presse, de l'aide, et même de la modernisation. À travers elle, le clergé s'attaquait aux initiatives républicaines par des moyens imaginatifs. Par exemple, en 1889, la presse catholique bretonne parlait avec fierté d'une année commémorative : non celle de 1789, mais celle de 1689, l'année de la vision de sainte Margaret-Marie[12]. Il mobilise aussi les Bretons, telles des troupes de choc, contre les actions anticléricales du gouvernement français. La Fédération nationale catholique du général de Castelnau, créée dans la deuxième décennie du XX^e^ siècle, a obtenu son soutien le plus important en Bretagne. Lors de ses grandes manifestations de 1924 et de 1925, de vingt mille à cent mille fidèles ont marché en Bretagne[13]. Pour sauver l'âme catholique bretonne de la République athée, le clergé n'hésite pas à affirmer que *feiz* [la foi] et *Breizh* [Bretagne] sont indissociables. Mais qu'en est-il du nationalisme ? Généralement, les évêques s'opposent à toute initiative qui risquerait d'entraîner une dérive nationaliste.

Parmi les prêtres, les opinions varient. L'initiative originale qu'est la revue *Feiz ha Breiz* en est un bon exemple. Cette revue, publiée une première fois entre 1865 et 1884, réapparaîtra entre 1899 et 1944. En 1912, le tirage s'élève déjà à sept mille exemplaires ; en 1919, à son apogée, il est de dix mille[14]. À partir de 1907, la majorité des articles publiés par la revue sont en breton. Il faut souligner que *Feiz ha Breiz* n'est pas une publication officielle de l'Église. Elle découle de l'initiative du controversé abbé Perrot (1877-1943), militant pour une « République sociale, catholique, bretonne et paysanne ». Son initiative n'est pas strictement conservatrice. Perrot se méfie des visées de la noblesse bretonne, et, afin de s'opposer à elle, prône la mise sur pied d'une organisation politique plus moderne, basée sur une force populaire, la paysannerie. Son évêque le rappelle à l'ordre et, en 1926, s'arroge le droit de censurer les colonnes de *Feiz ha Breiz*, ce qui marque l'échec de cette tentative de créer un mouvement breton, paysan et catholique. Malgré cet échec, Perrot demeure un pionnier, comme en témoignent les appuis importants accordés par les Bretons à différents mouvements politiques de la tendance du catholicisme social, affranchis de l'influence de la noblesse, comme le Sillon de Marc Sangnier (1902) et le Parti démocratique populaire (PDP, 1924).

## Celtes contre Latins

Théodore Hersart de La Villemarqué (1815-1895) est, sans contredit, l'un des plus importants précurseurs de l'Emsav[15]. Personnage difficile à cerner, il ressemble à première vue aux jeunes légitimistes de la monarchie de Juillet. Fils d'un aristocrate breton et député ultraroyaliste, cet étudiant d'un collège jésuite se décrit comme un fervent catholique. À première vue, son identité politique semble claire. Même que son œuvre littéraire s'apparente à celle de la génération perdue des jeunes légitimistes frustrés. En 1839, en pleine montée du romantisme, il publie à compte d'auteur son œuvre la plus importante. Une analyse plus fine nous amène cependant à nuancer cette classification trop sommaire. Avec la publication de *Barzaz Breiz*, il prétend présenter aux lecteurs l'authentique voix des paysans bretons bretonnants. Ici, il se distingue des nobles bretons, puisque ceux-ci ne partagent pas son admiration pour la culture populaire bretonnante. Il célèbre aussi dans ce livre la poésie celtique en langue bretonne, alors que la grande majorité des aristocrates bretons se considèrent comme des descendants de l'ancienne élite française. De plus, Villemarqué ne fréquente pas les aristocrates conservateurs, il lie plutôt des amitiés avec de jeunes Bretons républicains, comme Émile Souvestre ou Auguste Brizeux. Il se distingue aussi des aristocrates par ses idées. À l'opposé des aristocrates, Villemarqué ne considère pas la paysannerie comme un instrument utile contre un État modernisateur, ni sa culture comme simple digue. Au contraire, il présente sa poésie comme une véritable révélation dans des termes quasi bibliques. Elle montre, selon lui, où se trouve le vrai centre spirituel de toute l'Europe. Pour ces raisons, peut-on considérer Villemarqué comme un nationaliste breton ? Pas vraiment. Il plaide plutôt pour une nouvelle Europe celtique et catholique, dont la Bretagne en serait le centre. Au lieu de l'indépendance de la Bretagne, il recherche une nouvelle union avec la France dans laquelle la Bretagne en serait le cœur. Il ne fait donc aucun doute que Villemarqué est très différent des légitimistes conservateurs. Il ressemble davantage à son contemporain breton, l'abbé Lamennais, un exemple d'un penseur issu d'une société et d'une culture conservatrices qui a développé une pensée originale.

Sur la langue bretonne elle-même, Villemarqué dit peu. Certains ont même émis des doutes sur sa réelle capacité à comprendre le breton des paysans. Malgré tout, ses travaux deviendront un vibrant plaidoyer pour la survie de la langue bretonne, en déclin et marginalisée, bien sûr, mais loin d'être morte. Villemarqué a aussi fourni un argument de taille aux nationalistes. Selon lui, ils incarnent les valeurs celtiques contre les valeurs latines de Paris, même de Rome, ouvrant ainsi la porte à des pratiques païennes. Certains militants nationalistes ont suivi leurs camarades gallois dans un « réveil » du druidisme[16]. La culture politique développée par Villemarqué et ses disciples est donc très différente de la culture politique des légitimistes bretons, attachés au catholicisme traditionnel et aristocratique.

Cette nouvelle culture politique n'est pas à l'abri d'une dérive raciste. Avec *Breiz Atao*, par exemple, on voit se multiplier dans les années 1936-1944 surtout, la propagande haineuse dirigée contre les juifs français, considérés comme les maîtres de Paris. La collaboration directe, énergique et volontaire d'une frange de l'*Emsav* avec les forces nazies ne peut être remise en question[17]. Mais on ne doit pas prendre cette collaboration comme typique de l'*Emsav*. La typologie des réactions catholiques bretonnes à la victoire nazie, établie par Yvon Tranvouez, est très pertinente sur ce point. Il y a un catholicisme de gauche, de la ligne du Sillon et du PDP, qui s'est opposé au nazisme et qui a encouragé la pratique de différentes formes de résistance. On trouve aussi des conservateurs catholiques bretons, qui acceptent volontiers Vichy, mais qui gardent leurs distances par rapport au Troisième Reich. L'abbé Perrot incarne une troisième voie. Cet anticommuniste, pro-Pétain, cherchait de façon pragmatique à tirer avantage de la collaboration pour développer politiquement le nationalisme breton. La collaboration active des certaines nationalistes représente donc une réalité fortement minoritaire[18].

En fin du compte, l'épisode collaborateur représente un grand échec pour le nationalisme breton. La honte qui subsistera de nombreuses années après la guerre dans les rangs des vieux militants et l'amertume ressentie par ceux-ci se croyant obligés de défendre des conduites indignes ont fortement nui à la reconstruction du Parti national breton. Il faut ajouter aux difficultés des nationalistes l'émergence de nouvelles forces politiques très attrayantes durant la guerre. De Gaulle lui-même incarne des idéaux partagés par de nombreux Bretons : patriotisme, républicanisme, catholicisme, progrès et ordre. Outre De Gaulle, la démocratie chrétienne du Mouvement républicain populaire (MRP) rejoint à bien des égards le catholicisme moderne, libéré du conservatisme politique, prôné par le PDP, qui, comme nous l'avons mentionné, avait déjà connu quelque succès dans la région avant la guerre. Finalement, en 1945, on observe une percée marquée de la gauche en Bretagne. Sur les 38 députés des cinq départements bretons, on compte 6 communistes, 7 socialistes et 12 du MRP. Une Bretagne rouge s'affirme.

Le Comité d'études et de liaison des intérêts bretons (1951) fut la première organisation politique qui s'est attaquée la « Question bretonne » après 1945. Cette organisation de nature administrative et technocratique souhaitait faire profiter à la Bretagne de l'expansion technique et économique française. Les forces de l'*Emsav* n'étaient pas disparues aux lendemains de la guerre, elles se sont tournées vers d'autres thèmes comme celui de la culture, plus précisément la musique et la danse[19]. Elles s'intéressent aussi à la question linguistique en faisant la promotion de l'enseignement en breton.

Aujourd'hui, le celticisme en Bretagne se manifeste surtout grâce à des festivals géants annuels tels que le Festival Interceltique de Lorient

(FIL) et les Vieilles Charrues. Ces événements, qui se déroulent sur plusieurs journées au cours de l'été, rassemblent des dizaines de milliers de personnes et donnent pour un temps à la Bretagne le titre de « pays des festivités ». Le ton de ces événements est surtout éclectique et même internationaliste. Le FIL est soucieux de conserver, autant que possible, l'authenticité celtique. Ce thème est d'ailleurs utilisé pour construire des liens avec d'autres pays ou communautés associés à la culture celtique, comme le Pays de Galles, la Galice et même la Nouvelle-Écosse au Canada. Les Vieilles Charrues, pour leur part, se veulent un festival de musique pour les jeunes, sans aucune prétention à l'authenticité celte. En ajoutant les innombrables autres festivals régionaux, ces manifestations culturelles donnent une autre image du celticisme. Il s'exprime maintenant davantage à travers une sociabilité festive plutôt qu'à travers la question de l'identité raciale. La réussite de ces événements démontre aussi la capacité des Bretons à s'organiser et suggère une confiance nouvelle, qui ne peut être associée au nationalisme dans le sens classique du terme. Cette confiance doit être vue comme l'une des facettes importantes de l'image que se font d'eux-mêmes les Bretons d'aujourd'hui.

### La Question bretonne

Pourquoi donc la Bretagne n'a-t-elle pas donné naissance à un mouvement nationaliste fort ? Parce que la Bretagne est une société marquée par des divisions multiples et évidentes. Premièrement, sa géographie fait l'objet d'un débat. De quelle Bretagne parle-t-on ? De la Bretagne classique, celle des neuf évêchés de l'Ancien Régime ? De la Bretagne des cinq départements (Finistère, Côtes-d'Armor, Ille-et-Vilaine, Morbihan et Loire-Atlantique) établie en 1790, qui a donné à la région un pouvoir administratif faible ? De la région administrative plus cohérente des quatre départements (Finistère, Côtes-d'Armor, Ille-et-Vilaine, Morbihan *sans* la Loire-Atlantique), mis en place sous Vichy en 1941 ? Deuxièmement, on ne s'entend pas sur la capitale, est-ce Rennes (comme aujourd'hui) ou bien Nantes ? Il y a, enfin, les divisions entre une Bretagne bleue (c'est-à-dire républicaine) et une Bretagne blanche (royaliste), une Bretagne anticléricale et une Bretagne catholique, une Bretagne urbaine et une Bretagne rurale, une Bretagne bretonnante et une Bretagne francophone, une Bretagne des terres et une Bretagne des mers (« Breton terrien, Breton de rien »), une Bretagne collaboratrice en 1940, une Bretagne résistante…

Ces divisions sont trop profondes pour pouvoir permettre le développement d'un mouvement nationaliste classique, ce qui explique la fascination perpétuelle des militants bretons pour d'autres pays. Si Pontcallec a fait appel à l'Espagne pour lui venir en aide, d'autres ont vu dans certains pays des utopies qui incarnent leurs idéaux : le Pays de Galles est considéré comme le royaume de la langue celtique[20], l'Irlande est admirée pour sa pratique révolutionnaire, et même, quelques-uns ont vu dans le Troisième Reich l'idéal de la pureté raciale. La langue bretonne elle-même est considérée par certains nationalistes comme une « communauté imaginée » où vit la nation bretonne, qui, sans elle, serait inexistante[21]. Par exemple, le journal nationaliste breton, *Combat Breton*, a proclamé en 1998 : « Tu peux acheter un triskell [ancien symbole celtique avec trois pointes], un *gwenn ha du* [drapeau breton en blanc et noir], un CD, mais tu ne peux pas acheter la langue de ton pays. Apprends, lis, parle, et défends la langue bretonne ! »[22]

Ce type de nationalisme pur et classique gagne peu d'adhérents en Bretagne aujourd'hui. L'idée d'une autonomie plus large pour la région, quelquefois liée à un soutien symbolique et sentimental pour la langue bretonne, fait des progrès dans les sondages, et la majorité des partis politiques actifs en Bretagne y font référence de façon sympathique. Les groupes comme l'Union démocratique bretonne ont fait quelques avancées, mais aucune percée décisive. C'est pour cette raison que l'avenir du nationalisme breton résidera probablement non pas dans un mouvement politique, mais plutôt dans une éthique communautaire entre Bretons[23].

## Notes et références

1. Voir son livre *Comment peut-on être Breton. Essai sur la démographie française*, Paris, Seuil, 1970.
2. Jean-Jacques Monnier, « Des militants bretons dans la Résistance » et Michel Denis, « Le mouvement breton pendant la guerre », chacun dans C. Bougeard (dir.), *Bretagne et Identités régionales*, Brest, CRBC, 2001, p. 103-119 et p. 151-166.
3. Voir l'excellente collection des essais de Alain Drouet (dir.), *Les Bleus de Bretagne*, Saint-Brieuc, Fédération « Côtes-du-Nord 1989 », 1991.
4. Sur ce débat, voir surtout Ronan Le Coadic, *L'identité bretonne*, Rennes, PUR & Terre de Brume, 1998.
5. Voir Jean Meyer, *La Noblesse Bretonne au XVIII^e siècle*, Paris, Flammarion, 1972 ; James B. Collins, *Classes, Estates and Orders in Early Modern Brittany*, Cambridge, CUP, 1994 ; et John Hurt, « The Parlement of Brittany and the Crown : 1666-1675 », *French Historical Studies* 4, 1965-1966, p. 411-33. Il faut noter en plus les descriptions vivides de la vie de la noblesse bretonne dans l'œuvre de Chateaubriand, surtout dans le premier volume de ses *Mémoires d'Outre-Tombe*, Paris, Librarie Générale Française, 1973.
6. Michel Denis, *Rennes, berceau de la liberté : révolution et démocratie, une ville à l'avant-garde*, Rennes, Ouest-France, 1989.
7. Comte de Botherel, *Protestations adressés au roi et au public*, Ar Relug-Kerhoun, An Here, 2000.
8. Par exemple, sur la modernité culturelle voir Corinne Prével-Montagne, « Armel Beaufils et la Bretagne », *Ar Men*, no. 132, janvier 2003, p. 50-57 ; pour les contradictions de la modernisation de l'agriculture en Bretagne voir les

premiers chapitres de Robert O. Paxton, *French Peasant Fascism: Henry Dorgères's Greenshirts and the Crisis of French Agriculture, 1929-1939*, Oxford, OUP, 1997.

9. Voir Alain Croix, *L'Age d'or de la Bretagne, 1532-1675*, Rennes, Ouest-France, 1993; Elizabeth Musgrave, «Momento Mori: the function and meaning of Breton ossuaries, 1450-1750» dans P. C. Juppp et G. Howath (dir.) *The Changing Face of Death,* Londres, MacMillan, 1995, p.62-75; Yves-Pascal Castel, «La calvaire de Tronoën», *Ar Men* 119, mars 2001, p. 28-35.
10. Michel Lagrée, *Religion et cultures et Bretagne*, Paris, Fayard, 1992, p. 302.
11. *Politiques et polémiques (1843-1850)*, Paris, Imprimerie nationale, 1997, p. 340.
12. Voir Michel Lagrée, «Le clergé Breton et le premier centenaire de la Révolution française», *Annales de Bretagne*, no. 91, 1984, p. 249-267.
13. James F. McMillan, «Catholicism and Nationalism in France: the case of the Fédération Nationale Catholique, 1924-1939» dans Frank Tallet and Nicholas Atkin (dir.), *Catholicism in Britain and France since 1789,* Londres, Hambledon Press, 1996, p. 151-163.
14. Fañch Elegoët, «Prêtres, nobles et paysans en Léon au début du XXe siècle; notes sur un nationalisme Breton: *Feiz ha Breiz,* 1900-1914», *Plurial,* no. 18, 1979, p. 39-90.
15. Voir Jean-Yves Guiomar, «Le *Barzaz Breiz* de Théodore Hersart de La Villemarqué», dans P. Nora (dir.), *Les Lieux de Mémoire* III, Paris, Quarto-Gallimard, 1997, p. 479-514; Mary-Ann Constantine, *Breton Ballads,* Aberystwyth, CMCS, 1996.
16. Philippe Le Stum, «Néo-druidisme et régionalisme en Bretagne, 1900-1914», *Bulletin de la société archéologique du Finistère,* no. 126, 1997, p. 441-466.
17. Voir Christian Bourgeard (dir.), *Bretagne et identités régionales*, Brest, CRBC, 2001; Kristian Hamon, *Les nationalistes bretons sous l'Occupation*, Le Relecq-Kerhuon, An Here, 2001; Luc Capdevila, *Les Bretons au lendemain de l'Occupation,* Rennes, PUR, 1999.
18. Yvon Tranvouez, «Les catholiques et la question bretonne (1940-1944)» dans Christian Bourgeard (dir.), *Bretagne et identités régionales*, Brest, CRBC, 2001, p.285-306.
19. Voir Sharif Gemie, «Roots, Rock, Breizh: music and the politics of nationhood in contemporary Brittany», *Nations and Nationalism,* vol. 11, no. 1, 2005, p. 103-120.
20. Le thème suivant mérite une thèse de doctorat: comment la mauvaise compréhension du Pays de Galles a montré une fausse route pour plusieurs générations de militants bretons.
21. Voir Sharif Gemie, «The Politics of Language: debates and identities in contemporary Brittany», *French Cultural Studies*, vol. 13, no. 2, 2002, p. 145-164
22. *Combat Breton*, no. 151, 1998, p. 16-18.
23. Voir Sharif Gemie, *Brittany 1750-1950: the Invisible Nation,* Cardiff, UWP, 2007

# Deuxième dossier

## Présentation

# La droite québécoise hier et aujourd'hui

FRÉDÉRIC BOILY
*Université de l'Alberta*

L'année 2011 ainsi que la première moitié de 2012 auront été, au plan politique, fertiles en surprises de toutes sortes. À cet égard, deux intellectuels ont pu observer avec justesse qu'« [u]ne remarquable et rare reconfiguration du paysage partisan semble être en cours au Québec ces six derniers mois, à tel point que plusieurs politologues, journalistes ou analystes doivent revisiter un certain nombre de "constantes" qui étaient tenues pour acquises »[1]. C'est d'abord sur la scène fédérale que des changements importants sont survenus avec la victoire des conservateurs de Stephen Harper qui ont obtenu la majorité tant espérée par eux depuis des années, et sans l'appui du Québec. Si la victoire du Parti conservateur a relancé les débats et les interrogations quant à savoir si le Canada a viré résolument à droite le soir des élections du 2 mai 2011, elle a aussi eu pour effet de raviver les interrogations au sujet de la scène idéologique québécoise. Le fait que le Québec ait voté massivement pour le Nouveau Parti démocratique (NPD), mené par le défunt Jack Layton, a dérouté les observateurs, tout comme la déconfiture électorale du Bloc québécois (BQ) en a pris plus d'un par surprise. Certains y voient là les signes d'un bouleversement ou réalignement politique, comme il s'en produit seulement en quelques rares occasions. Le Québec serait-il, contrairement au Canada, en train de se tourner résolument vers la gauche? Peu d'analystes croyaient que c'était le cas, mais avec un nouveau chef provenant du Québec (Thomas Mulcair), on ne peut exclure que le NPD ne prenne enfin racine au Québec. Cependant, le BQ pourrait se relancer sous la direction de Daniel

Paillé, encore que les chances de succès apparaissent faibles dans ce cas, cette formation étant dans un profond processus de reconstruction.

Du côté droit de l'axe politique, et probablement depuis la crise des accommodements raisonnables, les choses bouillonnent tout autant qu'à gauche. L'irruption du Réseau Liberté-Québec, à l'automne 2010, a été un signe parmi d'autres que la droite entendait se réorganiser. Certes, il ne faut pas exagérer l'importance de ce réseau puisqu'il s'agit d'un groupe de réflexion, somme toute restreint, qui s'est donné pour tâche de ramer contre le courant de gauche, lequel est perçu par eux comme étant dominant. L'un des principaux animateurs du réseau, Éric Duhaime, poursuit d'ailleurs l'œuvre de ce groupe avec son ouvrage, *L'État contre les jeunes*, où il pose un diagnostic sans concession sur la situation politique du Québec[2].

Sur le plan partisan, c'est surtout l'arrivée de la Coalition Avenir Québec (CAQ) de François Legault, qui s'est transformé en parti politique à l'automne 2011 en absorbant au passage l'Action démocratique du Québec (ADQ) dirigée par Gérard Deltell, qui a ravivé à sa façon les questions concernant la droite. En effet, quelle est la nature de cette formation politique qui en est encore dans son enfance et dont le programme baigne dans le flou, même après son congrès de fondation d'avril 2012 ? Aux yeux d'André Pratte, « la coalition Legault n'est pas de droite, ni même de centre droit ». Il poursuivait en affirmant: « Dans la mesure où ces étiquettes sont pertinentes, les politiques proposées sont plutôt caractéristiques du centre gauche »[3]. Rien de commun donc avec l'ADQ. Pourtant, le politologue Jean-Marc Piotte a bien montré que le parti de François Legault penche par certains côtés à droite, d'où le caractère naturel de la fusion avec l'ADQ, comme la suite des événements l'a d'ailleurs montré[4]. Cela dit, tant que la CAQ n'aura pas subi l'épreuve d'une élection, il est difficile de définir ce qu'elle est, d'autant plus qu'elle se prétend ni de droite, ni de gauche[5].

Or les choses se compliquent encore davantage avec les manifestations étudiantes qui ont agité les rues de Montréal au printemps 2012, celles-ci étant susceptibles de produire des effets imprévisibles quant à la structuration du champ politique. Au premier regard, le clivage politique entre fédéralistes et souverainistes ne permet pas de comprendre cette crise. En ce sens, l'action des étudiants confirmerait plutôt le diagnostic d'un Québec contestataire de plus en plus à gauche contre un gouvernement et un système néolibéral. Dans ce contexte de discrédit du gouvernement libéral, le Parti québécois (PQ) pourrait bénéficier de la crise étudiante. Car après avoir traversé des temps difficiles, le PQ connaît un indéniable regain de vigueur, à tel point qu'une victoire à la prochaine élection provinciale, dont la date reste inconnue au moment d'écrire ces lignes, n'est pas à écarter. Mais en retour, la crise étudiante pourrait aussi avoir pour effet de « réveiller » la droite...

C'est pourquoi il faut se montrer prudent avant de conclure dans un sens (disparition de l'axe fédéraliste-souverainiste) ou dans l'autre (retour de l'axe gauche-droite). D'ailleurs, si les coups de sonde électoraux de l'été 2011 laissaient entrevoir une transformation du paysage politique avec la CAQ qui trônait alors dans les sondages[6], il s'est toutefois produit un retour de balancier. Depuis, la CAQ n'a cessé de descendre dans les sondages mesurant les intentions de vote des électeurs, ses appuis s'étant stabilisés autour de 25 %, avec cependant 40 % des électeurs pour l'appuyer dans la région de Québec[7]. En fait, les sondages traduisent les incertitudes actuelles de l'électorat. C'est dans ce contexte où les frontières idéologiques sont en mouvement que se repose la question de l'évolution historique de la droite québécoise.

*

* *

Après la déconfiture de l'ADQ à l'élection de décembre 2008, il était permis de croire que le dossier d'un « retour » de la droite avait été définitivement clos. D'aucuns affirmaient que cette élection signifiait un retour aux débats politiques plus traditionnels entre souverainistes et fédéralistes, voire que cette élection confirmait la tendance lourde de l'évanouissement de l'idéologie. Voilà qui rappelait l'avis plutôt radical d'un Doris Lussier qui, dès 1986 en période de *blues* référendaire, constatait l'inutilité de l'idéologie : « Au fond [...], en politique, la seule idéologie qui tienne, c'est de ne pas en avoir. [...] Le peuple se fout de la droite et de la gauche. Ce qu'il veut, c'est qu'on lui assure, la liberté et la prospérité. D'où qu'elles viennent. Et il sait qu'elles ne viennent pas des mots »[8]. Sans doute, peu de citoyens vont s'interroger longuement sur leur filiation idéologique, celle-ci relevant plus souvent du sens commun que de la réflexion profonde. Toutefois, cela ne veut pas dire que les citoyens s'engagent, participent et votent sans une grille d'analyse leur permettant de s'y retrouver, notamment en matière d'égalité comme l'ont bien montré Alain Noël et Jean-Philippe Thérien[9]. Et il faut se souvenir que, à certains moments, la dichotomie gauche-droite est moins présente et qu'elle ne structure pas toujours avec force le champ politique. Dans le cas du Québec, cela était d'autant plus vrai quand le débat politique était articulé autour de la question nationale. Il est difficile, comme nous l'avons mentionné plus haut, de dire ce qu'il en sera dans l'avenir quant à ce débat encore qu'il y ait des éléments laissant entrevoir que les bornes politiques sont bien en train de se déplacer, un peu à la façon de ce qui s'est produit dans les années 1960 et 1970.

Par ailleurs, toute interrogation sur la nature et l'évolution idéologique d'un système politique est tributaire de la manière dont on conçoit la droite ou la gauche. Or il n'est pas aussi simple qu'il y paraît de définir ces catégories, car celles-ci relèvent en effet de l'univers des « connaissances tacites », c'est-à-dire des connaissances relevant d'une sorte de sens commun élaboré sans trop grande finesse théorique. La droite et la gauche s'inscrivent dans l'univers des représentations et, partant, elles sont des concepts à géométrie variable. « Il n'y a pas de position durablement et essentiellement de gauche ou de droite, écrit Alain Noël. L'axe droite-gauche définit une position réelle et durable, mais changeante quant à son contenu »[10]. Si, à une certaine époque, la droite se définissait par sa méfiance et son rejet de la démocratie, aujourd'hui on peinerait à trouver des discours explicitement antidémocratiques au sein des partis de droite. Les appels à renverser les démocraties pour les remplacer par des dictatures autoritaires ne sont plus à l'ordre du jour et elle est acceptée comme une sorte d'horizon indépassable, ce qui ne veut pas dire par ailleurs que l'on en partage la même vision[11]. Celle de la droite repose sur une vision plus proche de la gouvernance entendue comme un processus non partisan, lequel n'a guère besoin que la société participe, sauf au moment des élections, au processus d'élaboration des politiques. Au contraire, la gauche va mettre l'accent sur cette nécessaire implication du corps social qui doit croire à l'action collective, laquelle est vue comme le moyen de former une société politique. Ainsi compris, la gauche se caractérise par une vision politique progressiste, voire optimiste, où l'État a un rôle central à jouer dans la poursuite de l'égalité. À droite, on se montre plus pessimiste sur les capacités des individus à agir collectivement et on demande à l'État de garantir l'ordre social, voire une certaine moralité, et non pas de s'ingérer dans les processus sociaux. La justice sociale est plutôt vue comme étant une illusion. Ainsi, pour ceux qui sont résolument à droite, l'État ne peut et ne doit pas favoriser l'égalité des conditions. Or ce sont ces grandes questions pérennes qui semblent revenir à l'avant-plan.

À bien y réfléchir, que l'axe droite-gauche soit plus présent dans les discours ne devrait pas autant surprendre. La droite québécoise n'a pas disparu du paysage politique avec la mort de Maurice Duplessis et l'affaissement de l'Union nationale (UN). L'UN sous Daniel Johnson ou encore les créditistes dans les années 1960 et 1970 et, plus récemment, l'ADQ (sans compter une portion appréciable des électeurs du PLQ) ont tous incarné une droite plus ou moins vivace dans le paysage politique[12]. Constituée de différents alliages, cette droite est plus ou moins conservatrice ou néolibérale selon les moments. Elle est faite de « conservateurs tranquilles » qui en viennent à croire que, pour une raison ou une autre, la Révolution tranquille est allée trop loin, d'une droite néo-libérale voyant l'État québécois comme un mammouth trop gourmand au plan fiscal, et de quelques conservateurs traditionalistes minoritaires qui se désespèrent de l'évolution prise par l'Occident.

En ce sens, il est étrange qu'un auteur ait affirmé que le conservatisme était mort « quelque part vers 1965 »[13]. Si, par-là, il veut dire que la réflexion des intellectuels à propos du conservatisme est moribonde ou encore que la réflexion engagée pour le définir, comme on pouvait l'imaginer avec Edmund Burke ou Michael Oakeshott, n'a pas donné les fruits escomptés, il faut alors lui donner raison. Mais cela ferait abstraction du fait que la réflexion sur le conservatisme et la droite ne survient pas seulement dans le ciel des idées, et qu'elle s'incarne dans des groupes et des partis qui ont les deux pieds, pour le dire ainsi, dans l'univers des « connaissances tacites » évoqué plus haut. On peut bien trouver ces derniers indigestes intellectuellement mais ils n'en demeurent pas moins conservateurs et de droite, pour autant que l'on abandonne les définitions trop rigoristes en la matière. D'où l'intérêt renouvelé d'examiner à nouveaux frais la droite aujourd'hui.

*

* *

Les différents textes réunis ici se donnent pour objectif d'interpréter le phénomène de la droite en lui donnant une épaisseur historique, théorique et philosophique. Certains des textes sont plus critiques et engagés que d'autres face à leur sujet, comme c'est le cas avec celui qui ouvre le dossier. En effet, Julián Castro-Rea, professeur en science politique à l'Université de l'Alberta, offre une vue d'ensemble de l'émergence de la droite nord-américaine au XX^e^ siècle ainsi qu'une critique des politiques de droite, ce qu'il appelle une « grille d'analyse alternative ». En utilisant les lumières de la comparaison entre les États-Unis, le Mexique et le Canada, il réinscrit le Québec au carrefour des grandes évolutions idéologiques et politiques qui ont frappé le continent nord-américain depuis les trente dernières années. C'est que le Québec a été, comme les autres sociétés des Amériques, sous l'emprise des vents de droite qui ont balayé les continents, notamment à partir des années 1980. Le texte de Castro-Rea permet donc de saisir les grandes orientations de la droite qui se développent depuis un bon moment sur une toile de fond nord-américaine.

Dans un texte plus circonscrit au plan temporel, le politologue Frédéric Boily analyse une période précise ainsi que l'action de deux gouvernements, soit ceux de Jean Lesage (1960-1966) et de Robert Bourassa (1970-1976). Il s'agit d'examiner comment les gouvernements libéraux de cette époque se situent sur l'axe droite-gauche alors que cette période de la fin des trente glorieuses est marquée par l'étatisme et le keynésianisme. L'auteur montre que la conception d'un État agissant qui mène le gouvernement de Jean Lesage ne doit pas faire oublier que certains acteurs du gouvernement de l'époque n'étaient pas tous des réformistes. Par la suite, on assiste avec Robert Bourassa à une évolution graduelle vers la formation d'un gouvernement de centre droit, plus particulièrement lors de son deuxième mandat.

Par la suite, Catherine Côté, qui est professeure à l'Université de Sherbrooke, s'intéresse à la droite dans les médias. Pour ce faire, elle fait un pas en arrière, question de brosser un rapide tableau de l'évolution historique des médias au Québec et cela, afin d'identifier le contexte qui prévaut aujourd'hui et qui rend possible la réinscription des débats politiques dans un espace gauche/droite. Délaissant un certain type de questions au profit de celles ayant un caractère économique plus prononcé, quelques commentateurs proposent – l'ancien chef adéquiste Mario Dumont étant l'un d'entre eux – un «cadrage» économique des questions d'actualité, pour reprendre un terme propre à l'analyse de la communication politique. Bref, la légitimité de la droite a grandi dans l'espace public et médiatique au cours des dernières années.

Lorsque nous réfléchissons à la question de l'idéologie, nous pensons presque exclusivement au gouvernement fédéral ainsi qu'à ceux des provinces. Rarement s'interroge-t-on sur la gauche et la droite en milieu municipal. Pourtant, on pourrait soupçonner que des hommes politiques comme le maire Jean Tremblay de Saguenay ou encore la défunte mairesse Andrée Boucher de Sainte-Foy et Québec, étaient de droite. C'est à la présence de l'axe gauche-droite dans la vie politique des villes au Québec que Laurence Bherer et Sandra Breux de l'Université de Montréal nous invitent à réfléchir. Dans un texte finement élaboré, ces deux spécialistes de la participation politique locale nous rappellent que la politique municipale se prête mal à la dichotomie gauche-droite. Il arrive cependant, nous disent-elles, que des lignes partisanes gauche-droite émergent à certains moments, comme cela fut le cas, en 1994, avec Vision-Montréal qui faisait la promotion d'un programme d'une réduction de l'interventionnisme municipal. Règle générale, c'est toutefois l'idéal communautaire de l'apolitisme qui domine l'esprit de la politique municipale, ce qui par ailleurs n'est pas sans occasionner certains travers, comme celui de la dévitalisation de la démocratie au sein des municipalités québécoises.

Les deux textes qui suivent délaissent les chemins de l'histoire politique pour emprunter ceux de l'analyse théorique. Le premier est celui de Jean-François Caron, un jeune docteur du département de science politique de l'Université Laval et aujourd'hui chercheur post-doctoral à l'Université libre de Bruxelles. Caron revient aux débats théoriques qui ont secoué les XVIIIe et XIXe siècles quant à la façon de penser l'appartenance à un ensemble culturel ou national. Il cherche à établir s'il existe une filiation intellectuelle avec la façon dont le débat gauche-droite s'est structuré quant aux grands idéaux de 1789 et la manière de penser le pluralisme, laquelle serait propre à ce qu'il nomme la «gauche multiculturelle» et la

« droite nationaliste ». L'auteur montre que le débat perdure toujours aujourd'hui, bien qu'à une autre échelle et avec moins de force que dans le passé, chez certains intellectuels québécois. Ce texte rappelle que les questions issues de 1789 n'ont pas toutes trouvé leurs réponses.

Le texte du professeur de philosophie Christian Nadeau de l'Université de Montréal complète bien celui de Caron dans la mesure où il en poursuit la réflexion. Plus précisément, le texte réfléchit à la possibilité d'un rapprochement entre les deux branches du conservatisme en sol canadien. Comme le dit Nadeau, les conservatismes québécois et canadien sont à la fois proches et lointains, la question nationale continuant d'être une ligne de démarcation entre les deux mouvements. Nadeau croit pourtant qu'il pourrait y avoir, malgré les différences, de possibles rapprochements entre les deux pour autant que Stephen Harper soit enclin à faire quelques « concessions symboliques ». Ce faisant, les deux pourraient ainsi se renforcer mutuellement, encore qu'aujourd'hui la droite conservatrice québécoise reste floue. Par ailleurs, Nadeau termine en mettant en cause l'idée voulant que seule la droite se préoccupe de l'épaisseur historique de la société québécoise et il pense que la gauche peut se réapproprier ce terrain. Ce texte clôt d'ailleurs bien un dossier dont l'un des objectifs était de montrer ce qu'il reste encore à investiguer et ce, tant au plan historique (l'évolution de la droite au Québec) qu'en ce qui concerne la nature de la droite aujourd'hui, notamment son rapport à la question nationale.

## Notes et références

1. Philippe Boudreau et François Cyr, « Recomposition du paysage politique. Des questions pour les progressistes », *Le Devoir*, 31 août 2011.
2. Éric Duhaime, *L'État contre les jeunes. Comment les baby-boomers ont détourné le système*, Montréal, VLB éditeur, 2012.
3. André Pratte, « Legault défini », *Cyberpresse*, 3 septembre 2011.
4. Jean-Marc Piotte, « Le flirt entre l'ADQ et la CAQ », *Le Devoir*, 9 septembre 2011.
5. Jean-Marc Salvet, « La CAQ adopte son premier programme », *Le Soleil*, 21 avril 2012.
6. Comme l'indiquait un sondage Crop-*La Presse* montrant qu'un éventuel parti mené par François Legault, récolterait 40 % s'il y avait une fusion avec l'ADQ de Gérard Deltell. Paul Journet, « Legault mène, le PQ saigne », *La Presse*, 25 août 2011.
7. Sondage CROP, *Évolution du climat politique au Québec*, 18 au 23 avril 2012.
8. Cité par Ronald Poupart, « Il n'était pas un idéologue », dans *Robert Bourassa : un bâtisseur tranquille*, sous la direction de Guy Lachapelle et Robert Comeau, Québec, PUL, 2003, p. 183.
9. Alain Noël et Jean-Philippe Thérien, *La gauche et la droite. Un débat sans frontières*, Montréal, Les Presses de l'Université de Montréal, 2010, chap. 1.

10. Alain Noël « Un homme de gauche ? », *René Lévesque. Mythes et réalités*, Montréal, VLB éditeur, 2008, p. 137.
11. Frédéric Boily, *Le conservatisme au Québec. Retour sur une tradition oubliée*, Québec, PUL, 2010, chapitre un.
12. *Ibid.*, chap. 4.
13. Il s'agit du politologue Gilles Labelle qui s'entretient avec André Baril, *Philosopher au Québec. Deuxièmes entretiens,* sous la direction de Christian Frenette, Québec, PUL, 2011, p. 135.

# Le gâchis qu'ils ont fait : comment la droite a ruiné les politiques publiques en Amérique du Nord

Julián Castro-Rea
*Université de l'Alberta*

Entièrement plongés dans la mondialisation depuis au moins deux décennies déjà, nous, habitants de l'Amérique du Nord, sommes habitués à percevoir certains traits marquants de la région comme relevant presque des événements naturels. Qu'il s'agisse de l'Accord de libre échange de l'Amérique du Nord (ALENA), des inégalités sociales ou de la prédominance des États-Unis, on en est venu à croire que tout cela ne pourrait pas s'être produit autrement.

En réaction contre cette perception, cet article vise à proposer une grille alternative d'analyse et d'interprétation. Je veux montrer que plusieurs caractéristiques centrales de la réalité sociale nord-américaine, qui semblent mettre en évidence l'incapacité des institutions en place pour identifier, gérer et trouver des solutions à des problèmes sociaux, sont en fait le résultat de choix politiques concrets, animés par une idéologie conservatrice de droite. Cette idéologie comprend un ensemble de principes apparemment rationnels et cohérents au niveau du discours, mais qui au niveau pratique mènent vers des politiques publiques déficientes, biaisées et même contradictoires. En orientant l'action des institutions publiques avec ses croyances idéologiques, la droite conservatrice nord-américaine a donc mené plusieurs politiques publiques vers une impasse d'inefficacité et d'injustice.

Cet objectif, sans doute ambitieux, devra forcément être circonscrit et abordé par étapes, voire à peine esquissé dans le cadre forcément limité de cet article. Il faut d'abord fournir quelques définitions de base, et expliquer les origines de la spécificité de la droite dans chacun des trois pays qui composent l'Amérique du Nord, tout en élaborant sur les jalons de son évolution depuis l'après-guerre. Ensuite, il faudra faire état de la convergence récente de ces trois trajectoires distinctes, accélérée depuis les années 1990, et de la création de la droite transnationale en Amérique du

Nord. Enfin, il faudra expliquer, de manière d'illustration, certains domaines de politique publique marqués par les approches idéologiques où les contradictions sont les plus apparentes. Étant donné que le nombre des politiques influencées par la droite de quelque façon que ce soit est très grand, ce chapitre en abordera seulement trois : la migration, la politique de sécurité et de défense, et la libéralisation commerciale.

## Le conservatisme et la droite politique : quelques définitions

Les termes « conservatisme » et « droite » ne veulent pas dire la même chose, mais à certains égards ils se recoupent. Dans les lignes qui suivent, je présenterai une définition abrégée de chacun de ces concepts.

Le conservatisme est, dans le sens moderne du terme, l'ensemble de principes de pensée et d'action qui se méfient du changement social rapide, et préfèrent la stabilité et la fidélité à l'ordre établi et les traditions héritées du passé. Justement à cause de cela, la façon dont le conservatisme se manifeste varie d'un pays à l'autre. Dans la tradition britannique, articulée par Edmund Burke, le conservatisme comprend six principes de base[1] :

1. Croyance dans un ordre moral éternel, auquel toute société doit forcément s'ajuster ;
2. La continuité sociale comme valeur primordiale ;
3. La foi absolue dans la sagesse des ancêtres comme guide pour les décisions du présent ;
4. La prudence et la parcimonie dans les actions gouvernementales ;
5. Les variations entre sociétés doivent être maintenues, ainsi que les distinctions entre individus et classes sociales ;
6. Méfiance dans la poursuite des utopies, dans la mesure où les êtres humains seront toujours imparfaits et incapables de comprendre la vie sociale et par conséquent de la réarranger de façon radicale.

Pour sa part, l'essentiel de la pensée de droite est une vision pessimiste de la nature humaine et de la société, qui mène à prôner un ordre social où les individus sont capables de veiller sur leurs propres intérêts sans intervention de l'État ou de qui que ce soit. Selon la pensée de droite, seulement les individus peuvent tailler leur succès ou leur échec en société, le rôle de l'État doit donc se borner à garantir un environnement où les personnes et leur propriété seront protégées des ravages potentiels, provoqués soit par l'ambition d'autrui, soit par l'anarchie. La quête de l'égalité est une illusion, le plus qu'une société démocratique peut faire est de garantir l'égalité d'opportunité pour tous[2].

Par conséquent, alors que le conservatisme signifie essentiellement un souci de préserver l'ordre établi et éviter des bouleversements rapides, la droite fait référence à une vision pessimiste des relations humaines, selon laquelle chaque individu doit veiller sur ses propres intérêts et tailler sa place dans la société sans espérer la solidarité de l'État ou des autres individus.

Suivant ces définitions, il est compréhensible que les deux concepts se chevauchent en matière économique chez des gens ou des acteurs politiques qui désirent préserver la primauté du marché. Autant les conservateurs que les gens de droite se méfient des interventions de l'État dans le domaine de l'économie, et préfèrent laisser la concurrence agir sans entraves, dans la mesure où elle fait partie des institutions établies.

Par contre, les deux syndromes idéologiques peuvent entrer en opposition lorsque les conservateurs défendent les mœurs traditionnelles et le système hiérarchique établi, alors que la droite favorise la liberté individuelle à tout prix. Tandis que les conservateurs cherchent à maintenir les institutions héritées du passé, la droite est portée à mettre en pratique des changements que favorisent leurs choix idéologiques, même s'ils sont porteurs de changement social rapide. La droite peut ainsi être radicalement anti-conservatrice, alors que le conservatisme peut saper les principes individualistes de la droite.

Loin d'être un débat purement philosophique, l'opposition entre les conservateurs et la droite a des conséquences sur la vie politique en Amérique du Nord, comme nous le verrons plus loin dans cet article.

## La droite en Amérique du Nord : trois démarches distinctes

Les mouvements et les organisations de droite dans chacun des pays nord-américains ont des origines très différentes. Pendant des décennies, les points de contact entre ces mouvements à travers les frontières demeurèrent limités. Cette situation allait changer dans les années 1990, dans la foulée du débat sur l'établissement de l'ALENA.

Le conservatisme est au Canada, on le sait, un trait génétique. L'analyse classique, entreprise par Gad Horowitz[3] et développée en profondeur par Seymour Lipset, soutient qu'à l'origine même du Canada en tant que projet politique distinct se trouve le rejet du changement rapide et en profondeur. En refusant de se joindre aux Treize Colonies dans leur poursuite de l'indépendance, les colonies au nord de la Nouvelle-Angleterre ont réaffirmé leur loyauté à l'Empire Britannique, en accueillant les populations opposées à l'indépendance et en recréant chez elles les institutions métropolitaines.

Le Québec a, lui aussi, décliné l'invitation de se joindre aux rebelles de la Nouvelle-Angleterre, bien que pour des raisons différentes mais également conservatrices. Comme on le sait, le Congrès et certains chefs politiques des États-Unis ont courtisé les Canadiens d'alors pour qu'ils se joignent à la nouvelle nation. Il y a pourtant une division de classes à ce sujet :

> D'une part, l'élite, le clergé et les seigneurs, conscients de leurs intérêts de classe, se rangent du côté des Britanniques et étalent leur loyalisme, et d'autre part, le peuple montre qu'il n'est pas convaincu des bienfaits de l'Acte de Québec, préfère rester neutre, manifeste même une neutralité bienveillante à l'égard des révolutionnaires américains et se montre réceptif aux idées politiques de nos voisins du sud[4].

Ainsi, les élites canadiennes-françaises ne voyaient certainement aucun avantage à faire partie d'une république à visées égalitaires, où les anciennes hiérarchies seraient abolies et où il y aurait une séparation nette entre l'Église et l'État. Quoi qu'on dise dans les révisions contemporaines de l'histoire, à saveur nationaliste, la permanence du Québec dans l'Empire Britannique vers la fin du XVIII^e siècle a été le produit d'une décision consciente, prise par les élites canadiennes-françaises de l'époque[5].

C'est ainsi que l'Acte de l'Amérique du nord britannique, donnant naissance au Dominion du Canada en 1867, a adopté par défaut les institutions britanniques pour son organisation politique. Dans cet acte fondateur, le Parti Conservateur a joué un rôle central, qui allait demeurer de même tout au long de l'histoire du Canada jusqu'en 1993. Cette année-là, la défaite historique du gouvernement Mulroney a forcé le Conservateurs à réviser les fondations mêmes de leur parti.

La fusion du Parti Conservateur avec l'Alliance Canadienne en 2003 représente, au-delà de l'avantage stratégique de l'union des forces de droite au moment des élections, la convergence des deux traditions conservatrices principales au Canada. D'une part, les anciens Conservateurs, qui assaisonnaient leur méfiance à l'égard du changement social avec une sorte de conscience sociale — un mélange à l'origine de ceux que l'on a nommé les « Red Tories ». D'autre part, la tradition populiste de l'Ouest canadien, axée sur l'individualisme typique de la droite. Désormais le conservatisme canadien aurait un nouveau visage, dans lequel cohabiteraient les divers courants conservateurs et de droite présents dans ce pays.

Le fait que les États-Unis soient nés d'un mouvement d'indépendance ne veut pas pour autant dire qu'il s'agisse là forcément d'un pays révolutionnaire. Au contraire, de l'avis de plusieurs historiens des idées politiques[6], les fondations mêmes de ce pays sont empreintes d'éléments conservateurs. Certes, le mouvement d'indépendance était fortement influencé par le libéralisme, mais il a aussi laissé intactes plusieurs composantes de l'ancien régime : le régime de propriété, l'esclavage, la primauté des élites dans la formation des gouvernements, l'accent sur la liberté par-dessus l'égalité, etc.[7] C'est pour cela que les mouvements conservateurs de droite contemporains aux États-Unis peuvent aisément faire appel aux principes fondateurs de leur pays pour nourrir leur opposition à changer le *statu quo*.

Le conservatisme est si important pour la définition de ce pays qu'il est devenu un thème majeur de son « exceptionnalisme ». Il s'agit pourtant d'une version de conservatisme différente de celle de Burke, beaucoup plus proche des idéaux de la droite : antiétatique, libertarienne, patriotique, anti-élitiste.

En contraste avec le Canada, le conservatisme aux États-Unis ne se borne pas à un parti politique, il s'agit plutôt d'un mouvement complexe qui puise ses racines dans tous les recoins de la société civile : organisations communautaires, Églises, universités, *think tanks*, etc. L'affinité des idées de droite avec le credo et la pratique du capitalisme fait des entreprises privées des alliés naturels de ce genre de conservatisme, lui fournissant des ressources et de la légitimité sociale pour faire avancer leur cause commune.

Cela dit, à l'instar du conservatisme canadien, la recherche d'un avantage électoral poussera la plupart des conservateurs au États-Unis à converger vers une seule formation politique : le Parti Républicain. Ce parti n'a pas toujours été porteur des idées de la droite. En fait, à sa naissance en 1854 il regroupait les politiciens anti-esclavagistes, avec tellement de succès que quatre ans plus tard il a réussi à faire élire son candidat présidentiel, Abraham Lincoln. Après la Guerre Civile, les Républicains allaient devenir l'un des deux partis principaux dans le pays, contrôlant la Maison Blanche et le Congrès pendant la plupart des années de la période allant de la fin du XIX<sup>e</sup> siècle jusqu'à la crise économique déclenchée en 1929.

Le parti ne retournera au pouvoir qu'avec l'élection du héros de la 2e guerre Dwight Eisenhower. Ce sera durant la décennie des années 1950 que le parti deviendra décidément de droite, fort de l'appui d'anciens Démocrates du sud opposés au déclin des politiques ségrégationnistes. Gravement blessé par le scandale du Watergate et ses séquelles, le parti est néanmoins retourné au pouvoir, de façon catégorique, avec l'élection de Ronald Reagan. Au cours des années 1980, les Républicains développeront leur visage actuel, et graduellement s'imposeront comme la force politique la plus puissante du pays.

Le Parti Républicain d'aujourd'hui est une combinaison d'au moins trois formes contrastantes de conservatisme : les individualistes libertariens, les conservateurs chrétiens et les militaristes patriotiques[8]. Cette cohabitation pragmatique contient pourtant le germe de profondes contradictions au sein du parti, qui s'expriment autour de politiques publiques concrètes, comme nous le verrons plus tard dans cet article.

Quant au Mexique, l'histoire de ce pays depuis son indépendance en 1821 et tout au cours du XIXe siècle peut être comprise en suivant l'affrontement des factions libérales et conservatrices. Porfirio Díaz, président depuis 1876 jusqu'en 1911, a réussi dans l'improbable: il a créé une synthèse entre les deux factions, ce qui est à l'origine de sa permanence au pouvoir pour une si longue période de temps[9].

La révolution mexicaine au tournant du XXe siècle a fait basculer cet équilibre. L'État qui en résulte est authentiquement révolutionnaire, dans la mesure où il vise à changer les fondements de la société en place. En réaction, des mouvements conservateurs ne tardent pas à apparaître. D'abord, une révolte populaire animée par l'Église catholique, appelée *la Cristiada*, s'affronte à l'État révolutionnaire entre 1926 et 1929. Ensuite, une alliance de conservateurs catholiques et des gens issus du milieu des affaires crée le Parti d'Action Nationale (PAN) en 1939. Inspiré par des idéologies conservatrices et catholiques, telle que l'Action Française de Charles Maurras, d'où le parti prend d'ailleurs son nom, PAN est devenu le choix conservateur par excellence dans les urnes. D'abord marginal, PAN est néanmoins parvenu en 2000 à déloger du pouvoir les héritiers de la révolution[10].

Dans les trois pays nord-américains, donc, différentes factions conservatrices et de droite se sont rassemblées autour d'un seul parti afin de maximiser leur impact politique. Ce faisant, elles ont dû faire des compromis, supportables au moment de l'alliance, mais souvent difficiles à tenir lorsque des décisions concrètes doivent être prises.

## Convergence pragmatique: l'apparition de la droite transnationale en Amérique du Nord

Les trois traditions conservatrices distinctes en Amérique du Nord n'avaient pas vraiment des raisons profondes pour s'entraider au cours de leur évolution. Après tout, l'espace politique de chaque pays demeurait, à toutes fins pratiques, étanche par rapport aux autres. Cette situation allait changer dès le début des années 1990, comme résultat du concours de certains intérêts politiques spécifiques.

Le projet de l'ALENA a été conjointement concocté par une alliance des gouvernements fédéraux et du milieu des affaires mondialisé dans les trois pays. Ces acteurs politiques ont depuis lors en commun une vision semblable des relations économiques, et de l'environnement politique nécessaire pour que ces relations fleurissent[11]. Cette vision est beaucoup plus proche entre eux que comparée à celle de la majorité de leurs compatriotes dans chacun des pays concernés[12]. Voilà pourquoi la libéralisation commerciale a permis l'apparition d'une « droite transnationale » en Amérique du Nord[13].

Désormais, les partis conservateurs et leurs alliés d'affaires travaillent ensemble pour faire en sorte que le modèle économique ne change pas. Il s'agit d'un modèle qui garantit la primauté du marché sur l'espace publique, un « fondamentalisme de marché », selon l'expression concoctée par George Soros, dans les trois pays, et où par conséquent l'intervention étatique dans l'économie est limitée. Donc, un modèle clairement défini par les idées de la droite.

Comme on le sait, la question du démantèlement de l'État est à l'ordre du jour dans chacun des pays. Amorcée aux États-Unis avec Reagan (1980-1988), l'approche sera imitée au Mexique par Carlos Salinas (1989-1994) et enfin suivie au Canada de façon plus graduelle à partir de Mulroney (1984-1993). La transformation est si puissante que, désormais, même si le parti qui se trouve au pouvoir change, cela importe peu pour le maintien du modèle, l'ALENA le protège et garantit qu'il demeurera en place. L'entente commerciale est dans les faits devenue une sorte de « constitution externe », qui impose des limites dans les choix des politiques publiques que ces pays adoptent, en particulier dans le domaine des politiques économiques[14]. Grâce à la nature décentralisée du fédéralisme canadien, dans ce pays, le démantèlement fut d'abord et de façon plus radicale mis en pratique dans les provinces plutôt qu'au fédéral. En guise d'exemple, rappelons l'Ontario de Mike Harris et l'Alberta de Ralph Klein dans les années 1990.

Enfin, il ne faut pas oublier que le Québec ne fait pas exception dans cette tendance. Le tournant pro-marché amorcé avec l'appui à l'accord de libre-échange Canada-États-Unis par le deuxième gouvernement Bourassa (1985-1989)[15] s'est décidément consolidé avec le gouvernement de Lucien Bouchard qui, dans la suite de l'après-référendum de 1995, a mis l'accent sur le désengagement de l'État, notamment le rapport Facal de 1997 qui s'éloignait de la position traditionnelle du PQ en matière économique[16]. Plus récemment, le thème de la réingénierie de l'État avancé par Jean Charest s'inscrit aussi dans ce mouvement de désétatisation prédominant en Amérique du Nord, fortement influencé par la droite conservatrice.

## Les contradictions idéologiques: migration, défense et commerce international

Les mouvements conservateurs de droite sont composés dans les trois pays considérés d'un ensemble d'éléments disparates, allant des organisations religieuses jusqu'aux libertariens, passant par les factions politiques proches du milieu des affaires. Bien que ces éléments doivent faire front commun afin de maximiser leur efficacité politique, leurs voix s'avèrent dissonantes lorsque vient le temps de mettre en pratique leurs principes idéologiques.

Le premier domaine où cette contradiction est claire est la politique de migration aux États-Unis et au Canada. D'une part, les milieux des affaires reconnaissent la contribution des migrants mexicains en tant que travailleurs, dans la mesure où ils fournissent une main-d'œuvre abondante, fiable et à bon marché, qui rend certaines industries viables, voire rentables. D'autre part, les groupes nativistes qui militent dans les mouvements de droite s'opposent vigoureusement à la présence de ces travailleurs, les accusant de saper l'identité et les mœurs traditionnelles. Une politique incohérente et contradictoire s'ensuit, faisant payer les migrants pour les pots cassés de cette tension politique : d'un côté les employeurs les demandent, et les incitent donc à offrir leurs services en sol états-unien, de l'autre côté les groupes anti-immigrants les fustigent comme des délinquants communs et exigent leur déportation[17]. Bien que mitigée, une situation semblable se produit au Canada, où des travailleurs temporaires sont d'abord recherchés à l'étranger, et ensuite renvoyés dans leur pays suivant les fluctuations du marché du travail.

La politique de défense exprime elle aussi les contradictions du credo conservateur de droite. Suivant cette conviction idéologique, il est censé de bâtir des forces armées musclées, dans la mesure où elle perçoit le monde comme un domaine anarchique où chaque pays doit trouver les moyens de se défendre afin de survivre. Par contre, les dépenses considérables impliquées dans la création et le maintien des forces armées de taille, au niveau jugé approprié par la droite, violent un autre principe capital de la droite : la croyance en un État minimal, avec un budget équilibré. Cette croyance a mené les gouvernements Bush (2001-2008) à des dépenses sans précédent, qui ont plongé le budget public des États-Unis dans le pire déficit de son histoire[18]. Au Canada, le gouvernement Harper est tombé dans la même contradiction. Dans le budget annoncé en mars 2010, un total de 280,5 millions a été consacré à la défense, ce qui représente plus de 7 % des dépenses fédérales pour cette année-là.

Mais ce n'est pas tout. En 2008, la « Stratégie de défense *Le Canada d'abord* » a présenté un résumé de toutes les dépenses militaires existantes et futures, avec un grand total impressionnant de 490 milliards, étalés sur 20 ans[19]. Ce montant représente autour d'un tiers du PIB actuel du Canada. Compte tenu de cette générosité avec les militaires, on a du mal à croire en la parcimonie des Conservateurs et à leurs appels à l'austérité budgétaire.

Au Mexique, la lutte contre le trafic de drogues met en relief encore une autre série de contradictions. La participation sans bornes des forces armées dans cette lutte, amorcée en décembre 2006 par le gouvernement Calderón, a pour but immédiat la défense de deux valeurs conservatrices incontestables : l'ordre et le respect de la loi, imposés par des moyens musclés. Pourtant, cette participation entre en conflit direct avec le contrôle des libertés individuelles, telles que la liberté de mouvement, l'inviolabilité du domicile, la sécurité personnelle, etc., qui sont des valeurs sacro-saintes de la droite. Cette contradiction était d'ailleurs déjà manifeste dans les mesures adoptées tant aux États-Unis comme au Canada suite aux événements du 11 septembre 2001, dont les tristement célèbres Patriot Act et la législation anti-terroriste canadienne (Lois C-36 et C-42)[20].

La libéralisation commerciale même, mise en opération avec l'ALENA montre, elle aussi, des origines conservatrices et des contradictions internes de taille. L'ALENA a été établi avec la présomption que l'expansion du marché est une bonne chose en soi, puisqu'elle permet que les firmes profitent des économies d'échelle, et produisent davantage à des coûts unitaires réduits. Selon les principes de la droite, ce bonus pour les entreprises est censé profiter à tout le monde : les consommateurs avec des prix réduits, les travailleurs avec des emplois plus abondants et mieux payés, l'État avec la génération de revenus fiscaux accrus, et ainsi de suite. Il n'est pas vraiment nécessaire, selon cette logique, de faire quoi que ce soit pour que les bénéfices de la croissance économique touchent tout le monde, étant donné que les mécanismes d'équilibre du marché s'en occupent.

Or la réalité est tout à fait différente. Dans les trois pays nord-américains, les promesses de prospérité généralisée se font toujours attendre, plus de quinze ans après la mise en opération de l'ALENA, malgré la croissance soutenue des exportations, des investissements et des profits des entreprises. Là où le bat blesse davantage est dans la disparité croissante entre la productivité des travailleurs et l'augmentation proportionnelle de leurs salaires réels. Autrement dit, leur contribution aux profits des entreprises ne s'est pas reflétée sur l'amélioration de leurs conditions de vie, dans certains cas ces conditions se sont même détériorées[21]. Cela est d'autant plus clair au Mexique, où les disparités socio-économiques et la pauvreté n'ont pas cessé d'augmenter malgré la libéralisation commerciale[22].

## Conclusion : les ravages des lunettes idéologiques

Ce bref article a eu pour but de présenter une vision, comparée et très générale, du conservatisme de droite en Amérique du Nord, en présentant ses traits marquants et les jalons de son histoire. D'un point de vue contemporain, il importe de souligner les conséquences de la prépondérance des idéologies de droite dans la conduite des affaires publiques. En utilisant trois domaines de politique publique à manière d'exemple, migration, défense et commerce international, l'article suggère que les contradictions inhérentes aux idéologies conservatrices de droite ont mené ces politiques vers une impasse, d'où elles ne pourront sortir qu'en mettant en pratique des approches alternatives aux recettes conservatrices de droite.

Si les idéologies de droite n'offrent pas une boussole efficace pour ceux qui prennent des décisions dans ces domaines, pourquoi donc prédominent-elles en Amérique du Nord ? Pourquoi sont-elles si puissantes, au point qu'elles marginalisent, voire excluent des approches alternatives ? La réponse se trouve dans le pouvoir politique détenu par les acteurs promoteurs de ces idéologies, et les forts intérêts économiques qui les appuient. Ces agents sont capables de maintenir leur mainmise sur la chose publique grâce à l'emploi de techniques raffinées de communication politique, leur garantissant l'appui de l'opinion publique, et grâce à leur recours constant au populisme comme moyen d'attirer le vote[23].

Tant qu'il n'y aura pas une conscience chez les masses des conséquences funestes de la gouvernance de droite, il est fort probable que cette mainmise sera consolidée plutôt qu'affaiblie dans un avenir proche..

## Notes et références

1. Tel que cela a été expliqué par Walter Bagehot, selon Kirk, Russell (dir.), *The Portable Conservative Reader*, New York, Penguin, 1982, p. xv-xvii.
2. Alain Noël et Jean-Philippe Thérien, *Left and Right in Global Politics*, Cambridge, Cambridge University Press, 2008, p. 21-22.
3. Horowitz, Gad, « Conservatism, Liberalism, and Socialism in Canada : An Interpretation » dans Ajzenstat, Janet et Peter J. Smith (dir.), *Canada's Origins : Liberal, Tory or Republican ?*, Ottawa, Carleton University Press, 1995, p. 21-44.
4. Monière, Denis, *Le développement des idéologies au Québec. Des origines à nos jours*, Montréal, Éditions Québec/Amérique, 1977, p. 101
5. Monette, Pierre, *Rendez-vous manqué avec la révolution américaine. Les adresses aux habitants de la province de Québec diffusées à l'occasion de l'invasion américaine de 1775-1776*, Montréal, Québec Amérique, 2007.
6. Voir par exemple Kirk (dir.), *The Portable Conservative Reader…*, qui nous rappelle que Burke, fondateur de la pensée conservatrice moderne, prisait le mouvement d'indépendance des États-Unis comme exemple de changement positif, dans la direction optimale pour la préservation des institutions fondamentales. Voir aussi Micklethwait, John et Adrian Wooldridge, *The Right Nation. Conservative Power in America*, New York, The Penguin Press, 2004, p. 11-14.
7. Dahl, Robert, *How Democratic is the American Constitution ?*, New Haven, Yale University Press, 2003.
8. Micklethwait et Wooldridge, *The Right Nation…*, p. 15.
9. Perry, Laurens B., *Juárez and Díaz : Machine Politics in Mexico*, DeKalb : Northern Illinois University Press, 1978.
10. Loaeza, Soledad, « The National Action Party (PAN) : From the Fringes of the Political System to the Heart of Change » dans Mainwaring, Scott and Timothy R. Scully (dir.), *Christian Democracy in Latin America : Electoral Competition and Regime Conflicts*, Stanford, Stanford University Press, 2003, p. 196-246.

11. Faux, Jeff, *The Global Class War. How America's Bipartisan Elite Lost Our Future and What It Will Take to Win It Back*, Hoboken, John Wiley, 2006.
12. O'Brien, Robert, « North American Integration and International Relations Theory », *Canadian Journal of Political Science*, vol. 28, no. 4, décembre 1995, p. 693-724.
13. Castro-Rea, Julián, « Assessing North American Politics after September 11. Security, Democracy, and Sovereignty » dans Ayres, Jeffrey and Macdonald, Laura (dir.), *Contentious Politics in North America : National Protest and Transnational Collaboration under Continental Integration*, Londres, Palgrave Macmillan, 2009, p. 35-53.
14. Clarkson, Stephen, « Locked in ? Canada's External Constitution under Global Trade Governance » dans *American Review of Canadian Studies*, vol. 33, no. 2, été 2003, p. 145-172.
15. Balthazar, Louis et Alfred O. Hero Jr, *Le Québec dans l'espace américain*, Montréal, Québec/Amérique, 1999, p. 72-73.
16. Rouillard, Christian *et al.*, *De la réingénierie à la modernisation de l'État québécois*, Québec, PUL, 2008, p. 31.
17. Mize, Ronald. L. et Alicia Swords, *Consuming Mexican Labour. From the Bracero Program to NAFTA*, Toronto, University of Toronto Press, 2011.
18. Huit cents cinq milliards de dollars des États-Unis seulement en 2005. Pour cette donnée et une analyse du « keynésianisme militaire » mis en pratique par George Bush, voir Johnson, Chalmers, *Nemesis. The Last Days of the American Republic*, New York, Henri Holt, 2006, p. 270-277
19. Gouvernement du Canada, Département de la défense nationale, *Canada First Defence Strategy*, Ottawa, juin 2008, p. 12
20. Castro-Rea, « Assessing North American Politics… »
21. Faux, *The Global Class War…*, p. 129-140.
22. Audley, John J. *et al.*, *NAFTA's Promise and Reality. Lessons from Mexico for the Hemisphere*, Washington, Carnegie Endowment for International Peace, 2004 et Malkin, Elisabeth, « Nafta's Promise, Unfulfilled », dans *The New York Times*, 23 mars 2009.
23. Castro-Rea, Julián, « Why is the Right Winning in North America ? Comparisons and Mutual Influences in Canada, Mexico and the United States », dans Galeana, Patricia (dir.), *Historia comparada de las Américas*, Mexico City, Pan American Institute of Geography and History, 2009, p. 535-562.

# Le Parti libéral du Québec et l'émergence du centre droit (1960-1976)

Frédéric Boily
*Université de l'Alberta*

Les années 1960-1970 ont signifié pour le Québec un moment, comme il en arrive parfois dans l'histoire de certaines sociétés, où les frontières politiques traditionnelles se sont transformées. Des formations sont apparues pour exprimer les nouvelles divisions qui bouillonnaient au sein de l'électorat. En effet, la montée combinée de l'État-providence keynésien et du mouvement nationaliste qui trouve dans la naissance du Parti québécois son véhicule politique privilégié font en sorte que les bornes politiques se sont déplacées en fonction d'un nationalisme plus affirmationniste au plan politique. Plus exactement, il y a une reconfiguration du champ politique autour de l'axe fédéraliste/souverainiste et les alliés d'hier qui luttaient, notamment à *Cité libre*, sous la bannière de l'antiduplessisme, vont peu à peu se retrouver dans des camps opposés. Ainsi, la dichotomie gauche/droite, sans perdre totalement de sa validité, s'en est trouvée reléguée au second plan. Par exemple, René Lévesque disait, au début des années 1970, que peu lui importait l'étiquette de centre gauche ou de social-démocrate car ce qui avait valeur à ses yeux était le *self-governement*, seul en mesure de réaliser les politiques progressistes voulues[1]. Or ce qui vaut pour Lévesque équivaut-il aussi pour ceux qui ont gouverné le Québec lors de ces années cruciales, soit Jean Lesage et Robert Bourassa ? Comment situer de manière plus précise sur l'axe gauche/droite le Parti libéral du Québec (PLQ) ? De telles interrogations renvoient à la nature de cette formation politique.

Le texte se divisera en deux parties. La première nous entraînera à réexaminer le moment où le PLQ revient sur la scène politique après une éclipse de plus de quinze ans. Sous la direction de son énergique chef Jean Lesage, le gouvernement libéral entreprend alors une série de réformes très importantes qui ont indéniablement marqué une rupture avec le style de gouverne de l'époque précédente. On verra toutefois que le caractère progressiste de nombreuses réformes a peut-être fait oublier qu'au sein même du gouvernement il y avait aussi des foyers de conservatisme et de droite assez importants mais qui ont été quelque peu occultés par l'ampleur des transformations. Dans la seconde partie, nous nous attarderons à Robert Bourassa et à ses deux gouvernements pour arriver à les situer par rapport à la droite et à la gauche. Nous verrons que les interprètes de la période sont assez divisés quant à la manière de les situer.

## Jean Lesage et la Révolution tranquille

Les idéologies n'existent pas dans une forme pure bien à l'abri dans le ciel des idées tout en attendant patiemment le moment de se matérialiser dans la réalité au sein d'une formation politique qui en exprimerait la quintessence. En fait, les choses ne fonctionnent pas de cette façon et les partis politiques, bien qu'ils aient besoin d'une idéologie pour se définir à la fois pour leurs membres et l'électorat qu'ils prétendent représenter, ne sont pas obligés de se conformer à un catéchisme idéologique. De la même façon, un gouvernement peut être à droite et mettre en place, sous la pression des événements, des mesures relevant d'une approche de gauche (ou l'inverse). En la matière, le pragmatisme est bien souvent dominant, les partis politiques et les gouvernements se contentant de s'alimenter à un « stock » d'idées présent au sein d'une culture politique pour se bricoler un programme qu'on décrit comme étant plus ou moins à droite ou à gauche. Les partis politiques sont particulièrement opportunistes et ils ont tendance, sans trop grande conviction, à se laisser porter par les courants idéologiques dominants. Il n'empêche que les partis politiques ont besoin de l'idéologie, celle-ci leur permettant de se situer les uns par rapport aux autres dans un champ politique qui est lui-même structuré par des lignes de force qui lui sont propres[2]. C'est notamment le cas de certaines époques qui ont été plus favorables aux formations politiques dotées d'une forte personnalité idéologique. Ce sont souvent des moments où la culture politique va subir une mutation qui, en retour, entraîne dans son sillage les partis politiques à s'adapter aux nouvelles conditions sociales qui se mettent en place au sein d'un ensemble politique, comme l'ont été les années 1960 au Québec.

En effet, ces années ont été un de ces moments-clés pour la société québécoise. Lorsque Jean Lesage et son parti sont sortis victorieux des élections du 22 juin 1960, ils enclenchent une série de transformations qui, nombreuses, ont bouleversé l'édifice étatique québécois. Il y a eu d'importantes réformes en éducation tout comme la création du ministère des Affaires culturelles qui, en 1961, s'est révélé une transformation de toute première importance[3]. Le PLQ a pris, sous la direction de Lesage, une direction plus étatique et il a développé le secteur public tout en prenant ses distances avec le privé, ce qui l'amène à rompre avec l'héritage libéral d'antan. « Contrairement aux gouvernements libéraux précédents, écrit Vincent Lemieux, celui de Jean Lesage prend ses distances envers la grande entreprise, au moins à l'occasion de la nationalisation de l'électricité. De façon plus générale, le parti-pris des libéraux pour le secteur public les amène à négliger leurs alliances dans le secteur privé »[4]. C'est que la Révolution tranquille implique un rapport différent avec l'État qui, d'accompagnateur et en retrait qu'il était, devient la locomotive de tête ayant la charge d'entraîner le développement économique de la société québécoise. Aux commandes de la locomotive, on retrouvait une équipe de jeunes cheminots composés d'élites modernisatrices comme les Paul Gérin-Lajoie et René Lévesque qui pilotaient l'État québécois sur les voies du développement futur.

À l'intérieur de cette indéniable époque de transformations, il se trouvait aussi des foyers de résistance, lesquels se manifestaient au sein même du camp libéral. Comme le rappelaient Kenneth McRoberts et Dale Postgate, « [i]l ne faut pas exagérer cependant l'engagement des libéraux dans ce nouvel étatisme. Le Conseil des ministres comprenait des personnalités comme Bona Arsenault, un vétéran de la politique provinciale, dont les conceptions politiques ne semblaient guère différer de celles de Duplessis. Jean Lesage lui-même abordait les nouvelles réformes avec prudence »[5]. En fait, le PLQ de cette époque était une coalition qui, pour lutter contre l'Union nationale dont le chef venait de décéder, avait dû fédérer diverses tendances de droite et de gauche pour s'imposer lors d'une élection qui a été chaudement disputée. Le poids du passé était bien présent et on oublie parfois que le premier ministre n'était pas un de ceux qui cherchaient le changement à tout prix. Rappelons à cet égard ce qu'en disait son biographe Dale C. Thomson dans un passage qu'il vaut la peine de citer puisqu'il montre bien que le chef libéral, pour modernisateur qu'il se voulait, possédait aussi un côté conservateur venant refréner ses ardeurs progressistes:

Sur le plan idéologique, il était certes un réformateur, et il prenait grand plaisir à réaliser de grands projets de modernisation. Pourtant, ajoute Thomson, d'instinct il était aussi conservateur, attaché aux institutions existantes, par exemple au parlementarisme et à l'Église catholique, mais essayant de les rendre plus valables. Face au flot de projets de changement qu'on lui soumettait, il imposait toujours les critères de praticabilité et de responsabilité, particulièrement financière. Ce n'était pas un hasard qu'il a gardé pour lui-même le portefeuille de ministre des Finances et éventuellement de Conseil du trésor[6].

Lesage n'était pas un chef politique au tempérament trop aventureux et progressiste, dont le plus cher désir aurait été de mettre à terre l'édifice social afin de repartir à zéro. Assurément porté par une volonté de modernisation de la société au plan économique et aussi jusqu'à un certain point social, comme l'a illustré la création du ministère de l'Éducation, le premier ministre libéral ne voulait pas que les choses aillent trop loin. On peut le citer lorsqu'il exprimait son désarroi à l'égard de la jeunesse de son temps: « De nos jours, hélas les traditions familiales chez nous perdent de plus en plus, de leur force. De nos jours nous assistons à une émancipation de la jeunesse qui devient souvent inquiétante »[7]. En matière de politiques familiales, Lesage restait au diapason de la conception traditionnelle de la famille qui prévalait à l'époque antérieure.

D'ailleurs, son ministre du Bien-être social, Émilien Lafrance, est un cas illustrant cette sensibilité conservatrice présente chez certains députés qui se sont retrouvés, dans les années 1950, avec l'équipe libérale. En effet, celui-ci est l'exemple d'un politicien, oublié aujourd'hui, qui luttait contre le conservatisme de Maurice Duplessis au nom même du conservatisme. Michel Lévesque, auteur d'un mémoire fouillé sur ce ministre, nous rappelle qu'il y avait des conservateurs, dont il est cependant difficile de prendre l'exacte mesure, qui, comme Lafrance, ont rejoint les libéraux tout en invoquant les principes de l'Église pour s'opposer au gouvernement duplessiste. En effet, en conformité avec la doctrine sociale de l'Église, ce « conservateur tranquille », comme l'appelle Michel Lévesque, et qui avait été révolté par le comportement des policiers lors de la grève de l'amiante, a affirmé dans son premier discours prononcé à l'Assemblée nationale, en 1952, qu'il est en quelque sorte en mission d'apostolat auprès du corps électoral. Ce libéral disait alors que « ma doctrine en politique est celle de l'Église, et si je l'ai adoptée ce n'est pas par pharisaïsme ni par opportunisme, mais parce que j'ai l'intime conviction que là seulement nous trouverons les vrais remèdes dont notre pauvre société a tant besoin pour sortir du marasme où elle se débat présentement »[8].

Certes, Lafrance n'était pas un acteur dominant au sein du caucus libéral comme l'ont été d'autres et on le retrouve à peine mentionné dans certains ouvrages consacrés à Lesage. Pourtant, il faisait bien partie de « l'équipe du tonnerre » puisqu'il a été, comme cela a été mentionné plus haut, ministre du Bien-être social et qu'il a participé à la lutte contre la corruption[9]. En matière de politiques sociales et d'aide aux familles nécessiteuses, son ministère a pris de réelles mesures en la matière et les budgets consacrés à ce chapitre ont bel et bien été augmentés. Pourtant, en ce qui a trait à la conception générale de ce domaine, il n'y avait pas ce que l'on pouvait appeler de plan d'ensemble indiquant un changement radical avec le passé. Tant et si bien que la manière de gérer ces politiques s'inscrivait dans une certaine continuité avec ce qui se faisait auparavant. À vrai dire, le ministre lui-même ne croyait pas que l'autorité du gouvernement ou de l'État devait se substituer à celle de la famille, la seconde ayant préséance sur la première[10]. En ce sens et malgré l'augmentation des budgets, l'action de son ministère se situait toujours dans l'orbite du conservatisme qui prévalait avant 1960. Avec le temps cependant, Lafrance est devenu de plus en plus inconfortable devant certaines orientations prises par son parti.

Bona Arsenault, évoqué ci-dessus, est un autre exemple d'un conservateur qui faisait partie de l'équipe de Lesage. Membre du Parti conservateur, ce dernier n'était pas parvenu à se faire élire sous cette bannière et, suite à un pacte avec un sénateur, il s'était présenté comme indépendant en promettant que, s'il se faisait élire, il rejoindrait le camp libéral. Bien qu'il ait flirté avec l'idée d'indépendance, Arsenault croyait que la défaite libérale de 1966 s'expliquait parce que les « autobus jaunes » étaient devenus, en région notamment, le symbole des bouleversements et perturbations entraînés par la Révolution tranquille[11]. Fidèle à Lesage, Arsenault va s'opposer à ceux qui, regroupés autour de René Lévesque et de d'autres libéraux, voulaient imposer une direction plus collégiale au parti. À ce moment, il a invité les « extrémistes de gauche » à fonder un autre parti s'ils voulaient un « État socialiste »[12].

Il est vrai que Lesage cherchait à présenter une image de son parti qui était au-delà de la droite et de la gauche, comme il va le faire au congrès du 18 novembre 1966. Le PLQ, disait-il, n'avait pas à se soucier d'être de gauche ou de droite mais seulement un parti qui devait, tâche plus importante, définir les grandes orientations du Québec[13]. Nonobstant ce qu'en disait Lesage, il n'en demeure pas moins que le PLQ comportait bien ce que des journalistes de l'époque avaient identifié comme étant une aile droite[14], Arsenault et Lafrance incarnant à leur manière ces conservateurs qui ont rejoint le camp libéral. Il est cependant difficile de prendre l'exacte mesure de cette droite au sein du PLQ. Chose certaine, elle n'était pas dominante entre 1960 et 1966 et elle se révélait simplement être une composante (minoritaire) parmi d'autres dans l'équation qui composait l'équipe libérale de cette époque.

À vrai dire, la défaite inattendue des libéraux, en 1966, montre plutôt que l'opposition de droite s'est retrouvée au sein de l'UN qui est parvenu, contre toute attente, à fédérer l'opposition qui se manifestait contre « Ti-Jean la taxe », les « autobus jaunes » et contre la taxation que d'aucuns trouvaient trop lourde. Tant et si bien que Daniel Johnson a pu s'imposer comme le chef de file de ceux estimant que la vitesse de croisière de la Révolution tranquille avait été un peu trop rapide et qu'elle menait à des dépenses incontrôlées ainsi qu'à des bouleversements trop importants.

## Robert Bourassa et le retour des libéraux au pouvoir : 1970-1976

Robert Bourassa est passé à l'histoire comme un premier ministre qui se caractérisait essentiellement par sa grande ambivalence sur les questions constitutionnelles. Souvent décrit comme une sorte d'homme politique caoutchouc, Bourassa semait la consternation auprès de la confrérie journalistique qui tentait de décrypter ses intentions concernant le sort de la société québécoise au plan constitutionnel. Fédéraliste, il a parfois adopté un ton nationaliste qui en confondra plus d'un. L'essayiste Jean-François Lisée a d'ailleurs écrit des ouvrages dévastateurs sur le sujet en laissant entendre qu'il était somme toute une sorte de manipulateur enferré dans ses propres mystifications[15].

Ce qui frappe dans la plupart de ces évaluations de la carrière de Bourassa, c'est qu'elles sont souvent émises en fonction d'une grille d'analyse convenue, qui dominait à l'époque, celle qui oppose fédéralistes et souverainistes. Or cette grille n'est pas toujours la plus appropriée pour saisir les actions de l'ancien premier ministre. Bien entendu, Bourassa n'avait d'autre choix que de se positionner sur cet axe – s'il ne l'avait pas fait, il lui aurait fallu faire de la politique à une autre époque – mais comme le soulignait Lysiane Gagnon, Bourassa n'était pas vraiment à l'aise dans cet univers: sa véritable passion était le développement économique, et sa vision politique ne concordait pas toujours avec l'air du temps[16].

Il est vrai que, dans les années 1960, le jeune Bourassa, qui faisait partie de cette jeune élite modernisatrice, est mû par un désir de redonner aux Canadiens français la place qui leur est due dans la structure économique québécoise. Dans un texte publié dans la revue *Maintenant*, alors que Bourassa siégeait à l'Assemblée nationale, le jeune avocat et député y proposait un ambitieux programme de réforme économique. Préoccupé par le problème économique du Québec qui est celui de « l'articulation entre le secteur étranger et le secteur autochtone », Bourassa réaffirmait le rôle central de l'État: « On ne devra plus supporter, écrit-il en conclusion, que l'État se cantonne avec ses cadres administratifs dans une attitude passive et attentiste, quand son rôle est celui du moteur »[17]. Ce Bourassa première mouture, qui se révélait très préoccupé par le problème économique canadien-français, croyait que la solution passait par un État qui prenait la direction du développement pour rompre avec l'approche préconisée il n'y a pas si longtemps encore par le gouvernement Duplessis. Ce texte, bien qu'il soit de nature économique, ne peut toutefois être classé comme appartenant strictement à la droite dans la mesure où l'appel à l'État est fermement revendiqué.

À vrai dire, certains jugements d'ensemble portant sur les deux premiers mandats de Bourassa quant à l'axe gauche-droite, ne sont pas sans étonner. Par exemple, Lysiane Gagnon affirme que « [l]'homme était indéniablement progressiste. C'était un social-démocrate plus raisonné, plus rationnel, plus efficace que René Lévesque, qui avait davantage le "style" social-démocrate mais dont l'héritage, à ce chapitre, est beaucoup plus mince »[18]. Et pour appuyer ses propos, la journaliste de *La Presse* souligne que l'on doit à Bourassa le régime d'assurance-maladie, la Commission des droits et libertés, l'aide juridique et, enfin, la Cour des petites créances, tous des éléments à mettre au bilan progressiste de Robert Bourassa. D'ailleurs, en entrevue, Bernard Landry a dit avoir entendu Bourassa se décrire comme un social-démocrate et l'avoir cru parce que cela lui apparaissait plausible[19]. Ce dernier aurait-il donc été plus à gauche que Lévesque ?

## Le PLQ vu de la gauche et de la droite

Si c'est une chose que d'évaluer l'action des partis et des gouvernements alors que le cours du temps a fait son œuvre, cela en est toutefois une autre de se demander comment les gouvernements libéraux se situaient par rapport aux autres acteurs politiques. Le caractère conservateur ou de droite d'une formation et d'un homme politique s'inscrit aussi dans un champ politique tissé de relations et d'oppositions qui font ressortir les positions des uns et des autres.

D'un promontoire politique et intellectuel situé à gauche, le gouvernement libéral apparaissait résolument à droite. Aux yeux du mouvement syndical et du mouvement nationaliste qui étaient les deux principaux opposants, le gouvernement de Robert Bourassa paraissait inféodé, ainsi que l'écrivait André Bernard, au patronat québécois :

Les syndicats voyaient en Robert Bourassa un porte-parole des « grands patrons » du Québec, qui finançaient son parti puis l'obligeaient à servir leurs intérêts particuliers, au détriment des travailleurs. Le mouvement nationaliste québécois, de son côté, voyait en Robert Bourassa un chef de gouvernement prisonnier de l'électorat anglophone qui, constituant environ un sixième de l'électorat du Québec, avait contribué à l'élection d'une trentaine de députés libéraux en 1970 et en 1973, en se rangeant massivement derrière le Parti libéral[20].

Son gouvernement semblait à la solde du grand capital financier anglophone ou de la grande bourgeoisie, ce qui perpétuait ainsi l'infériorisation des Canadiens français au sein de la fédération. Le gouvernement libéral mettait en place des politiques qui n'étaient ni conformes aux travailleurs, ni à celui de l'intérêt de la nation. Le rôle joué par Bourassa au moment de la Crise d'octobre en a par ailleurs conforté plusieurs dans ce diagnostic que le premier ministre libéral était inféodé à des puissances étrangères, en l'occurrence le gouvernement canadien mené par Pierre Elliot Trudeau. « Qu'ils les aient jugées nécessaires ou non, les nationalistes et les syndicalistes du Québec ont cru que ces opérations policières n'avaient pas seulement visé les terroristes, et c'est de cela dont ils se sont souvenus »[21]. En outre, la sociologie de la députation du PLQ renforçait l'idée que le monde des affaires était aux commandes de l'État puisqu'il était bien représenté dans les rangs du parti. En moyenne, on retrouvait au fil des trois élections des années 1970, une quarantaine de députés issus de ce monde, pour un total de 131, au contraire du PQ qui fait le plein du côté de la nouvelle classe moyenne en émergence[22].

Pourtant, du point de vue de la droite, surtout après l'élection de 1973, les critiques fusaient pour dénoncer l'action économique du gouvernement libéral, celui-ci étant perçu comme étant trop à gauche. Pour de nombreux propriétaires d'entreprises, le Québec se révélait tout simplement l'endroit où les contribuables étaient « les plus lourdement taxés du Canada »[23]. Si les choses en étaient rendues là, c'est notamment parce que le secteur public, qui ne cessait de prendre de l'ampleur, commandait des salaires trop élevés. Du côté de la classe patronale, on se plaignait que le salaire minimal était rendu lui aussi trop haut. En d'autres termes, le gouvernement avait abandonné ses principes et il s'était en quelque sorte fait élire sous une fausse représentation de droite.

Avec le recul du temps cependant, la perspective d'ensemble sur le gouvernement libéral de Bourassa de la première moitié des années 1970 n'est plus tout à fait le même. C'est ainsi que Gilles Paquet a pu écrire de Bourassa au pouvoir qu'il restait prudent, pragmatique et peu idéologique, car il se laissait porter par la vague qui balayait les années 1960-1970 : « Le keynésianisme et l'étatisme règnent encore en maîtres en 1970, même si les premiers signes d'essoufflement de cette vision du monde se font déjà jour »[24]. Selon Paquet, le discours de Bourassa, loin de posséder la même grandiloquence que Lesage, prend parfois « un tour plus conservateur »[25].

Toutefois, ce qui caractériserait les actions et le discours de l'ancien chef libéral, lorsqu'il s'installe au pouvoir, ce serait plutôt qu'il s'est permis de jouer en suivant deux partitions à la fois, célébrant à certains moments le dynamisme de l'entreprise privée, tout en continuant d'appuyer une politique économique axé sur les grands projets publics[26]. Par exemple, l'État va se porter au chevet de l'entreprise privée lorsque celle-ci en aura besoin, que l'on pense au métro et aux Jeux olympiques. Bref, ce que Paquet appelle « l'habitus centralisateur » et qui se combine avec la tendance technocratique de la fin des années 1960 fait en sorte que Bourassa continue, lors de son premier mandat, à s'inscrire dans la « tradition de colbertisme » qui était aussi celle de Lesage en matière économique : « On intervient par le truchement des sociétés d'État ou par voie d'investissements publics massifs »[27]. Rien n'indiquait, lors de ses deux mandats (1970-1973 ; 1973-1976), que Bourassa avait l'intention de restreindre le rôle de l'État, et, en ce sens, on pourrait dire qu'il était fidèle à ce qu'il écrivait dans la revue *Maintenant*. En matière économique, on ne peut décrire le gouvernement libéral de Bourassa comme tenant un discours de droite puisqu'il restait résolument dans l'univers de l'interventionnisme keynésien.

Par ailleurs, en ce qui a trait à d'autres domaines, les choses ne sont pas aussi nettes. Vincent Lemieux, le spécialiste du PLQ, fait remarquer que « [d]ans l'arène électorale, Robert Bourassa n'était qu'à moitié réformiste »[28]. Le politologue, qui a bien connu Bourassa dont il se sentait proche, dépeint un premier ministre plutôt conservateur en matière institutionnelle – il s'est opposé à la réforme du mode de scrutin car il craignait un scénario à l'italienne – ainsi qu'au plan constitutionnel dans la mesure où Bourassa a toujours cru que le Québec se développerait mieux dans l'espace canadien. Il était donc, conclut Lemieux, un partisan de la stabilité en ce qui a trait à l'architecture institutionnelle du Québec mais il faisait davantage preuve d'audace en regard de l'économie[29]. Il n'est pas si simple de situer les gouvernements de Bourassa des années 1970 et il faut soupeser les domaines d'interventions avant de porter un jugement d'ensemble.

Il n'est pas étonnant alors de constater que le gouvernement libéral a perdu les élections de 1976 sous l'assaut combiné de la droite et de la gauche qui l'accusaient chacun de leur côté d'être trop à droite ou trop à gauche et, au surplus, faussement défenseur des anglophones avec le Bill 22. L'insatisfaction des anglophones et de ceux qui avaient des positions plus à droite sur le plan économique s'est aussi retrouvée au sein de l'Union nationale et du Ralliement créditiste de Camil Samson. La droite s'est alors émiettée dans l'espace partisan pendant que la gauche nationaliste a opéré, sous la direction de René Lévesque, une fusion qui va lui permettre de s'imposer face aux libéraux ainsi qu'aux créditistes et unionistes qui eux sont partis en campagnes divisés.

*

* *

Comme on le voit, il est difficile de positionner sur l'axe droite-gauche les gouvernements libéraux des années 1960 à 1976. Pour le dire en s'inspirant de Bourassa, l'ambivalence domine en cette matière. Si on en revient à l'idée évoquée ci-dessus selon laquelle la droite se caractérise par un doute profond quant aux capacités de l'État à corriger les maux sociaux, alors il faut conclure que le parti libéral sous Jean Lesage n'était pas à droite. Lesage et son « équipe du tonnerre » n'hésitèrent pas à se servir de la puissance publique pour mettre en place toute une série d'instruments, comme la Caisse de dépôt et de placements, pour favoriser et élever la participation économique des Québécois dans l'économie. En matière sociale toutefois, on pourrait arguer que le fond conservateur était toujours présent et que Lesage lui-même ne voulait pas bouleverser radicalement l'ordre social qui prévalait. Modernisateur assurément, Lesage continuait d'être habité par la prudence quant aux capacités de ce que l'État peut faire en matière sociale. À cet égard, il y avait bien une aile droite au sein du parti et c'est pourquoi au total, on ne peut aussi parler d'un parti strictement de gauche. Centriste, le PLQ sous Lesage logeait dans les terres du milieu se déplaçant d'un côté et de l'autre de l'axe politique selon les moments.

Sous la direction de Robert Bourassa, le PLQ reste un parti qui n'hésitait pas à utiliser la gouverne politique à son profit, que l'on pense à Hydro-Québec. L'ère du keynésianisme n'est pas encore terminée et elle exerce toute sa force d'attraction sur ceux qui gouvernent, encore que Bourassa lui-même se défendait d'être keynésien, comme il l'a confié dans un ouvrage d'entretiens[30]. En fait, bien qu'il ait à son crédit des réalisations comme l'assurance-maladie, les gouvernements de Bourassa sont restés plutôt timides en matière sociale, ce n'était pas là son terrain d'action privilégié. Ainsi, on a eu beau parler d'un « style social-démocrate » à propos de Bourassa, celui-ci demeurait surtout préoccupé par l'économie, comme le montre le développement du Nord québécois. Il lui importait d'attirer des capitaux étrangers, tout comme il voulait mettre en place ce qu'il appelait un « niveau fiscal attrayant »[31]. L'historien René Durocher a d'ailleurs souligné non sans raison que cela le rapprochait de Taschereau et de Duplessis[32]. En ce sens, Bourassa a déplacé le PLQ vers le centre droit, sans jamais trop s'éloigner du centre avec des mesures de gauche. Toutefois, ce centre droit prendra conscience de lui-même seulement en 1985, lorsque Bourassa reviendra au pouvoir. Le contexte politique a alors changé, les vents de droite en provenance de l'Angleterre (Margaret Thatcher) et des États-Unis (Ronald Reagan) soufflaient depuis déjà un certain temps sur le monde occidental et les deux gouvernements dirigés par Bourassa dans les années 1980 ont été davantage associés à des politiques de droite. Mais c'est là une autre histoire.

## Notes et références

1. Alain Noël, « Un homme de gauche ? », *René Lévesque. Mythes et réalités*, Montréal, VLB éditeur, 2008, p. 133.
2. Sur l'idéologie, l'ouvrage de Jean Baechler, *Qu'est-ce que l'idéologie ?* (Paris, Gallimard, 1976), continue toujours d'être fort utile pour en comprendre la logique profonde.
3. Vincent Lemieux, *Le Parti libéral du Québec. Alliances, rivalités et neutralités*, Sainte-Foy, PUL, 1993, p. 116.
4. *Ibid.*, p. 110.
5. Kenneth McRoberts et Dale Postgate, *Développement et modernisation du Québec*, Montréal, Boréal express, 1983, p. 124.
6. Dale C. Thomson, « La personnalité et la *persona* de Jean Lesage », *Jean Lesage et l'éveil d'une nation*, sous la direction de Robert Comeau, Montréal, Presses de l'Université du Québec, 1989, p. 34.

7. Troisième session, 27e législature, 25 mai 1964, vol. 1, no. 77, p. 35 26, cité par Michel Lévesque, *Le conservatisme au Québec. Le cheminement politique d'Émilien Lafrance (1952-1970)*, thesis, Department of Political Science, McGill University, Montréal, 1987, p. 183. Je remercie son auteur de m'avoir fait connaître son travail.
8. Cité par Michel Lévesque, *op. cit.*, p. 65.
9. À cet égard, il disait : « Le gouvernement doit écraser le patronage ou sombrer dans une corruption pire que celle de l'Union nationale », *La Tribune*, 17 avril 1961, p. 3, cité par Michel Lévesque, *op. cit.*, p. 150.
10. Michel Lévesque, *op. cit.*, p. 180.
11. Dale C. Thomson, *Jean Lesage et la Révolution tranquille*, Montréal, Éditions du Tré Carré, 1984, p. 208.
12. *Ibid.*, p. 563.
13. *Ibid.*, p. 563.
14. Gilles Gariépy cité par Michel Lévesque, *op. cit.*, p. 142.
15. Jean-François Lisée, *Le tricheur. Robert Bourassa et les Québécois. 1990-1991*, Montréal, Boréal, 1994 ; *Le naufrageur. Robert Bourassa et les Québécois. 1991-1992*, Montréal, Boréal, 1994.
16. Lysiane Gagnon, « Le "style" social-démocrate », *Robert Bourassa : un bâtisseur tranquille*, sous la direction de Guy Lachapelle et Robert Comeau, Québec, PUL, 2003, p. 18.
17. Robert Bourassa, « Instruments de libération », *Maintenant*, 15 septembre 1967, no. 68-69.
18. Lysiane Gagnon, « Le "style" social-démocrate », *op. cit.*, p. 24.
19. C'est qu'il a confié à l'animateur René-Homier Roy à l'émission « Le PQ au pouvoir en 1976 », *Attendez qu'on se souvienne*, diffusée à la radio de Radio-Canada, 2 juillet 2011.
20. André Bernard, *Québec : élections 1976*, Montréal, Cahiers du Québec, Hurtubise HMH, 1976, p. 57.
21. *Ibid.*, p. 60.
22. *Ibid.*, p. 82.
23. *Ibid.*, p. 65.
24. Gilles Paquet, « Robert Bourassa, l'homme de Buridan », *Tableaux d'avancement. Petite ethnographie interprétative d'un certain Canada français*, Ottawa, Presses de l'Université d'Ottawa, 2004, p. 59.
25. *Ibid.*, p. 59.
26. *Ibid.*, p. 60.
27. *Ibid.*, p. 62.
28. Vincent Lemieux, « Les trois arènes d'un parti politique », *Robert Bourassa : un bâtisseur tranquille*, *op. cit.*, p. 103.
29. *Ibid.*, p. 104.
30. Robert Bourassa, *Gouverner le Québec*, Montréal, Fides, 1995, p. 53-54. Bourassa répondait alors à une question posée par Stéphane Dion qui était à ce moment professeur de science politique à l'Université de Montréal.
31. *Ibid.*, p. 54.
32. *Ibid.*, p. 63-64.

# La droite dans les médias : une nouvelle légitimité

CATHERINE CÔTÉ
*École de politique appliquée*
*Université de Sherbrooke*

L'axe gauche/droite est réapparu de manière importante dans le discours journalistique québécois depuis quelques années. Plusieurs chroniqueurs et analystes politiques ont ainsi tergiversé sur le déplacement d'un discours politique qui donnait l'avant-scène à l'axe souverainisme/fédéralisme pour un discours qui serait plus près des sempiternelles querelles entre la gauche et la droite que connaissent toutes les sociétés[1]. Pourtant, le discours politique n'a peut-être pas tant changé que les intérêts de ceux qui soutiennent les différents organes de presse. En effet, la presse est souvent bien plus le reflet de ceux qui la produisent que la réalité qu'elle doit décrire[2]. Le fait de donner plus d'espace à la droite, ou même de la décrier davantage, serait peut-être tributaire des craintes de ceux qui couvrent la nouvelle plutôt que ceux qui la font. Une analyse des facteurs qui orientent le contenu éditorial permettra de mieux évaluer la façon dont la presse québécoise articule l'axe gauche-droite.

## De la presse d'opinion à la presse commerciale

On situe habituellement les véritables débuts de la presse au Québec après la Conquête de 1760[3] et « il s'agissait alors de feuilles artisanales le plus souvent publiées à quelques centaines ou milliers d'exemplaires par des imprimeurs désireux de faire connaître les marchandises des bateaux nouvellement arrivés du port, ou encore de relayer les nouvelles de la métropole »[4]. À cette époque, la presse québécoise était soumise à la censure de l'État. L'histoire du premier journal québécois, la *Gazette du commerce et littéraire,* en fait foi : fondé en 1777 à Montréal par Fleury Mesplet, il fut suspendu par le gouverneur anglais de l'époque pour avoir « pris à partie certaines personnalités importantes de la province »[5]. Mesplet récidivera néanmoins en 1785 en lançant la *Gazette de Montréal.*

La presse québécoise se libérera de cette influence étatique et sera elle-même vecteur de changement puisque « la presse dite d'"opinion" [occupera] une place importante dans les courants de démocratisation du XIXe siècle »[6]. Cette presse était essentiellement formée de journaux religieux, radicaux et politiques, et se voulait donc ouvertement militante et idéologique[7], qu'elle soit libérale, radicale, nationale, conservatrice, ultramontaine, nationaliste, ouvrière ou socialiste[8]. Toute la presse se réclamait alors d'une tendance ou d'un parti politique, et même les journaux indépendants manifestaient « leur sympathie à l'égard de l'un ou l'autre des partis politiques »[9]. Il y aura jusqu'à 104 journaux créés au Québec au début du XIXe siècle (entre 1805 et 1838)[10], et les premiers journaux quotidiens (*The Gazette*, *The Star*, *Le Canadien*, *La Patrie*, etc.) apparurent entre 1838 et 1884[11].

Le monde des médias québécois se transforme radicalement au tournant du XXe siècle sous l'impulsion des importants bouleversements sociaux qui surviennent à cette époque : industrialisation, urbanisation, alphabétisation, développement des transports, etc. La presse québécoise passe alors progressivement d'une presse d'opinion à une presse populaire et commerciale dont l'exemple le plus patent est très certainement le quotidien *La Presse*, qui fait son apparition en 1884[12]. Marc-François Bernier décrit bien cette modification que subit alors la presse québécoise :

> se détournant de sa double tradition littéraire et politique, pour ne pas dire polémique, la presse d'opinion alors réservée aux élites se transforme en presse d'information accessible à la masse des citoyens, et les journaux ne cherchent désormais plus à persuader les électeurs mais plutôt à leur offrir un "produit" attrayant afin de constituer un auditoire de nature à intéresser les annonceurs qui fournissent l'essentiel de leurs revenus[13].

Marc Raboy note d'ailleurs un certain paradoxe à propos de cette modification de la presse québécoise : alors que la presse populaire est plus que jamais accessible à un vaste public, donc théoriquement plus démocratique, la commercialisation de ce type de presse s'accompagne d'une banalisation de son contenu, les médias devenant plus un objet de consommation qu'un support à l'intervention sociopolitique[14]. En bref, avec la venue de la presse populaire et commerciale financée principalement par les revenus publicitaires, on assiste à une certaine dépolitisation de la presse québécoise, son contenu se banalisant pour mieux se présenter en produit de consommation.

Cette dépolitisation de la presse au Québec se fera de façon progressive. En effet, si les quotidiens « indépendants » se font nettement plus nombreux que les quotidiens partisans à partir de la décennie 1910, on retrouvera quelques traces de presse partisane jusque dans les années 1970. Par exemple, *Montréal-Matin* entretient des liens avec l'Union nationale jusqu'en 1971, alors que le quotidien *Le Jour* promeut le programme du Parti québécois lors de sa courte existence, soit entre 1974 et 1976[15]. Des médias alternatifs seront également fondés dès le milieu des années 1960. En effet, plusieurs intervenants sociaux commencent à partir de ce moment à s'inquiéter du fait que les grands médias, dont le rôle primordial est de « traduire la diversité des points de vue »[16] dans l'opinion publique, servent désormais les intérêts des autorités en place. Le message diffusé devient alors l'incarnation d'une sorte de consensus politique de la classe moyenne[17], soit l'expression, traitée de manière traditionnelle, de la pensée dominante, les médias jouant alors essentiellement le rôle de « gatekeeper »[18] en pointant du doigt ce qui semble s'écarter de cette pensée dominante. Il y aura alors diverses tentatives pour soutenir des entreprises issues des mouvements sociaux afin de contrebalancer ce courant (*Parti pris*, *Québec-Presse*, Agence de presse libre du Québec, *Le Jour*), mais cette presse parallèle serait toutefois pratiquement disparue aujourd'hui[19], seuls quelques journaux subsistent encore. Le Québec se démarquait pourtant de la tendance lourde de banalisation du contenu médiatique qui prévaut en Amérique du Nord par la présence de quelques « journaux de combat »[20], notamment *Le Nationaliste*, *L'Action*, *Le Jour* et *Le Devoir*[21].

**Les nouveaux patrons**

Le passage de la presse d'opinion à la presse populaire et commerciale s'accompagne aussi d'un changement au niveau du contrôle des médias. En effet, les revenus publicitaires libérant les médias québécois de leur dépendance aux milieux politiques ou cléricaux[22], ce sont désormais les propriétaires des entreprises médiatiques qui contrôlent les médias. Bernier résume bien l'historique du contrôle de la presse au Québec : « en somme, le contrôle de la presse est passé de l'État aux partis politiques et, plus récemment, s'est retrouvé entre les mains de grandes corporations capitalistes »[23]. Ces grandes corporations sont d'ailleurs très peu nombreuses à se partager le marché médiatique québécois, le phénomène de concentration de la presse quotidienne étant au Canada l'un des plus forts au monde. Par exemple, en 2000, « 97,2 % du marché québécois de la presse quotidienne [appartenait] à trois groupes : Quebecor, Hollinger et Power Corporation »[24]. Seul *Le Devoir* échappe à ce phénomène de concentration médiatique au niveau de la presse quotidienne québécoise.

Or si la teinte politique/idéologique d'un média commercial est beaucoup plus subtile qu'à l'époque de la presse d'opinion, vu la dépolitisation et la banalisation du contenu médiatique, il demeure qu'elle est, selon plusieurs auteurs, toujours présente et qu'elle prend principalement la couleur désirée par celui qui contrôle le média, c'est-à-dire son propriétaire. Anne-Marie Gingras affirme en effet que « les gens d'affaires achètent des médias non seulement pour leur rendement, mais aussi par volonté de puissance »[25]. Le pouvoir des propriétaires des entreprises médiatiques est habituellement exercé dans la discrétion, sauf pour quelques exceptions, comme Conrad Black, ou bien la famille Asper, propriétaire de CanWest, qui a imposé un éditorial unique à tous ses journaux, dont la *Gazette* de Montréal au début des années 2000[26]. Cette influence se fait plutôt par le biais de décisions à caractère économique (comme les sources de financement), dans l'affectation des ressources humaines et matérielles et dans des interventions qui s'exercent au jour le jour (par exemple demander à un journaliste de faire un texte sur un sujet en particulier)[27].

Parmi les idéologies prônées par les propriétaires des entreprises médiatiques au Québec, le libéralisme économique serait mis de l'avant selon Gingras :

> la majorité des médias appartiennent à des entreprises privées [...], et ces entreprises ont des intérêts spécifiques à défendre. L'idéologie libérale et pro-capitaliste de ces médias correspond à ces intérêts [...]. Ainsi, bien que les médias n'aient pas comme mission officielle de défendre ou de promouvoir le système économique, ils le font tout de même[28].

Plusieurs propriétaires de médias québécois seraient également de farouches opposants à l'indépendance du Québec. Conrad Black, pour qui « la liberté de la presse était en quelque sorte la liberté des propriétaires »[29], y réagissait avec véhémence et la famille Desmarais, propriétaire de Power Corporation, s'assurait aussi que les éditorialistes de leurs médias prennent clairement position en faveur du fédéralisme[30].

### Les médias électroniques

Les médias électroniques (radio et télévision), qui font leur apparition au XXe siècle, seront vraisemblablement eux aussi soumis au même mode de fonctionnement que les médias imprimés, notamment à partir des années 1950, mais surtout à compter des années 1970, lorsque la télévision est devenue, de façon définitive, la première source d'information des citoyens :

> Au moment de l'arrivée de la radio, au début du XXe siècle, les propriétaires de journaux s'activent pour acquérir des permis de diffusion (ainsi, le quotidien *La Presse* sera propriétaire de la première station radiophonique du Québec, CKAC). À l'arrivée de la télévision, un même phénomène d'acquisition a lieu, si bien que le modèle d'affaires des journaux, fondé en bonne partie sur les revenus publicitaires, est transposé à l'exploitation des ondes publiques par des entreprises privées, si on fait exception de la Société Radio-Canada[31].

Or ce modèle basé principalement sur les revenus publicitaires aura le même effet sur le contenu des médias électroniques qu'il a eu sur les médias imprimés[32]. Il faut toutefois rappeler que les médias électroniques se distinguent par la réglementation gouvernementale à laquelle ils sont soumis. En effet, en voyant la radio comme « un outil de développement socioculturel et éducatif »[33], l'État canadien[34] s'est empressé dès les années 1930 de s'y investir après avoir complètement laissé libre cours au secteur privé. Par exemple, le Conseil de la radiodiffusion et des télécommunications canadiennes peut légiférer quant au renouvellement des licences des stations de radio[35]. Quant à la télévision, « le développement a suivi le chemin inverse de celui emprunté par la radio, en ce sens que la télévision fut au départ un monopole de service public (Radio-Canada/CBC), avant l'introduction des services commerciaux à partir de 1961 »[36]. L'État est donc plus présent dans le monde des médias électroniques que dans celui des médias imprimés, et cela à la fois par la législation fédérale que par la présence de médias de propriété publique (comme la Société Radio-Canada ou Télé-Québec).

Les contenus des médias électroniques diffèrent donc selon leur type de propriété (publique ou privée), les chaînes publiques obéissant à un mandat d'information et de pédagogie envers les citoyens canadiens[37] et constituant souvent la référence en matière de traitement de l'information politique[38]. Le désengagement financier de l'État a toutefois obligé les chaînes publiques à devoir elles aussi faire face à des impératifs commerciaux[39]. Aussi, même les pays qui ont une tradition de télévision publique importante montrent les signes d'un glissement vers un style de couverture politique qui se rapproche de l'« infotainment »[40]. Cette obligation commerciale empêche les télévisions publiques de remplir pleinement leur mandat éducatif en les obligeant à offrir davantage de divertissement[41]. C'est ce qui faisait dire à Florian Sauvageau que « la télévision française de Radio-Canada n'est plus qu'une chaîne commerciale parmi d'autres, qui livre une belle concurrence à sa rivale TVA, mais qui a abdiqué la plupart de ses responsabilités de diffuseur public »[42].

### La montée de l'axe gauche/droite

C'est dans un tel contexte que l'on peut assister à un délaissement de l'axe fédéralisme/souverainisme pour un axe gauche/droite de plus en plus présent dans le discours médiatique actuel. Les impératifs commerciaux et les positions éditoriales des grands patrons peuvent expliquer ce changement de paradigme : un discours qui délaisse les questions nationalistes pour miser davantage sur les questions économiques servirait en somme deux types d'intérêts à la fois. Dans cette foulée, on a pu remarquer l'apparition de nouveaux chroniqueurs qui affichent clairement des positions qu'on pourrait camper à droite, soit parce qu'ils prônent un certain néolibéralisme et surtout un anti-syndicalisme, ou encore parce qu'ils ont une position plus ou moins conservatrice en ce qui a trait aux valeurs. Par exemple, Mario Dumont, ancien chef de l'Action démocratique du Québec, est devenu animateur de la seule émission d'affaires publiques de la chaîne commerciale « V ». Cette chaîne est d'ailleurs fertile à ce propos puisqu'on y retrouve également d'autres chroniqueurs associés à la droite, dont notamment Éric Duhaime, co-fondateur du Réseau Liberté Québec, regroupement libertarien, à l'émission Dumont 360. Ce dernier est également chroniqueur à la station de radio *CHOI* et au *Journal de Montréal*. Ce journal, ainsi que son pendant à Québec, a recruté quelques chroniqueurs qui gravitent autour de certains aspects de la droite, comme Nathalie Elgrably-Lévy, Joseph Facal, Mathieu Bock-Côté et Richard Martineau. On retrouve ce dernier également au réseau de télévision *LCN*. Les autres stations et journaux peuvent quant à eux compter sur des valeurs sûres qui y ont fait leurs armes depuis de nombreuses années, comme par exemple André Arthur et Gilles Proulx à la radio (et brièvement à la télévision), et plusieurs éditorialistes, chroniqueurs à *La Presse* ou animateurs dans différentes stations de radio. À ce titre, on pourrait également parler du phénomène de radio-poubelle qui sévit depuis plusieurs années à Québec et dans quelques régions et qu'on pourrait associer à une frange de la droite. Si bien que la droite devient de plus en plus présente dans l'offre médiatique, même si les journalistes demeurent plutôt neutres dans leurs allégeances, et qu'ils sont souvent perçus comme étant de gauche.

C'est toutefois moins l'allégeance des chroniqueurs que les sujets qu'ils proposent qui aura une influence certaine sur le retour de l'axe gauche/droite dans le discours médiatique. On sait en effet que les médias contribuent à fixer l'ordre du jour politique en hiérarchisant les événements de l'actualité, et en mettant l'accent sur certains enjeux plutôt que d'autres (phénomène d'*agenda-setting*)[43]. Ils opèrent également un « cadrage » de l'information (*framing*) qui fixe le contexte des événements rapportés, mettant en lumière certaines causes ou responsabilités des acteurs politiques. Ils produisent également un effet « d'amorçage », puisqu'ils désignent les critères selon lesquels les politiques et les politiciens seront jugés (effet *priming*)[44].

Une recension des sujets abordés par les principaux journaux québécois lors de la dernière année[45] permet de mieux cerner ce qui occupe l'espace public, après les sports et les nouvelles factuelles. On retrouve ainsi de nombreux articles sur l'importance de s'occuper de la dette (14), suivi de près par la remise en question du gel des frais de scolarité (13). Viennent ensuite plusieurs articles sur la réduction de la taille de l'État (9) et les problèmes du système d'éducation (7). L'anti-syndicalisme arrive en bout de course (4). Il est intéressant de voir que tous ces sujets ne sont pas abordés sous l'angle du nationalisme mais bien sous l'angle gauche/droite. Fait important à ajouter, la période couverte par l'analyse est celle où *Le*

Réseau liberté Québec a annoncé ses couleurs publiquement et que François Legault a commencé à parler de la possible création d'une coalition qui ne miserait pas sur une position souverainiste ou fédéraliste. C'est toutefois moins dans le choix des sujets abordés par le discours médiatique que dans les lettres des lecteurs que cela aura le plus d'impact. En effet, de nombreuses lettres de citoyens ou d'associations (notamment des syndicats) viendront soit décrier les positions et l'importance de la droite, soit encore défendre la pertinence de la gauche. Ils contribueront donc à leur tour à donner de l'importance à cet axe gauche/droite, bien qu'on puisse soupçonner un choix éditorial dans la rétention des lettres publiées.

## Conclusion

On a pu constater que le passage progressif d'une presse partisane à une presse commerciale a contribué à banaliser le contenu politique des médias. Les positions politiques n'ont toutefois pas été exclues pour autant et les lignes éditoriales reflètent bien les positions des propriétaires de médias qui veillent ainsi à leurs intérêts. La venue de nouveaux chroniqueurs et animateurs de droite qui se sont ajoutés à ceux déjà présents, et la prépondérance de sujets qui touchent ce type de sensibilités, ont fait en sorte de redonner ses titres de noblesse à un axe gauche/droite qui avait été délaissé par la presse d'opinion. On pourrait d'ailleurs deviser sur la congruence de la venue de nouveaux groupes, tels le Réseau Liberté Québec et la Coalition pour l'avenir du Québec, qui délaissent au même moment l'axe souverainisme/fédéralisme pour celui de l'axe gauche/droite. Quand on connaît l'importance de l'influence des médias sur l'espace public, on serait tenté de croire qu'il y a certainement là un lien. À tout le moins, on peut certainement considérer que la table était mise pour que la droite réussisse son pari de devenir une alternative valable dans l'espace public.

## Notes et références

1. Alain Noël et Jean-Philippe Thérien, *La gauche et la droite. Un débat sans frontières*, Montréal, Presses de l'Université de Montréal, 2010.
2. David Taras, *The Newsmakers : The Media's Influence on Canadian Politics*, Toronto, Nelson, 1990.
3. Marc-François Bernier, *Journalistes au pays de la convergence. Sérénité, malaise et détresse dans la profession*, Québec, Les Presses de l'Université Laval, 2008, p. 7.
4. *Ibid.*
5. Marc Raboy, *Les médias québécois : Presse, radio, télévision, inforoute*. 2e édition, Montréal, Gaëtan Morin Éditeur, 2000, p. 3.
6. *Ibid.*
7. *Ibid.*

8. Jean De Bonville, *La presse québécoise de 1884 à 1914. Genèse d'un média de masse*, Québec, Les Presses de l'Université Laval, 1988, p. 49.
9. *Ibid.*, p. 48.
10. André Beaulieu, Jean Hamelin *et al.*, *La presse québécoise. Des origines à nos jours*, tome 2, Québec, Les Presses de l'Université Laval, 1990.
11. Marc Raboy, *op. cit.*, p. 3.
12. *Ibid.*, p. 4.
13. Marc-François Bernier, *op. cit.*, p. 7-8.
14. Marc Raboy, *op.cit.*, p. 3-4.
15. Jean De Bonville et Gérard Laurence, « Évolution sociodémographique de la presse quotidienne québécoise », *Érudition, humanisme et savoir. Actes du colloque en l'honneur de Jean Hamelin*, sous la direction d'Yves Roby et Nive Voisine, Québec, Les Presses de l'Université Laval, 1996, p. 363-364.
16. Marc Raboy, *op.cit.*, p. 19.
17. Stuart Hood, « Politics of television », dans Denis McQuail (dir.), *Sociology of Mass Communications*, Harmondsworth, Middlesex, England : Penguin Books Inc., 1975, p. 418.
18. K. Lewin, « Frontiers in group dynamics, II : Channels of group life ; social planning and action research », *Human Relations*, 1947, vol. 1, p. 143-153.
19. Marc Raboy, *op.cit.*, p. 19.
20. *Ibid.*, p. 3-4.
21. Pierre Dandurand, « Crise économique et idéologie nationaliste, le cas du journal *Le Devoir* », *Idéologies au Canada français 1930-1939*, sous la direction de Fernand Dumont, Jean-Paul Montminy et Jean Hamelin, Québec, Les Presses de l'Université Laval, 1978, p. 41-59.
22. Jean Charron, Jacques Lemieux et Florian Sauvageau (dir.), *Les journalistes, les médias et leurs sources*, Boucherville, Gaëtan Morin Éditeur, 1991, p. XVI.
23. Marc-François Bernier, *op.cit.*, p. 7-8.
24. Marc Raboy, *op.cit.*, p. 9.
25. Anne-Marie Gingras, *Médias et démocratie. Le grand malentendu*, 3e édition revue et augmentée, Québec, Les Presses de l'Université du Québec, 2009, p. 104.
26. *Ibid.*, p. 105 et 109.
27. *Ibid.*, p. 111-114.
28. *Ibid.*, p. 114.
29. *Ibid.*, p. 105.
30. *Ibid.*, p. 105 et 111.
31. Marc-François Bernier, *op.cit.*, p. 10.
32. *Ibid.*, p. 19.
33. Marc Raboy, *op.cit.*, p. 24.
34. Il est à noter que la radiodiffusion est de compétence fédérale.
35. Par exemple, le CRTC ne renouvellera pas en 2004 le permis de diffusion de la station de radio CHOI FM parce que la station a tenu des propos offensants et insultants et ce, même après avoir été mise en probation en 2002.
36. Marc Raboy, *op.cit.*, p. 24.
37. «À titre de radiodiffuseur public du Canada, Radio-Canada offre des services en français et en anglais, et est responsable devant tous les Canadiens. Sa mission est la suivante : présenter aux Canadiens des histoires qui reflètent les

réalités et la diversité de leur pays ; leur présenter l'actualité et les enjeux qui les intéressent ; soutenir les arts et la culture au pays ; jeter des ponts entre les Canadiens, entre les régions et entre les deux communautés linguistiques. [...] Ses services d'information établiront les normes les plus élevées d'excellence, de professionnalisme, de crédibilité et de responsabilité », Société Radio-Canada, *Mission/Vision/Orientation* .

38. David Taras, *Power and Betrayal in the Canadian Media*, Peterborough : Broadview Press, 1999.
39. Marc Raboy, *op. cit.*, p. 25.
40. Albert C. Gunther et Anthony Mughan (dir.), *Democracy and the Media : A Comparative Perspective*, Cambridge, Cambridge University Press, 2000, p. 431.
41. C'est la conclusion à laquelle en était venu un comité d'examen au sujet de la Société Radio-Canada en 1996. Pierre Juneau, Catherine Murray et Peter Herrndorf, *Faire entendre nos voix : Le cinéma et la télévision du Canada au XXI^e^ siècle, Rapport du Comité d'examen des mandats SRC, ONF, Téléfilm*, Ottawa, Ministère des Approvisionnements et Services du Canada, 1996, p. 72-73.
42. Florian Sauvageau, « Médias et mondialisation : la culture ratatinée », dans *Relations*, no. 642, juillet-août 1998, p. 170.
43. Shanto Iyengar et Donald R. Kinder, *News that Matters : Television and American Opinion*, Chicago, University of Chicago Press, 1987.
44. Ce sont peut-être ces phénomènes qui expliqueraient qu'en octobre 2003, 60 % des Américains, et 80 % de ceux qui regardent Fox News, croyaient au moins à l'une des trois contrevérités largement véhiculées à propos du conflit en Irak, soit qu'on avait découvert des armes de destruction massive en Irak, qu'il existait des preuves d'une alliance entre l'Irak et Al-Qaïda ou encore que l'opinion publique mondiale soutenait l'intervention militaire américaine en Irak. Harold Meyerson, « Fact-Free News », *The Washington Post National Weekly Edition*, 20 octobre 2003.
45. Il s'agit plus précisément de la période de mai 2010 à mai 2011, les journaux analysés étant *Le Devoir, le Journal de Montréal* et *Le Journal de Québec* ainsi que le réseau *Cyberpresse* (qui comprend *La Presse, Le Soleil, Le Droit, La Tribune, Le Quotidien*, etc.).

# L'apolitisme municipal

*Après tout, il n'y a pas de manière communiste, ou libérale, ou nationaliste d'enlever les ordures. Elles doivent être enlevées. La neige chassée. Le gazon coupé.*

Hebdomadaire *Voir*,
1er novembre 2004

LAURENCE BHERER ET SANDRA BREUX[1]
*Université de Montréal*

L'opposition droite-gauche demeure un clivage universel qui permet de décoder les échiquiers politiques[2]. L'échelle locale échapperait-elle à cette universalité ? Deux éléments invitent à répondre à cette question par l'affirmative. Premièrement, les analyses journalistiques insistent sur le style politique des leaders municipaux plutôt que sur les orientations qui dominent la vie politique des municipalités. À titre d'exemple, le maire de Québec, Régis Labeaume, et sa prédécesseure, Andrée Boucher, sont désignés comme les « porte-étendards du populisme »[3]. Un même qualificatif est également utilisé pour parler de Jean Tremblay à Saguenay, tout en soulignant l'augmentation de ce type d'hommes politiques : « des politiciens populistes de la trempe de Jean Tremblay et Régis Labeaume règnent en rois et maîtres dans de plus en plus de villes québécoises »[4].

Deuxièmement, les spécialistes de la vie municipale soulignent l'attrait pour l'apolitisme au sein des forces politiques municipales[5]. Le terme d'apolitisme désigne le fait que les acteurs municipaux pensent qu'en politique municipale, il est préférable d'afficher une neutralité idéologique car les enjeux municipaux seraient avant tout des défis techniques politiquement neutres. L'extrait de texte mis en exergue traduit cette pensée : il s'agirait simplement pour les autorités municipales de faire preuve de bonne gestion et d'efficacité. Bref, la discussion politique caractérisée par l'arbitrage entre les valeurs politiques n'est tout simplement pas jugée pertinente pour prendre une décision à l'échelle municipale. Cette croyance forte équivaut à refuser la dimension politique des questions municipales.

Si ces deux visions laissent ainsi penser que l'échelle municipale se caractérise davantage par des styles politiques, en l'occurrence le populisme et l'apolitisme, que par des clivages partisans clairement affirmés, l'apolitisme contribue toutefois selon nous à définir plus adéquatement la scène locale au Québec. Certes, le populisme et l'apolitisme partagent certains traits : ils refusent le débat politique et récusent l'appartenance à une couleur politique. D'autres caractéristiques rapprochent également ces deux styles politiques : 1) une tendance à nier la complexité des décisions publiques en valorisant un programme d'actions simples ; 2) un leader doté d'une personnalité politique forte, qui aboutit souvent à une personnalisation du pouvoir ; 3) une préférence pour une médiation directe avec les citoyens, c'est-à-dire sans l'intervention de toutes formes de groupe. Néanmoins, une des caractéristiques fondamentales du populisme réside dans sa dimension protestataire[6] : il s'appuie sur un supposé mécontentement populaire pour proposer une rhétorique anti-système et anti-élitiste qui viserait à transformer les élections municipales. Or, dans la grande majorité des cas, cette dimension protestataire n'est pas présente à l'échelle municipale : le concept de populisme ne permet donc pas de qualifier de façon juste la politique municipale. De son côté, l'apolitisme municipal est plutôt « pantouflard » car il rappelle que les acteurs locaux s'accommodent très bien du fonctionnement actuel du système politique local, notamment en valorisant le maintien du pouvoir entre les mains des élites politiques locales : cette notion semble donc qualifier plus adéquatement l'échelle locale.

Parler d'apolitisme n'est toutefois pas entièrement satisfaisant, notamment parce que cette notion n'évacue pas la question idéologique : l'apolitisme peut se retrouver tant à droite qu'à gauche de l'échiquier politique. Cependant, quelques études, en contexte européen et dans certains milieux locaux, ont montré que l'apolitisme était parfois un « apolitisme de façade »[7]. Est-il possible de réaliser un constat semblable au Québec ? En d'autres termes, peut-on positionner l'apolitisme sur l'axe traditionnel gauche-droite ? Bien que sans être l'apanage de la droite, peut-on penser qu'à l'instar du populisme[8], l'apolitisme soit plus proche de ce courant idéologique ?

L'objectif de cet article est de mieux définir l'apolitisme municipal tel qu'il existe au Québec et d'essayer de saisir sa dimension idéologique. Nous verrons que le refus du débat politique et de son corollaire, l'affiliation idéologique, est une caractéristique structurelle de la scène locale. En effet, malgré une législation avantageuse par rapport aux autres provinces canadiennes, le système partisan municipal demeure faiblement organisé. L'identification des dimensions politiques et idéologiques des municipalités est donc délicate à réaliser (section 1). L'histoire des clivages politiques au sein des villes de Québec et de Montréal démontre que les oppositions idéologiques ont été l'exception plutôt que la règle. L'absence de pérennité des divisions idéologiques confirme que l'expression du conflit n'est pas valorisée en politique municipale (section 2). L'apolitisme est en fait le reflet d'un idéal communautaire propre à l'échelle municipale, qui associe la démocratie à une forme consensuelle et harmonieuse de la vie en communauté. Bien que porteur d'un certain conservatisme, l'apolitisme n'est toutefois pas réductible à une orientation idéologique spécifique. Inclusif, l'apolitisme s'apparente plus à une stratégie politique qu'à une idéologie (section 3).

## Le système partisan municipal

Contrairement au reste de l'Amérique du Nord, les partis politiques municipaux québécois sont explicitement reconnus par les lois qui régissent les municipalités du Québec. La « Loi concernant les élections » de 1978 dans certaines municipalités et modifiant la « Loi des cités et villes » encadre la formation de partis politiques dans les municipalités de plus de 5 000 habitants, en prévoyant notamment des règles de financement similaires à celles à l'échelle provinciale, soit le financement populaire. Par ailleurs, dans les villes de plus de 100 000 habitants, les partis disposent d'un budget de recherche et de secrétariat. On pourrait donc croire que cette réforme a permis de faire des partis politiques un phénomène local bien ancré. Il n'en est rien cependant, car même si le nombre de partis politiques ne cesse d'augmenter depuis le début des années 1980[9], leur présence à l'échelle de la province reste faible. De plus, les partis politiques sont davantage l'apanage des grandes villes que des petites et moyennes municipalités.

Par ailleurs, ce que l'on nomme « partis politiques » sont la plupart du temps davantage des équipes politiques éphémères que des structures partisanes fortement organisées. En ce sens, ce sont généralement des formations politiques de courte durée, bien souvent créées en vue de l'élection, et qui disparaissent au lendemain du scrutin. Mévellec précise d'ailleurs qu'au Québec « l'absence de création de nouveau parti politique municipal en 2006 renforce selon nous l'hypothèse selon laquelle les partis politiques sont spécifiquement créés en vue du scrutin municipal comme outil de conquête du pouvoir. Ainsi les années suivant les scrutins (2006 et 2010) sont marquées par le reflux de la vague de création ayant eu lieu en 2005 et 2009 »[10]. Lorsqu'il s'agit de partis politiques en tant que tels, leur forte instabilité nuit à la formation partisane, dont le degré d'organisation est par ailleurs inférieur à celui des partis politiques des échelons supérieurs.

D'un point de vue idéologique, la distinction entre les partis politiques en lice est difficile à réaliser, notamment en raison de leur absence d'affiliation partisane, du moins officielle, avec les partis politiques provinciaux et fédéraux. Certes, certains partis nationaux ont, par le passé, pensé à investir la scène municipale, mais une telle idée n'a jamais abouti[11]. Cette absence d'orientation idéologique claire a pour conséquence de « niveler » la scène politique municipale et à rendre sa lecture difficile. Cela se voit par exemple dans le nom des partis politiques municipaux qui contrairement à d'autres pays, ne sont pas révélateurs de leur affiliation partisane et de leur orientation idéologique[12]. La plupart des équipes municipales portent en effet le nom de leur chef, comme le montrent pertinemment ces exemples : « Équipe Labeaume (Québec) ; Équipe Dansereau (Contre-Coeur) ». Parmi les 151 partis politiques autorisés par le Directeur Général des Élections du Québec (DGEQ) en 2011, plus de la moitié d'entre eux précisent le nom de leur chef dans leur appellation[13]. Ces constats tendent à confirmer l'hypothèse selon laquelle les partis politiques municipaux agissent comme de simples machines électorales pour lever des fonds nécessaires à la campagne électorale. Ils rappellent également l'importance du maire et de son élection quasi présidentielle.

En ce qui concerne les partis politiques qui font abstraction du nom de leur chef, la majorité d'entre eux intègrent le nom de la municipalité dans leur appellation, appellation à laquelle est apposé un nom rendant bien souvent les distinctions entre les formations assez floues, phénomène qu'on résume souvent en parlant de partis alphabètes ou arc-en-ciel pour signifier la faible pertinence idéologique des noms. Ainsi, pour le dilettante, quelles différences existent-ils entre « Développement Saint-Georges » et « Rassemblement Saint-Georges » ? Par ailleurs, force est de constater que la prégnance des termes tels que « action », « vision », « renouveau », « citoyens » dans les noms des formations politiques, laissent penser que la scène électorale locale et le système partisan qui la caractérise demeurent somme toute très semblables d'une municipalité à l'autre.

Enfin, la présence de partis politiques n'empêche pas la présence d'élus « indépendants », c'est-à-dire d'élus qui revendiquent un statut de neutralité partisane, du moins en marge des formations politiques en lice. À cela s'ajoute également la volatilité des appartenances électorales : il n'est pas rare de voir une personne élue sous une étiquette politique changer d'étiquette en cours de mandat ou à l'approche des élections. Les défections partisanes sont ainsi plus fréquentes à l'échelle locale qu'aux échelons supérieurs et le contexte des réorganisations et démembrements municipaux ne semble pas avoir changé la donne.

L'ensemble de ces caractéristiques permet de tirer deux constats : d'une part, le système partisan local est peu prégnant, d'autre part l'absence d'un système partisan fort a pour corollaire des clivages politiques flous. Ces caractéristiques favorisent l'apolitisme et contribuent à l'effacement de l'axe gauche-droite. Ces divisions politiques imprécises sont d'autant plus délicates et complexes à saisir que leur longévité est courte. L'histoire politique des villes de Québec et de Montréal illustre ce fait.

## Des clivages municipaux peu pérennes

Un coup d'œil sur l'histoire politique des villes de Québec et de Montréal souligne deux éléments. Premièrement, les divisions politiques ne s'expriment pas toujours en termes de gauche et de droite. Deuxièmement, quelle que soit la période, l'apolitisme est toujours présent, bien qu'à des degrés divers. En effet, dans les études sur les villes de Québec et de Montréal[14], trois types de clivages ont été utilisés pour rendre compte des divisions politiques. Ces clivages correspondent à trois périodes distinctes: a) les populistes contre les réformistes (fin XIXe siècle-1960); b) les partis politiques de type «civique» versus les partis populaires[15] (1960-2000); c) le style politique de la banlieue, et celui des grandes villes (2000-...)[16]. L'apolitisme traverse ces trois périodes, mais avec une prégnance beaucoup moins importante de 1970 à 2000 où le clivage droite-gauche est plus clairement affiché. Toutefois, cette distinction idéologique est de courte durée car la période actuelle se caractérise par un retour à un apolitisme fort, suite aux coalitions formées aux lendemains des regroupements municipaux.

### *Les populistes contre les réformistes (fin du XIXe siècle-1960)*[17]

Les premiers partis politiques municipaux montréalais et québécois sont nés dans les années 1960. Cela ne veut toutefois pas dire qu'il n'y avait pas de division politique avant cette période. En effet, à partir de la fin du XIXe siècle et pendant plusieurs décennies, particulièrement à Montréal, les populistes et les réformistes se sont opposés. Cette opposition également très présente dans le reste du Canada et aux États-Unis porte sur les conflits autour des réformes à apporter au système municipal. Les populistes désignent les élus qui valorisent les liens directs avec les citoyens, à travers un système clientéliste qui leur permet d'avantager les électeurs de leur quartier. La confusion entre l'exécutif et le législatif et l'absence d'une administration publique compétente favorisent un tel contexte[18]. Les populistes, dominants au conseil municipal de Montréal, contrôlent en effet directement les commissions échevinales chargées des services de la ville, responsables d'octroyer les contrats municipaux et de distribuer les emplois. Une telle mainmise sur les opérations quotidiennes de la municipalité permet aux populistes de troquer emplois et contrats municipaux contre la fidélité de leurs électeurs. Les réformistes dénoncent vertement ce favoritisme et désirent moderniser les institutions municipales. Pour eux, cela signifie former une administration municipale compétente, séparer l'exécutif et le législatif mais aussi élargir les districts électoraux de façon à dépasser les territoires de solidarité et de voisinage[19]. De la sorte, les réformistes escomptent faire cesser toute relation clientéliste entre conseillers municipaux et électeurs. Au début du XXe siècle, particulièrement à Montréal, certaines réformes permettront d'établir une distinction plus claire entre le législatif et l'exécutif. Ces réformes ne vont pas pour autant amener la diminution du clivage réformiste/populiste car la nature progressive de la mise en œuvre de ces réformes, particulièrement celles liées à la formation d'une administration publique professionnelle, va faire perdurer le débat sur la modernisation de l'administration municipale qui est au centre de l'opposition entre les deux camps.

Les observateurs des municipalités font généralement l'hypothèse que l'apolitisme municipal puise ses origines du mouvement réformiste qui se méfiait de la partisannerie et cherchait donc à « dépolitiser » les institutions municipales en imposant un modèle de gestion d'entreprise. Formés d'hommes d'affaires et de commerçants, il est aussi vu comme un mouvement élitiste qui cherchait à réduire l'influence des classes populaires, d'où l'appellation de populiste pour désigner l'autre camp. La persistance de cette opposition a fait en sorte que le terme de réformiste a été utilisé pour désigner tous ceux qui voulaient moderniser l'administration municipale et ce, jusqu'aux années 1960 durant lesquelles un nouveau clivage émerge à la faveur des premières organisations partisanes municipales : les partis de type civique et les partis populaires.

### *Les partis politiques de type « civique » versus les partis populaires (1960-2000)*[20]

Les années 1960 voient naître deux partis politiques à Québec et à Montréal : le Parti civique en 1960 à Montréal (PCM) et le Progrès civique à Québec en 1962 (PCQ). De par leur composition et leur programme, les partis civiques témoignent d'une transformation de l'échiquier politique local, qui s'éloigne de l'opposition réformistes/populistes[21]. Proches des hommes d'affaires et des commerçants, ces organisations visent le changement et leurs programmes se focalisent sur « la lutte au patronage et à la corruption, la modernisation administrative, la rénovation urbaine et le progrès économique »[22]. Lorsque ces deux formations vont accéder au pouvoir (de 1965 à 1989 pour le PCQ et de 1960 à 1986 pour le PCM), elles vont devenir « bien davantage une "machine" à collecter des fonds et à gagner des élections »[23] qu'un réel parti politique. Il faut dire que progressivement les deux partis refusent toute étiquette partisane[24]. Bref, dans ces partis, les chefs occupent une place prépondérante, en étroite complicité avec les notables locaux[25].

Ces premières organisations partisanes sont donc davantage des tremplins pour propulser une personne au pouvoir que des formations idéologiques clairement définies. Parlant du PCQ, Belley considère d'ailleurs que cette formation incarne un « affairisme municipal » auquel va faire face un « socialisme municipal », incarné par les partis dits « populaires », soit le Front d'Action Politique (FRAP) de Montréal, né en 1970, suivi quatre années plus tard du Rassemblement des citoyens et des citoyennes de Montréal (RCM) créé en 1974[26]. En 1977, la ville de Québec se joint au mouvement, avec la formation du Rassemblement populaire de Québec (RPQ). Ces partis, dont les programmes et l'organisation interne se situent aux antipodes des partis civiques, dénoncent leur vision apolitique, y voyant là une façon de préserver les intérêts des élites politiques municipales traditionnelles et de véhiculer une vision restreinte des enjeux municipaux. De plus, ils proposent un programme politique explicitement à gauche, avec des propositions qui touchent la démocratie participative, le développement des services sociaux et communautaires et la priorité à la qualité de vie dans les quartiers. Bref, les partis populaires réfutent l'apolitisme municipal et assument pleinement l'idéologie dont ils sont porteurs. Ils seront au pouvoir de 1989 à 2005 pour le RP (devenu le Renouveau municipal de Québec en 2001) et de 1986 à 1994 pour le RCM (voir tableau 1).

Cette affirmation idéologique explicite dans le paysage municipal québécois est toutefois de courte durée. Durant le milieu et la fin des années 1980, tant à Québec qu'à Montréal, chaque famille politique va être amenée à adoucir ses prises de positions. Belley souligne en effet les rapprochements qui s'opèrent entre les partis civiques et les partis populaires en 1986 et en 1989 : « les partis de la première génération, dits "civiques", ont été forcés de faire une place plus grande dans leur discours à la démocratie locale ; les partis de la deuxième génération, dits "populaires", ont dû, dans une conjoncture économique plus difficile, adoucir, voire abandonner, les engagements les plus "socialisants" de leur programme »[27]. Au fil du temps et en fonction de la conjoncture, ce sont donc les deux côtés de l'échiquier politique qui ont dû faire quelques concessions à leurs idéologies. Cela amène des dissensions importantes au sein des partis populaires[28].

Au début des années 1990, la droite montréalaise profite de cette dissension pour s'afficher et s'organiser autour de nouveaux partis. La plus importante de ces nouvelles organisations, Vision Montréal (VM), s'attaque durement à l'administration Doré et fait de l'administration municipale le thème phare de sa campagne. VM « s'engage notamment à ramener le rôle de la ville aux activités découlant de sa mission de base, à simplifier au maximum les procédures et à instaurer une culture entrepreneuriale, à abolir le poste de Secrétaire général, à regrouper les quartiers en neuf secteurs décentralisés qui agiront comme des PME, et à revoir le mandat des sociétés paramunicipales afin que leurs activités n'entrent

**Tableau 1**
**Les partis politiques au pouvoir à Montréal et à Québec du milieu des années 1960 à 2005**

| | Année | Maire | Parti/équipe au pouvoir |
|---|---|---|---|
| **Québec** | 1965-1989 | Lamontagne | PCQ |
| | 1977-1989 | Pelletier | PCQ |
| | 1989-2005 | L'Allier | RP-RMQ |
| **Montréal** | 1960-1986 | Drapeau | PCM |
| | 1986-1994 | Doré | RCM |
| | 1994-2001 | Bourque | VM |
| | 2001-2005 | Tremblay | UCIM |

plus en concurrence avec le secteur privé »[29]. De son côté, le Parti des Montréalais offre un programme qui se situe à droite tant du RCM que de VM, notamment en raison de la quasi-absence de mesures sociales au sein de son programme et de son idéologie conservatrice dont l'objectif principal est: « d'accroître l'accessibilité et l'efficacité des services municipaux »[30]. On assiste donc à un durcissement de la position de la droite municipale. L'échec électoral du Parti des Montréalais laisse la place à droite du spectre politique municipal à VM, dont le chef, Pierre Bourque, est élu maire en 1994 et 1998.

La victoire de VM en 1994 va toutefois conduire à des modifications substantielles de ses prises de position aux élections de 1998. En effet, « les références idéologiques très fortes qui parsemaient son programme en 1994 – comme la réduction de l'interventionnisme municipal et de la bureaucratie, la diminution massive des dépenses administratives, l'appel au secteur privé et à l'initiative individuelle – sont pour ainsi dire absentes en 1998. Le thème de la démocratie locale y est aussi complètement évacué »[31]. L'objectif du programme est essentiellement de consolider les acquis de VM. Le parti Nouveau Montréal formé à l'occasion des élections de 1998 se charge de reprendre le programme que défendait VM en 1994, mais sans grand succès. Durant cette période, le RPQ continue à régner sans trop de menaces à Québec mais il doit lui aussi assouplir son programme politique pour faire face aux problèmes financiers des années

1990. Il maintient toutefois son objectif de démocratisation des institutions municipales, avec notamment la création de conseils de quartier[32].

*Le style politique de la banlieue, et celui des grandes villes (2000- )*

Les réorganisations municipales du début des années 2000 vont modifier le paysage politique de l'ensemble des municipalités du Québec. Cette transformation majeure contribue à estomper les divisions idéologiques explicitement de gauche ou de droite au profit d'un nouveau conflit qui oppose la banlieue à la ville-centre. En effet, lors des élections de 2001, les campagnes électorales autant à Québec qu'à Montréal opposent ceux qui sont en faveur ou en défaveur des regroupements municipaux. À travers ce débat, on voit poindre en fait une vision opposée des fonctions des municipalités[33]. Associés aux villes-centres, ceux qui ont une vision généreuse du rôle des municipalités défendent l'idée selon laquelle les fusions ouvrent de nouvelles possibilités en matière d'interventions économiques, communautaires, culturelles et en aménagement du territoire. L'autre camp, plus proche de la culture politique des anciennes municipalités suburbaines, a une approche beaucoup plus minimaliste de la municipalité. Il s'agit pour eux de fournir les services de base, qualifiés également de services à la propriété: cueillette des matières résiduelles, distribution et traitement de l'eau, déneigement et entretien de la voirie. Selon leur point de vue, s'en tenir aux services municipaux essentiels permet de maintenir le taux de taxation bas. Cette posture est plus à droite que celle défendue par les partis civiques qui insistaient sur les projets économiques structurants, un discours absent de la conception minimaliste et plutôt gestionnaire des municipalités.

Ce conflit oppose une vision interventionniste (et donc plus à gauche) et une perspective limitée du rôle des municipalités (et donc plus à droite). Toutefois, le rebrassage des forces politiques hérité des fusions, notamment avec des coalitions entre élus venant d'anciennes banlieues et ceux venant des quartiers citadins, a eu pour effet d'éliminer progressivement ce clivage politique. Union Montréal, dirigée par le maire Gérald Tremblay, représente bien ce phénomène puisque dès sa création et encore aujourd'hui, il réunit des élus qui proviennent des anciennes banlieues, de VM et de l'ancien RCM. Le parti peut être perçu comme le résultat d'une coalition inusitée entre des conseillers plus conservateurs et d'autres plus réformistes[34].

La perte de conflits structurants se voit dans l'affaiblissement des organisations partisanes qui prend toutefois des formes différentes à Québec et à Montréal. À Québec le point tournant est l'élection de 2005 durant laquelle Andrée Boucher, ancienne mairesse de Sainte-Foy, décide de se présenter comme candidate à la mairie de Québec sans parti, sans programme politique et avec un budget de dépenses électorales de 5 000 $. Le départ de Jean-Paul L'Allier à la tête du Renouveau municipal de Québec (l'ancien RPQ) affaiblit aussi considérablement ce parti politique, dernier témoin du clivage civique versus populaire[35]. Ce nouveau contexte politique ouvre la voie à un discours politique inusité qui valorise les candidats indépendants et les coalitions temporaires. En 2009, cela prend une forme bien spécifique avec la présentation de l'Équipe Labeaume qui selon les dires du maire sortant, Régis Labeaume (élu en 2007 suite au décès prématuré d'Andrée Boucher), réunit une équipe de candidats indépendants[36]. Selon Belley, ce refus des partis politiques provient de la culture politique suburbaine où la tradition partisane est encore plus rare que dans les villes. La politique suburbaine se caractérise plutôt par une forte notoriété et longévité des maires, comme on peut le voir à Laval où le maire règne depuis 25 ans, avec très peu d'opposition[37].

À Montréal, la perte de signification des partis prend plutôt la forme d'une forte mobilité partisane qui tend à démontrer la perméabilité idéologique des partis politiques municipaux[38]. Par exemple, en 2009, Louise Harel, ancienne ministre péquiste associée à l'aile gauche du Parti québécois, devient chef de VM alors que les origines de VM sont plutôt à droite. De la même façon, des élus du parti de Gérald Tremblay, UM, passent à VM et vice-versa. La création en 2004 de Projet Montréal (PM) fait diversion dans ce paysage car il s'agit d'un parti écologiste plutôt à gauche. Encore là, des élus des deux autres formations, pourtant plus à droite, se joindront à PM.

Ainsi, l'histoire des formations partisanes à Montréal et à Québec démontre que les clivages politiques clairs, orientés en termes droite-gauche, sont plutôt l'exception, l'apolitisme étant toujours plus ou moins présent en toile de fond. De plus, qu'importe la période, il est difficile de positionner l'apolitisme sur l'axe gauche-droite, puisque sauf en de rares cas, l'échiquier politique local ne s'exprime pas en ces termes. Quel sens convient-il alors de donner à cet apolitisme ?

## L'apolitisme, reflet d'un idéal communautaire propre au municipal

Si l'apolitisme peut se définir d'abord et avant tout par son absence de positionnement sur l'échiquier politique, force est de constater qu'à l'échelle locale, son sens dépasse cette première acception. En effet, l'apolitisme est l'un des « mythes fondateurs » sur lequel repose l'idéologie municipale en général, au même titre que « le concret, la proximité, la vie quotidienne, les vraies préoccupations des vrais gens, [...] l'action sur le terrain »[39]. Plus encore, l'apolitisme reflète l'idéal communautaire que porte l'échelle municipale, idéal qui ne souffrirait aucun obstacle entre le maire et ses citoyens, aucun conflit ou débat d'idées. L'échelle municipale serait par définition harmonieuse et consensuelle. Dans ce cadre, l'apolitisme constitue à lui seul un projet politique, qui permet, à celui qui s'en revendique, de parler au nom de tous[41]. L'apolitisme est ainsi le reflet d'un certain conservatisme, dans le sens où il est le garant de l'ordre existant et d'un certain nombre de valeurs traditionnelles.

Cet apolitisme engendre cependant plusieurs travers. En effet, de façon générale, la présence de partis politiques permet de médiatiser les enjeux politiques, tout en fournissant de l'information sur les élus et les politiques publiques. De telles formations politiques introduisent ainsi une certaine cohérence dans le jeu politique. Or, dans les municipalités, sans la présence de partis politiques, l'information est beaucoup plus difficile à aller chercher pour les médias d'une part et pour les électeurs d'autre part, qui disposent alors de peu d'incitatifs pour se rendre aux urnes. Il n'est donc pas étonnant que la mobilisation électorale soit basse à cette échelle. Par exemple, lors des élections municipales de 2009 au Québec, le taux moyen de participation était de 45 % alors que lors des dernières élections provinciales (2008) et fédérales (2011), respectivement 57,4 % et 61,4 % des électeurs se sont présentés aux urnes. De même, l'apolitisme rend difficile l'évaluation de l'action politique, donnant ainsi une première explication au taux de reconduction relativement élevé des candidats sortants. Également, l'absence de structures partisanes pérennes et de clivages idéologiques clairs peut contribuer au désintérêt des citoyens pour la politique municipale: contrairement aux autres échelons politiques, ils ne bénéficient pas de repères pour comprendre les enjeux spécifiques à la vie municipale.

Il est toutefois possible de penser que cet apolitisme convient aux citoyens ou du moins à une partie d'entre eux. Dans un livre récent, deux auteurs états-uniens démontrent que les citoyens aiment et approuvent la démocratie… surtout s'ils ne la voient pas et n'en entendent pas parler[42]. À l'image des missiles furtifs qui sont difficilement repérables par les radars traditionnels, les citoyens préféreraient une démocratie furtive, c'est-à-dire qui est invisible dans leur vie quotidienne. Bien sûr, ils adhèrent aux principes démocratiques et s'attendent à une compétition électorale régulière, mais ils ne désirent tout simplement pas en faire l'expérience très souvent. Cela s'expliquerait par le fait que la plupart des gens sont mal à l'aise avec le conflit et ses manifestations, telles que la partisannerie, le débat d'idées, les oppositions idéologiques. En ce sens, la démocratie municipale québécoise est marquée du sceau de la démocratie furtive depuis longtemps. La reconnaissance légale des partis politiques municipaux à la fin des années 1970 n'a pas été suffisante pour éliminer cette caractéristique structurelle.

Il ne faudrait cependant pas se laisser tromper et penser que le consensus est le moteur absolu de la démocratie municipale. L'apolitisme n'équivaut pas à une absence de culture ou de vie politique locale. En présence de l'apolitisme, il existe toujours des tractations pour décider qui sera élu ou se lancera dans la course. L'apolitisme est donc une absence de politisation des enjeux mais pas une absence de vie politique[43]. Dans le cas québécois, on peut en effet penser qu'il existe des liens non avoués entre les organisations partisanes locales et les partis politiques des échelons supérieurs. On sait que le Parti québécois ou le Parti libéral du Québec (voire même Québec solidaire dans la dernière élection municipale de 2009) mettent leur machine politique à la disposition des organisations partisanes locales. Néanmoins, comme le champ de la politique municipale a été jusqu'à maintenant peu étudié de façon systématique, de telles collaborations n'ont pas été encore analysées. Pourtant, la confirmation de cette hypothèse permettrait de démontrer que les orientations idéologiques sont plus présentes que l'on ne le pense.

Par ailleurs, l'apolitisme n'est pas exclusif, dans le sens où il peut tout à fait se combiner à d'autres logiques, voire d'autres styles politiques. Ainsi, il s'accommode fort bien par exemple d'une logique gestionnaire ou entrepreneuriale[44] par exemple, ou d'une certaine forme de populisme[45]. C'est ainsi que bien que reflétant un certain conservatisme, l'apolitisme peut tout à fait s'adjoindre des valeurs de droite que des valeurs de gauche. Plus qu'un style politique, l'apolitisme s'apparente davantage à une stratégie politique, réifiant ainsi un des mythes fondateurs de l'échelle municipale.

## Notes et références

1. Nous remercions Jean-Pierre Collin pour sa relecture attentive de ce texte.
2. Alain Noël et Jean-Philippe Therrien, *La gauche et la droite, un débat sans frontières*, Montréal, Presses de l'Université de Montréal, 2010, p. 15.
3. Mathieu Perreault, « Régis Labeaume incarne le refus de l'élitisme », *La Presse*, 15 mai 2010.
4. Mélyssa Gagnon, citée dans Douglas Tabah, « Une sortie qui rate sa cible », *Le Quotidien*, 9 mars 2011.
5. Laurence Bherer, « Le cheminement du projet de conseil de quartier à Québec (1965-2003) : un outil pour contrer l'apolitisme municipal ? », *Politiques et Sociétés*, vol. 25, no. 1, 2006, p. 31-56. Serge Belley et Marc-André Lavigne, « Apolitisme, partis politiques et prégnance des institutions : le cas de l'élection municipale de 2005 à Québec », *Recherches sociographiques*, vol. 49, no. 1, 2008, p. 63.
6. Frédéric Boily, « Aux sources idéologiques du Front national : le mariage du traditionnalisme et du populisme », *Politique et sociétés*, vol. 24, no. 1, 2005, p. 39.
7. Christian Le Bart, *Les maires, sociologie d'un rôle*, Villeneuve d'Ascq, Presses Universitaires du Septentrion, 2003, p.176.

8. Frédéric Boily souligne à ce sujet: «Certes, le populisme apparaît davantage identifié à l'extrême-droite, mais rien n'empêche un parti de gauche d'adopter un style populiste pour accroître sa légitimité», *op. cit.*, p. 39.
9. Anne Mévellec (sous presse), «Les élections municipales de 2009 dans les villes moyennes du Québec: entre changement et reconduction», dans Sandra Breux et Laurence Bherer, *Les élections municipales au Québec: Enjeux et perspectives*, Sainte-Foy, Presses de l'Université Laval.
10. *Ibid.*
11. voir Louise Quesnel et Serge Belley, *Partis politiques municipaux. Une étude de sociologie électorale*. Ottawa, Éditions Agence d'Arc inc., 1991.
12. Kritof Steyvers, Herwig Reynaert, Koenraad De Ceuninck et Tony Valcke, Tony, «All Politics is Local, Partisan or National? Local Lists in Belgium», dans Marion Reiser et Everhard Holtmann, *Farewell to the Party Model. Independent Local Lists in East and West European Countries*, Wiesbaden, Vs. Verlag, 2008.
13. À titre d'exemple, pensons à: «Lévis Force 10 – Équipe Roy-Marinelli; Équipe Diane-Lavoie, Beloeil- gagnant».
14. Si les villes de Québec et de Montréal ne peuvent être considérées comme des représentantes de l'ensemble des municipalités du Québec, ce sont cependant les premières entités à s'être dotées d'un système partisan au début des années 1960. Ce sont aussi les municipalités québécoises pour lesquelles il existe le plus d'études.
15. Louise Quesnel-Ouellet, «Les partis politiques locaux au Québec», dans Vincent Lemieux (dir.), *Personnel et partis politiques*, Montréal, Hurtubise HMH, 1982, p. 277-300.
16. Serge Belley, «L'élection municipale de 2001 à Québec: l'"interventionnisme municipal" contre le "populisme fiscal" des banlieues», *Recherches sociographiques*, vol. 44, no. 2, 2003, p. 217-238.
17. Notre propos n'a pas pour objectif de dresser l'historique précis de tous les clivages ayant eu cours à cette période. Nous ne retenons ici que l'un des clivages les plus importants.
18. Pour une histoire détaillée de cette période, voir Michelle Dagenais, *Des pouvoirs et des hommes: L'administration municipale de Montréal, 1900-1950*, Montréal, McGill-Queen's University Press, 2000.
19. Notons que le mouvement réformiste est plus ambitieux. Il propose également une série de réformes sociales touchant par exemple l'hygiène publique, l'habitat, etc. À cet égard, si les réformistes privilégient un modèle organisationnel inspiré de l'entreprise privée, leurs autres propositions traduisent plutôt une approche interventionniste. Pour les besoins du propos, nous nous limitons ici aux ambitions politiques de ce mouvement incontournable dans l'histoire urbaine nord-américaine.
20. Louise Quesnel-Ouellet, *op. cit.*
21. Cet héritage explique sans doute pourquoi on ne parle pas explicitement d'un parti de droite: le mouvement réformiste est en effet associé à un certain progrès social et politique.
22. Serge Belley, «Les partis politiques municipaux et les élections municipales de 1986 à Montréal et de 1989 à Québec», *Politique*, no. 21, 1992, p. 7.

23. Quesnel et Belley, *op. cit*, p. 71.
24. Comme en donne l'exemple cette déclaration du maire de Québec de 1965 à 1979, Gilles Lamontagne : « Nous ne croyons plus à la vente des cartes et nous considérons que nos électeurs sont vraiment les membres du Progrès Civique. Ce qui compte, ce n'est pas les membres, mais l'équipe qui en fait partie. D'ailleurs, nous ne parlons plus jamais du Parti du Progrès Civique. Nous mentionnons plutôt "l'équipe" du Progrès Civique, pour enlever de l'esprit de la population que nous sommes un parti politique », *Le Soleil*, 22 octobre 1969, cité dans Louise Quesnel-Ouellet, « Un parti politique municipal : Le Progrès civique de Québec », *Partis politiques au Québec*, Montréal, Hurtubise, 1976, p. 286.
25. Par notables, nous reprenons l'acception de Quesnel et Belley (*op. cit.*) qui affirment au sujet du PCQ : « L'élaboration du programme électoral, la sélection des candidats et l'orientation des politiques ont, en effet, toujours été la prérogative d'un nombre restreint d'élus du parti et de fidèles organisateurs et supporteurs, faisant ainsi de ce parti, un parti de notables ».
26. Belley, Serge,*op. cit.*, p. 220.
27. *Ibid.*, p. 30.
28. Si le RPQ a réussi à surmonter sans difficultés ces tensions internes, il n'en va pas de même pour le RCM qui se fragmente rapidement après sa défaite en 1994 et est dissous en 2001 au moment des regroupements municipaux. Une formation plus à gauche que le RCM, la Coalition démocratique Montréal écologique, se présente aux élections de 1994 : si elle ne réussit pas à redonner une voix à la gauche montréalaise, elle permet pour la première fois de faire circuler des idées écologistes.
29. Serge Belley, « La politique municipale à Montréal dans les années 1990 : du "réformisme populaire" au "populisme gestionnaire" », *Politiques et Sociétés*, vol. 22, no. 1, 2003, p.105.
30. Pour le détail du programme voir *ibid.*, p. 106-107.
31. *Ibid*, p. 110.
32. Bherer, *op. cit.*
33. Belley, *op. cit.*
34. Anne Latendresse et Winnie Frohn (sous presse), « Fracture urbaine, legs institutionnel et nouvelles façons de faire : trois mots clés pour une lecture des élections à Montréal », dans Sandra Breux et Laurence Bherer, *Les élections municipales au Québec : enjeux et perspectives*, Sainte-Foy, Presses de l'Université Laval, p. 106
35. Le RMQ est d'ailleurs dissous en 2010, après la victoire écrasante de Régis Labeaume et de son équipe.
36. Louise Quesnel, Serge Belley et Paul Villeneuve (sous presse), « Québec 2009 : L'impact de la " fierté retrouvée " sur le pouvoir local », dans Sandra Breux et Laurence Bherer, *Les élections municipales au Québec : Enjeux et perspectives*, Sainte-Foy, Presses de l'Université Laval, p. 145-171.
37. Laurence Bherer (sous presse), « Pourquoi un sixième mandat pour le maire de Laval ? Les raisons d'un monopole politique », dans Sandra Breux et Laurence Bherer, *Les élections municipales au Québec : enjeux et perspectives*, Sainte-Foy, Presses de l'Université Laval.

38. Latendresse et Frohn, *op. cit.*
39. Christian Lebart, *op. cit.*, p. 209.
40. Christian Lebart, *op. cit.*, p. 42.
41. Belley, *op. cit.*
42. John R. Hibbing et Elizabeth Tess-Morse, *Stealth Democracy: Americans' beliefs about how Government should work*, Cambridge, Cambridge University Press, 2002.
43. Christian Lebart, *op. cit.*, p. 176.
44. Christian Lebart, *op. cit.*
45. Régis Labeaume pourrait être un exemple de cela. Voir, entre autres, Éric Montpetit, « Cynisme inquiétant », *Le Soleil*, 2011.

# La gauche multiculturelle et la droite nationaliste au Québec : deux manières de penser le pluralisme à partir de la philosophie des Lumières

Jean-François Caron
*Université libre de Bruxelles*
*Chercheur post-doctoral, Centre de droit public*

Depuis la chute du Mur de Berlin et de l'URSS, de nombreuses études ont été proposées afin d'identifier quels sont les nouveaux conflits idéologiques qui structurent l'opposition traditionnelle entre la gauche et la droite[1]. Un de ces facteurs est très certainement celui de l'immigration et de la gestion du pluralisme ethnoculturel. Dans le contexte québécois, le débat au sujet des accommodements raisonnables a été révélateur de la compréhension de cette opposition idéologique. Pour plusieurs, la gauche est désormais intimement associée à la volonté de trouver des solutions afin de reconnaître et d'accommoder la diversité ethnoculturelle, tandis que les tenants de la droite sont présentés comme étant les défenseurs du maintien des fondements identitaires et culturels des identités nationales[2].

Si l'on accepte cette classification, je me suis donné pour tâche de déterminer si cette manière de concevoir la gauche et la droite est en continuité ou en rupture avec les principes qui furent à leur origine. Évidemment, je suis conscient que pareille entreprise reste hautement hasardeuse, dans la mesure où le multiculturalisme n'était nullement une préoccupation politique à l'époque de l'émergence de cette dichotomie. Dans cette perspective, je comprends toute la difficulté et le risque qui consiste à extrapoler la position que les premiers défenseurs de la droite et de la gauche auraient eue par rapport à la question du pluralisme ethnoculturel. Alors que la signification de la dichotomie gauche-droite a évolué depuis son « invention » en juillet 1789[3], mon intuition est que, sur le plan théorique, ce que l'on qualifie de « gauche multiculturelle » et de « droite nationaliste » demeure en filiation très étroite avec les idéaux qui définissaient ces deux regroupements politiques à l'époque.

**La gauche politique et la gestion du pluralisme**

Il m'apparaît clair que les membres de la gauche politique actuelle qui défendent les principes du multiculturalisme sont en filiation directe avec les idéaux d'origine de cette famille politique. Rappelons qu'à l'origine, les tenants de la gauche politique étaient fortement imprégnés par les idéaux des Lumières dont le projet consistait à soustraire les hommes et les femmes des tutelles qui leur étaient imposées de l'extérieur (religion, préjugés nationaux) et de faire d'eux des êtres pleinement autonomes en mesure d'agir en fonction de leur entendement[4]. Toute cette conceptualisation philosophique des finalités humaines est à la base même de l'idéologie libérale qui soutient que les individus sont libres de déterminer eux-mêmes leurs valeurs, projets de vie, conceptions du bien qui vont structurer et guider leur existence. Ce sont ces convictions profondes qui établissent l'identité morale de chaque individu[5]: convictions qu'ils peuvent réviser à tout moment de leur vie. Conséquemment, le libéralisme, dont la prémisse fondamentale consiste à laisser aux individus le plus de liberté négative possible, se doit d'être considéré comme l'idéologie des Lumières et la primauté qu'il accorde à certains droits, comme la liberté de conscience religieuse, sont des conséquences logiques de cette tradition philosophique. Dans le contexte québécois, ceux et celles qui sont associés à la volonté de reconnaître et d'accommoder les groupes ethnoculturels minoritaires, pensons ici aux instigateurs du *Manifeste pour un Québec pluraliste*, inscrivent leurs réflexions dans ce paradigme. On doit être accommodant envers toute revendication faite par des individus au nom de la liberté de conscience, si leur demande est raisonnable.

Afin de déterminer si une demande d'accommodement religieux est digne d'être reconnue, les tenants de la gauche multiculturelle québécoise vont avoir recours à la raison pratique propre à tous les individus, ceux-ci étant, conformément à l'esprit des Lumières, égaux en droits et en raison. Pour ce faire, ces demandes doivent plutôt reposer sur des arguments intelligibles de façon universelle. Compte tenu de leurs désaccords moraux et religieux, il s'agit du seul élément que les individus raisonnables ont en commun à l'intérieur d'une société libérale. Les individus sont donc tenus de faire en sorte que leurs propos soient intelligibles pour leurs co-citoyens. Lorsque des individus ne s'entendent pas au sujet d'une dimension morale ou éthique de la vie bonne, ils ne doivent pas tenter de dépasser leur divergence morale. Au contraire, ils doivent plutôt s'affairer à justifier leurs positions de manière à ce qu'elles puissent être comprises et acceptées par les autres. Pour ce faire, ils doivent utiliser un langage fondé sur des arguments potentiellement généralisables et universalisables s'ils veulent être en mesure de discuter pacifiquement les uns les autres et de trouver des solutions politiques à leurs problèmes du vivre-ensemble et éviter de fonder leur raisonnement sur des conceptions particulières de la vie bonne, qui peuvent être religieuses ou séculières, qui sont tributaires d'un désaccord profond et irrémédiable entre les individus. Or sur la base que la raison est une faculté humaine également partagée, tous les individus, quelque soit leur conception particulière, religieuse ou séculière, de la vie bonne sont en mesure de se rejoindre autour de principes de justice universels conformément à l'héritage des Lumières.

Ainsi, lorsqu'un individu habitant dans une société libérale qui est ouverte à la remise en question de ses pratiques de gouvernance remet en question une norme sociale qu'il juge discriminatoire envers une de ses croyances – ce qui est inévitable compte tenu du fait que les normes sociales ne sont pas culturellement neutres et qu'elles tendent à favoriser la majorité – celui-ci doit utiliser la raison publique afin de pouvoir être entendu par « l'Autre » et de le convaincre que la règle se doit d'être modifiée. Compte tenu des arguments rationnels et potentiellement universalisable qui ressortiront de la conversation, la demande sera accordée si les arguments sur lesquels elle repose sont jugés satisfaisants et rejetée si les individus rationnels en viennent à la conclusion que d'autres arguments en sa défaveur ont plus de valeur. Ainsi, dans le cas des minorités religieuses, celles-ci utilisent principalement les arguments d'un droit égal à professer leur religion et que la situation dans laquelle ils se trouvent est discriminatoire pour eux : deux arguments totalement admissibles dans le cadre de la raison pratique. C'est uniquement autour d'arguments similaires issus de la raison publique que les individus qui soutiennent la nécessité qu'il y ait coercition et contrainte au droit à la liberté religieuse devront s'en tenir, notamment en faisant porter leur argumentation autour des droits d'autrui, de l'atteinte à l'ordre public, du principe de la sécurité publique, de la nécessité de protéger la santé ou les mœurs publics[6]. L'arbitrage entre ce qui est raisonnable et ce qui ne l'est pas ne doit donc se faire qu'à l'aune de la raison. Cette manière de gérer les demandes d'accommodements raisonnables qui est étroitement liée à la philosophie des Lumières est celle qui a été employée par la Cour suprême du Canada depuis 1985[7] et qui a fait couler beaucoup d'encre, notamment par une droite qui s'oppose aux accommodements raisonnables, dans le cas des décisions Amselem[8] sur la souccah juive et Multani[9] sur le kirpan.

Cette méthode de gestion du pluralisme qui est propre à ceux et à celles qui sont identifiés à la gauche politique fait en sorte que les valeurs, principes et choix de vie liés à ce que les membres des groupes minoritaires considèrent être constitutifs à une vie qui vaut la peine d'être vécue pourront être pleinement reconnus et accommodés, dans la mesure où ils sont qualifiés de raisonnables, garantissant ainsi leur liberté de conscience individuelle qui était si chère aux penseurs des Lumières. En ce sens, le fait de cataloguer les défenseurs de cette approche de « gauchistes » est tout à fait conforme à la pensée de ceux qui se retrouvaient dans cette réalité philosophique en juillet 1789 lorsque l'opposition gauche/droite a pris naissance et je ne crois pas que ses tenants au Québec, pensons notamment à Jocelyn Maclure, Dimitrios Karmis, Daniel Weinstock, Stephan Gervais, Pierre Bosset et Geneviève Nootens, ne s'offusqueraient de cette filiation, bien au contraire.

Par ailleurs, il est important de souligner que le culte de la raison chez les penseurs des Lumières avait contribué à un renouveau de l'idéal cosmopolitique comme l'Occident n'en avait pas connu depuis l'époque de l'Antiquité grecque. Si l'on considère que la faculté de se servir de son propre entendement est la caractéristique fondamentale et propre à tous les êtres humains, l'humanité doit donc être considérée comme une totalité unifiée. La prémisse universaliste de la raison humaine également partagée a lancé l'idée d'une certaine essence humaine cosmopolite. Par nature, les Hommes ont un point commun qui transcende toutes les autres différences: pensée admirablement bien résumée par Montesquieu lorsqu'il affirma être nécessairement homme par essence et Français que par hasard. C'est donc la raison pour laquelle ceux qui se sentaient imprégnés par l'esprit des Lumières chérissaient davantage leur appartenance au genre humain que leur appartenance nationale jugée artificielle. L'universalité de la raison a donc imposé à la politique de franchir les frontières de l'État et le devoir de s'internationaliser. L'espace politique, comme l'espace mental, avait pour les penseurs des Lumières la possibilité et le devoir de s'ouvrir aux perspectives de l'internationalisme.

L'avant-garde intellectuelle du XVIIIe siècle se voyait donc comme les membres d'une seule communauté, en l'occurrence celle de la république universelle. Diderot résumait bien cette tendance dans une lettre à David Hume où il écrivait: « Mon cher David, tu appartiens à toutes les nations, et tu ne demanderas jamais son extrait de naissance à un malheureux. Je me vante d'être comme toi citoyen de la grande cité universelle »[10]. Pour sa part, Kant soutenait que la plus haute intention de la nature humaine était d'arriver à un état de cosmopolitisme généralisé, tandis que Thomas Paine affirmait que son véritable pays était le monde et que tous les individus nonobstant leur nationalité étaient ses compatriotes[11]. Ce cosmopolitisme défendu par les penseurs des Lumières n'était en rien complémentaire aux attitudes nationalistes. Au contraire, celles-ci étaient perçues avec répulsion et étaient vues comme étant l'apanage des individus ignorants et nourris de préjugés. À cet égard, John Locke estimait que la division des Hommes entre différents États était le reflet d'une nature humaine pervertie, tandis qu'Alexander Pope déclarait que les nationalistes étaient des fous[12].

Sans aller jusque-là, les penseurs québécois de la gauche multiculturelle nourrissent également à leur manière une certaine réserve par rapport à la logique nationaliste d'une part et tendent, d'autre part, à favoriser des options cosmopolitiques, ce qui confirmerait encore davantage leur filiation avec les penseurs des Lumières. Jocelyn Maclure et Geneviève Nootens constituent de bons exemples à cet égard. S'inscrivant dans un paradigme résolument libéral, Maclure accorde évidemment une prépondérance à tout ce qui est relatif aux choix individuels et est un farouche partisan de la gestion des accommodements raisonnables telle qu'elle est conçue par la Cour suprême. Il a également développé avec Charles Taylor[13] une conception très ouverte de la laïcité qui se refuse à ériger des limites, outre celles qui découlent de l'arbitrage des demandes par le biais des principes de la raison pratique, communautaires ou historiques aux accommodements religieux, ce qui pour certains constitue une porte ouverte à la disparition de certains symboles particuliers de la nation canadienne-française qui sont inhérents à son essence collective. En d'autres termes, il refuse que l'idée de la « préservation du patrimoine historique ou traditionnel » des Canadiens français serve d'étalon de mesure afin de déterminer si une demande d'accommodement religieux devrait être accordée ou non. S'inspirant de la tradition libérale propre à John Locke, John Stuart Mill et John Rawls, Maclure défend le principe de la « souveraineté de la conscience individuelle » et lui subordonne tout élément qui tend à nuire l'autonomie morale de la personne, que ce soit des représentations religieuse ou séculière ou les dogmes nationalistes et communautaires. Cela entraîne inévitablement pour Maclure des répercussions sur l'intégration des groupes ethnoculturels minoritaires qui ne peut plus reposer sur des repères univoques. Au contraire, le modèle qu'il préconise permet aux immigrants de demeurer attachés à des croyances et pratiques qui sont distinctes de celles de la majorité. Dans ce modèle, l'unité de la communauté politique est donc radicalement différente[14]. C'est cette répercussion qui est principalement reprochée par la droite nationaliste québécoise qui voit dans cette approche une forme de « dénationalisation tranquille » et d'effritement des repères qui ont historiquement contribué à fonder le « nous collectif » du Québec.

Pour sa part, en plus de partager l'avis de Maclure au sujet de la gestion du pluralisme religieux au Québec, Nootens s'est démarquée depuis la dernière décennie par des écrits portant sur le cosmopolitisme et sur le dépassement des identités politiques nationales qui limitent, selon elle, la possibilité de fonder des systèmes démocratiques et de justice redistributive globaux[15]. Elle tend à critiquer le fait que le nationalisme ait été utilisé comme mécanisme visant à reproduire à une échelle plus large les liens naturels qui unissent des membres d'une même famille, des collègues ou des gens appartenant à une petite communauté restreinte. Par contre, avec la mondialisation économique, elle considère que la démocratie et l'éthique de la justice redistributive ne sont plus des principes exclusifs à l'espace stato-national. Au contraire, l'espace global se retrouve aujourd'hui investi d'une nécessité de se transformer en un forum démocratique et de co-responsabilité envers les autres. En effet, sur le plan démocratique, la déterritorialisation du capital fait en sorte qu'il y a désormais une asymétrie entre les actions des décideurs et la volonté démocratiquement exprimée des citoyens. Du côté de la justice redistributive, l'interdépendance planétaire dans laquelle nous vivons contribue à exacerber les inégalités sociales entre les sociétés post-industrielles et les pays en voie de développement qui sont objectivement inacceptables sur le plan moral et économique[16].

### Les fondements idéologiques de la droite

Si la gauche politique de 1789 a donné naissance à une forme de cosmopolitisme, les défenseurs de l'antirationalisme ont plutôt mis l'accent sur ce qui dissociait les hommes et ont combattu ce qui pouvait les unir. Le XVIIIe siècle fut donc un véritable champ de bataille intellectuel entre les penseurs de l'*Aufklärung* qui défendaient un idéal universaliste contre les anti-Lumières dont l'argumentaire reposait sur l'idée d'une compartimentalisation des hommes en des unités distinctes. Il n'est donc guère étonnant de constater que c'est dans ce sillage qu'a pris naissance l'idéologie nationaliste dont le représentant le plus fameux reste très certainement Johann Gottfried Herder.

Selon ce dernier, chaque nation se doit d'être considérée comme un organisme vivant dont les mœurs, les valeurs et les modes de vie ont été forgés par leur histoire respective, ce qui lie de manière naturelle les individus au contexte sociétal dans lequel ils naissent. Ainsi postulé, l'esprit national est objectif et s'exprime à travers une culture spécifique qui reflète l'âme de son peuple et ne dépend nullement de la volonté individuelle. Ce faisant, Herder en est venu à conclure à la singularité de toutes les nations et à l'incapacité pour les non-membres d'accéder à ce qui leurs sont constitutifs: idée qui a été reprise plus tard par Barrès qui soutenait être incapable de comprendre la civilisation grecque puisqu'il n'avait pas de sang hellénique dans les veines[17]. Compte tenu de l'impossibilité pour un étranger d'accéder à l'esprit d'une autre nation, il était donc nécessaire que les gouvernants et les gouvernés partagent le même esprit national et que l'influence étrangère n'ait aucune influence sur la prise de décisions. Pour Herder, pareille influence était gage d'affaiblissement des caractères nationaux et signe de décadence. Au contraire, l'esprit national se devait selon lui d'être isolé autant que possible. Pour Zeev Sternhell, Herder en tant que fondateur du nationalisme a eu une influence marquante sur les esprits de l'époque et a donné naissance aux désastres politiques qui se sont réclamés du nationalisme au cours du XXe siècle. Il écrit que cette conceptualisation tend à unir «chaque peuple et [à] divise[r] les nations [et qu'elle] tend à enfoncer chaque nation dans sa tradition, à entretenir la xénophobie comme stimulant intellectuel, et finalement à mettre en place un principe de la relativité généralisée qui oppose chaque nation à toutes les autres »[18].

Qu'en est-il des tenants de la droite nationaliste québécoise ? Peuvent-ils être considérés comme les disciplines intellectuels d'Herder[19] ? Évidemment, la réponse à cette question est négative. Tout lien en ce sens serait à mon sens inadéquat compte tenu du caractère radical du nationalisme herdérien. Je crois qu'il faut chercher ailleurs leur filiation avec les idéaux d'origine de la droite politique. Le mouvement de réaction « anti-Lumières » était composé de bien d'autres éléments. Cette école de pensée s'est développée autour d'une autre conception de la Modernité dont le point d'ancrage était l'importance de ce qui distingue les Hommes : anti-rationalisme, une insistance sur les coutumes communautaires en tant que principe d'action, par l'idée voulant que les sociétés sont régies par un ordre religieux transcendant et que la société est organisée autour d'une conception du droit naturel qui tend à déterminer le rôle et la place de chaque individu à l'intérieur de celle-ci. Évidemment, à l'instar du nationalisme herdérien, il serait profondément injuste d'attribuer tous ces principes aux individus qui défendent un idéal conservateur à l'égard de multiculturalisme au Québec[20]. Le seul point de concordance entre eux et la réaction « anti-Lumières » serait l'importance des traditions communautaires dans l'organisation du vivre-ensemble.

L'importance des traditions qui était invoquée au moment de la Révolution française peut se résumer à partir de la pensée d'Edmund Burke autour de la prédominance des « préjugés » sur la raison et sur le maintien des autorités établies. Ce dernier considérait que la Révolution française, en faisant table rase de tous les principes et habitudes de l'Ancien régime, était vouée à l'échec. Pour Burke, une telle attitude revenait à opposer « un progrès incertain aux certitudes du passé » et à « préconiser des innovations, dont on ne connaît pas les lendemains, à la sagesse accumulée par l'expérience »[21]. Le remplacement des institutions qui avaient prouvé leur efficacité au cours des décennies et des siècles par de nouvelles issues de la réflexion philosophique des Lumières reposait sur une prétention qui n'était pas à la hauteur de la nature humaine. Burke ne faisait confiance qu'à la « raison collective » des communautés qui était elle-même tributaire de ses « préjugés », c'est-à-dire des « opinions communes du présent provenant du passé, qui sont les opinions transmises par les traditions, les coutumes et les mœurs, qui sont les sentiments archaïques nous reliant aux autres »[22]. En d'autres termes, considérant la faiblesse des Hommes et leur incapacité à agir comme des êtres de raison, Burke croyait que l'expérience historique d'une communauté était en mesure de donner une direction aux actions individuelles et collectives. Ainsi, les individus ont toutes les raisons de faire confiance aux préjugés dans lesquels ils sont imprégnés. Pour Burke, la « sagesse pratique » jouit donc d'un statut supérieur par rapport à la « sagesse abstraite » des Lumières.

On retrouve pareil appel à la préservation des traditions nationales dans les travaux des tenants de la droite nationaliste québécoise, ce qui s'explique par ce qu'ils estiment être les effets négatifs de l'activité des « moi individuels » qui minent la possibilité de développer un projet collectif permettant de rassembler tous les citoyens nonobstant leurs appartenances sectorielles. Ces derniers insistent sur l'importance de repères communs qui font défaut en contexte de reconnaissance et d'accommodement du pluralisme ethnoculturel. Marc Chevrier par exemple estime que la culture des droits individuels – qui trouve une répercussion avec la jurisprudence des tribunaux canadiens en matière de gestion du multiculturalisme, notamment avec le droit à l'égalité et à la non-discrimination dans la profession des croyances religieuses[23] – tend à enfermer les individus autour d'une logique individualiste qui isole les hommes et les femmes de leurs co-citoyens[24]. Il en vient à regretter les sociétés qui privilégiaient une seule culture publique englobante : ce que le nationalisme a été historiquement en mesure de faire.

Pour Chevrier, la culture nationale constitue donc un rempart de choix contre l'individualisme et l'atomisation sociale. Elle permet, en ce sens, d'unir des individus en leur permettant de partager une loyauté politique commune en se définissant autour d'un arrière-fond culturel commun[25]. Il est donc possible d'affirmer que la culture nationale joue le même rôle structurant qui aura été celui de la religion à l'époque pré-moderne. Ainsi, et comme le rappelle Marcel Gauchet, à l'époque où la religion agissait comme source hétéronome de l'organisation des sociétés, toutes les règles du vivre-ensemble étaient imposées aux individus et aux sociétés[26].

Évidemment, depuis l'avènement de la modernité, la religion ne joue plus ce rôle. Nous habitons à une époque où il y a « sortie de la religion », c'est-à-dire une situation où celle-ci ne commande plus la structure de nos sociétés, sans pour autant signifier sa disparition totale. « La sortie de la religion, écrit Gauchet, c'est le passage dans un monde où les religions continuent d'exister, mais à l'intérieur d'une forme politique et d'un ordre collectif qu'elles ne déterminent plus[27]. » Même si nous ne pouvons que saluer l'époque moderne qui mise sur la capacité d'agir en fonction de son propre entendement, il faut tout de même admettre que le monde de l'hétéronomie permettait de garder les sociétés unifiées. En effet, la sacralisation du monde temporel articulée autour de l'intangibilité de sa règle permettait de désamorcer tous les facteurs d'instabilité au profit de l'unité sociale. Dans un tel monde, l'extériorité du fondement des règles sociales rendait impossible ses remises en question, assurant par le fait même l'harmonie du groupe. La culture nationale constitue, dans cette perspective, une réappropriation de la matrice théologico-politique d'antan. En d'autres termes, la nation et sa culture constituent ce que Gauchet nomme des « substituts religieux », c'est-à-dire l'installation dans le champ temporel d'éléments séculiers jouant un rôle similaire à la religion et permettant d'accorder une transcendance à des éléments terrestres. Gauchet écrit que :

> L'entreprise s'inscrit dans le prolongement direct de la recomposition à la fois concurrentielle et mimétique des pouvoirs temporels par rapport à l'Église. Elle constitue une systématisation de leur long travail pour asseoir une sacralité qui simultanément leur soit propre et vaille celle administrée par la hiérarchie spirituelle. Le supplément de sacralisation, en l'occurrence, va consister à élever par la perpétuité les institutions de la terre au rang des entités du ciel – à transformer les corps terrestres en personnes angéliques. (...) [Cela va contribuer] à faire surgir une catégorie nouvelle d'êtres sacrés, personnes abstraites, fantômes collectifs, dont nous sommes membres et qui nous écrasent, déités de l'immanence que nul n'a vues et auxquelles pourtant nous ne cessons de nous dévouer, l'État invisible et la Nation éternelle[28].

Ainsi, de manière objective, certains aspects de la culture nationale, notamment des coutumes, des habitudes, des valeurs, des croyances, des modes de vie ou des façons de penser, vont se faire élever à un statut d'ordre quasi spirituel et vont devenir des éléments essentiels, on pourrait même dire essentialisés, du socle culturel d'un groupe et vont permettre de le définir. C'est en ce sens que Michael Keating affirme que « la culture nationale procure à la collectivité les symboles de son identité »[29] et que l'appartenance à une culture nationale va permettre de contrebalancer l'élément constitutif des Lumières, soit la prééminence de la raison individuelle[30].

Il y a donc tout lieu de prétendre que la culture nationale joue un rôle important pour l'unité d'une communauté et que le principe de la nationalité influence l'harmonie sociale, dans la mesure où, à l'instar de la religion à l'époque pré-moderne, la culture nationale « sous-tend un ensemble de valeurs sociales susceptibles d'assurer un consensus et fixe les limites du débat et de la division politique » et « représente un (...) mode d'interprétation de la réalité sociale »[31] qui permet à une communauté politique de se doter d'un outillage mental collectif[32]. En somme, c'est sur ce point que la droite nationaliste se définit et s'oppose au projet de l'éthique libérale de la reconnaissance et de l'accommodement des minorités ethnoculturelles. C'est autour de son insistance sur les croyances communes, rôle occupé par le nationalisme, qu'elle se trouve en filiation avec le projet « anti-Lumières » qui a été au cœur du développement de la droite politique et du mouvement conservateur.

Cette croyance dans l'utilité de références culturelles communes se répercute en tant que condition *sine qua non* à la possibilité qu'il puisse y avoir une vie démocratique ainsi qu'un système de justice redistributive stable, ce que Nootens tente de dépasser dans ses travaux. Dans cette perspective, et pour reprendre les mots de Craig Calhoun, le nationalisme n'est pas pour les tenants de la droite nationaliste une « erreur morale »[33]: idée partagée par une multitude d'individus, dont Gauchet, Pierre-André Taguieff, Pierre Manent ou David Miller. Dans le cas québécois, le propos de Mathieu Bock-Côté est révélateur de cette croyance. Pour ce dernier, la présence d'un *demos* dépend nécessairement de la présence préalable d'un *ethnos* qui permet au regroupement d'individus de trouver les éléments constitutifs à leur identité commune et que, conséquemment, « La nation doit s'épaissir d'une culture, d'une mémoire, de traditions – pour le dire avec Fernand Dumont, de *raisons communes* »[34]. Sans cet esprit commun, la démocratie et la solidarité sont impensables. Il soutient à cet égard une thèse très connue et peu originale qui est propre à la philosophie politique. Il écrit que:

> La démocratie libérale ne peut s'établir sans localiser d'abord son espace national, ce qui, par ailleurs, nous rappelle le caractère probablement indépassable de l'État-nation. Il faut aux hommes la conviction d'appartenir à une communauté d'histoire qui leur survivre pour consentir à la décision majoritaire lorsqu'ils n'y souscrivent pas et reconnaître au-delà des divisions sociales un bien commun, un intérêt public qui, aussi indéterminé soit-il lorsqu'il s'agit de le définir analytiquement, n'en demeure pas moins un concept opératoire fondamental pour penser l'approfondissement de la démocratie comme expérience du vivre-ensemble[35].

Il ajoute: « Le contractualisme libéral (...) n'a jamais su transformer par lui-même (...) une feuille d'impôt en disposition au sacrifice[36] ».

Dumont reproche aux tenants de la gauche multiculturelle de vouloir fonder l'unité politique sur des principes culturellement aseptisés, valeurs communes ou patriotisme constitutionnel habermassien, de se nourrir d'une chimère[37]. La proposition libérale formulée par Maclure au sujet de l'organisation du vivre-ensemble dans les sociétés diversifiées sur le plan ethnoculturel est visée directement par cette critique. Alors que Maclure et Nootens considèrent le lien entre le *demos* et l'*ethnos* comme étant une simple contingence, Bock-Côté et la droite nationaliste québécoise y voient une nécessité incontournable[38].

## Conclusion

On voit bien que l'opposition actuelle entre la gauche multiculturelle et la droite nationaliste s'articule autour de deux paradigmes opposés. D'une part, les premiers manifestent une sensibilité pour le cosmopolitisme et pour un certain dépassement de la logique nationaliste au profit d'un contractualisme culturellement neutre, tandis que les seconds font du nationalisme un principe nécessaire et indépassable du vivre-ensemble tant pour contrer l'atomisme que pour organiser des relations éthiques intersubjectives.

Évidemment, le projet identitaire de la droite conservatrice québécoise ne s'articule pas exclusivement autour des éléments évoqués dans ce texte. Il est également conditionné par une certaine compréhension de la laïcité qui se rapproche énormément du modèle français et qui s'oppose à l'approche « ouverte » défendue par la gauche multiculturelle. Le débat entre les tenants du *Manifeste pour un Québec laïque et pluraliste* et du *Manifeste pour un Québec pluraliste* à l'hiver 2010 a été révélateur de cette opposition. Cela s'explique par le fait que l'accommodement raisonnable est perçu comme étant un retour du religieux dans la sphère publique, c'est-à-dire une situation qui s'apparente à un retour à une période noire de l'histoire du Québec que l'on croyait avoir évacué avec la Révolution tranquille.

## Notes et références

1. Hanspeter Kriesi *et al.*, *West European politics in the age of globalization,* Cambridge, Cambridge University Press, 2008; Hanspeter Kriesi et al., « Globalization and the transformation of the national political space: Six European countries compared », *European Journal of Political Research,* vol. 45, 2006, p. 921-956; Herbert Kitschelt et Anthony J. McGann, *The Radical Right in Western Europe. A Comparative Analysis*, Ann Arbor, University of Michigan Press, 1997; Michael Laver, Kenneth Benoit et John Garry, « Extracting policy positions from political texts using words as data », *American Political Science Review,* vol. 97, 2003, p.311-331; Ian Budge *et al.*, *Mapping policy preferences: Estimates for parties, electors, and governments, 1945-1998*, Oxford, Oxford University Press, 2001; Michael Laver et John Garry, « Estimating policy positions from political texts », *American Journal of Political Science,* vol. 44, 2000, p. 619-634.
2. À titre d'exemple, Jean-Louis Pérez affirme que « la gauche du multiculturalisme veut détruire l'âme nationale du peuple canadien-français », que la gauche « ne fait que détruire le pouvoir politique de la majorité nationale du Québec » et qu'elle est « dénationalisée de ses origines historico-culturelles ». Chez Mathieu Bock-Côté, l'amalgame entre « gauche » et « multiculturalisme » est devenu une évidence. Il écrit: « le multiculturalisme comme idéologie trouve sa genèse dans la transformation du progressisme, par la conversion contre-culturelle du marxisme, et s'est présenté comme le nouveau projet de transformation sociale radicale porté par la gauche ». Pour lui, il faut opposer à cette orthodoxie une pensée nationale conservatrice chargée de donner un sens commun aux Québécois par le biais d'une identité déterminée autour d'une tradition historique. Pour Charles Taylor, un des éléments constitutifs de la nouvelle droite américaine est son opposition, contrairement à la gauche, à l'octroi de « droits spéciaux » aux groupes minoritaires ou qui ont été historiquement exclus. Voir « The Politics of Recognition », dans David Theo Goldberg (dir.), *Multiculturalism: a critical reader,* Cambridge, Massachusetts, Blackwell, 1994, p. 111. Cette appréciation de l'opposition gauche-droite en regard du multiculturalisme est bien évidemment conditionnée par le fait

que les principaux partis politiques qui s'opposent ou qui critiquent le pluralisme sont associés à la droite politique, ou à l'extrême-droite (Action démocratique du Québec, Front national, British National Party). Cet avis est partagé par Wouter van der Brug et Joost van Spanje, « Immigration, Europe and the "new" cultural dimension », *European Journal of Political Research* , no. 48, 2009, p. 309-334. Pour sa part, Guillaume Rousseau parle de « gauche identitaire » pour définir ce qui est maintenant au cœur de ce qui est défendu par ce regroupement idéologique (l'opposition entre les bourgeois et les prolétaires s'étant effacée avec la « fin de l'histoire » de Fukuyama). Voir « Judiciarisation des identités, multiculturalisme et échec de la gauche : comment sortir de l'impasse ? », *L'Action nationale,* vol. 95, no. 8, 2005, p. 50-63 ; « Judiciarisation des identités, multiculturalisme et échec de la gauche : comment sortir de l'impasse (suite) ? », *L'Action nationale,* vol. 95, no. 9, 2005, p. 55-74. Pour une analyse intéressante et pertinente de la sensibilité conservatrice québécoise, voir Chedly Belkhodja, « Le discours de la nouvelle sensibilité conservatrice au Québec », *Canadian Ethnic Studies/Études ethniques au Canada,* vol. 40, no. 1, 2008, p. 79-100.

3. Pour donner un exemple classique, le libéralisme était en 1789 associé à la gauche politique, alors qu'il s'est retrouvé associé à la droite à partir du XX^e siècle avec la montée du mouvement socialiste qui s'est approprié l'étiquette de gauche politique. Voir aussi mon texte « La droite et le conservatisme de la Révolution française à nos jours : continuité ou rupture ? » dans Nelson Michaud (dir.), *Droite et démocratie au Québec : enjeux et paradoxes,* Québec, Presses de l'Université Laval, 2007, p. 25-54.
4. Il existe une vaste littérature autour des idéaux constitutifs à la première opposition gauche-droite. Voir à cet égard René Rémond, *Les droites en France,* Paris, Louis Audibert, 1954 ; Jean-François Sirinelli et Éric Vigne, « Introduction », dans Jean-François Sirinelli (dir.), *Les droites françaises de la Révolution à nos jours,* Paris, Gallimard, 1992 ; Michel Winock, *La droite depuis 1789. Les hommes, les idées, les réseaux,* Paris, Seuil, 1995.
5. Charles Taylor, « L'identité et le bien », *Les Sources du moi. La formation de l'identité moderne,* Montréal, Boréal, 1998, p. 15-147.
6. C'est ce que précise la Cour suprême dans R. *c.* Big M Drug Mart Ltd., [1985] 1 R.C.S. 295, p. 53 ainsi que la Convention européenne de sauvegarde des droits de l'homme et des libertés fondamentales à l'article 9 (2).
7. Dans le cadre de la décision Commission ontarienne des Droits de la Personne *c.* Simpsons-Sears, [1985] 2 R.C.S. 536.
8. Syndicat Northcrest *c.* Amselem, [2004] 2 R.C.S. 551, 2004, CSC 47.
9. Multani *c.* Commission scolaire Marguerite Bourgeoys, 2006, 1 R.C.S. 256, 2006 CSC 6.
10. Denis Diderot, *Correspondance,* Paris, Georges Roth, 1962, 22 février 1711.
11. Pour une liste exhaustive de citations de l'époque, voir Peter Coulmas, *Les citoyens du monde. Histoire du cosmopolitisme,* Paris, Albin Michel, 1995, p. 206-209.
12. *Ibid.*,p. 210.
13. Jocelyn Maclure et Charles Taylor, *Laïcité et liberté de conscience.* Montréal, Boréal, 2010.
14. *Ibid.*, p. 26.

15. Voir notamment *Désenclaver la démocratie: des Huguenots à la paix des Braves*, Montréal, Québec Amérique, 2004 et *Souveraineté démocratique, justice et mondialisation: essai sur la démocratie libérale et le cosmopolitisme*, Montréal, Liber, 2010.
16. Geneviève Nootens, *Solidarité démocratique, justice et mondialisation. Essai sur la démocratie libérale et le cosmopolitisme*, Montréal, Liber, 2010, p. 10.
17. Zeev Sternhell, *Les anti-Lumières: du XVIIIe siècle à la guerre froide*, Paris, Fayard, 2006, p. 376.
18. *Ibid.*, p. 396.
19. Pour Montserrat Guiberneau, il s'agit de la caractéristique principale des partis nationalistes de droite en Europe. Montserrat Guiberneau, *The Identity of Nations*, Cambridge, Polity Press, 2007, p. 145.
20. La seule exception notable serait la revue *Égards* dont l'écho et le tirage restent marginaux.
21. Jean-Marc Piotte, *Les grands penseurs du monde occidental*, p. 310.
22. *Ibid.*, p. 309.
23. Les normes sociales n'étant pas neutres, il est normal de voir des remises en question provenant des groupes minoritaires qui vont exiger une intégration de leur réalité dans les normes sociales qui, par leur biais, souffrent d'un déni de reconnaissance et d'une discrimination directe, ou plus insidieuse, lorsqu'elle est indirecte en vertu d'une règle qui est en apparence «neutre», c'est-à-dire qui s'applique de la même façon à tous, mais qui produit néanmoins un effet discriminatoire sur un seul groupe de personnes en ce qu'elle leur impose des obligations ou des conditions restrictives. À titre d'exemple, les horaires de travail qui sont organisés autour des croyances du groupe ethnoculturel dominant peuvent être discriminatoires pour certaines personnes dont leur religion prescrit l'observance d'une journée de repos autre que le dimanche. Cela peut aussi être le règlement scolaire qui interdit le port de vêtement distinctif ou la possession d'armes par les élèves, alors que certaines religions prescrivent à leurs membres de porter le *hidjab* ou un couteau cérémonial comme le kirpan. Il s'agit ici du propre des luttes pour la reconnaissance qui vont passer principalement par la remise en question des pratiques de gouvernance et qui vont paver la voie à la notion juridique des accommodements raisonnables. Les groupes revendicateurs appuient leurs revendications sur l'idée que leur droit égal à la profession de leurs croyances religieuses est bafoué par les normes sociales.
24. Marc Chevrier, *Le temps de l'homme fini*, Montréal, Boréal, 2004, p. 18.
25. David Miller, «Une défense de la nationalité», dans Bernard Baertschi et Kevin Mulligan (dir.), *Les nationalismes*, Paris, PUF, 2002, p. 41-42.
26. Marcel Gauchet, *Le désenchantement du monde: une histoire politique de la religion*, Paris, Gallimard, 1985, p. 41.
27. Marcel Gauchet, *La religion dans la démocratie: parcours de la laïcité*, Paris, Gallimard, 1998, p. 11.
28. Marcel Gauchet, *Le désenchantement du monde: une histoire politique de la religion*, *op. cit.*, p. 119-120.

29. Michael Keating, *Les défis du nationalisme moderne,* Montréal et Bruxelles, Les Presses de l'Université de Montréal et les Presses interuniversitaires européennes, 1997, p. 23.
30. Le principe de l'autonomie individuelle en est venu à reposer sur la raison humaine, ce qui a fait dire à Emmanuel Kant que la devise des Lumières était d'avoir le courage de se servir de son propre entendement. Emmanuel Kant, *Oeuvres philosophiques,* tome 2, Paris, Gallimard, 1985, p. 209.
31. *Ibid.*, p. 23.
32. C'est en ce sens que Gérard Bouchard soutient que « L'objectif de tout discours collectif (le discours national, par exemple) est de produire de la cohésion, ce qui s'accorde avec sa finalité qui est de convaincre, de réaliser un consensus autour d'un ensemble de propositions fondatrices, d'inculquer des représentations communes, de soutenir des programmes d'action, de structurer des modèles de conduite », dans *Raison et contradiction. Le mythe au secours de la pensée,* Montréal, Nota Bene, 2003, p. 31.
33. Craig Calhoun, *Nations Matter : Culture, History, and the Cosmopolitan Dream,* London & New York, Routledge, 2007, p. 1.
34. Mathieu Bock-Côté, *La dénationalisation tranquille. Mémoire, identité et multiculturalisme dans le Québec postréférendaire,* Montréal, Boréal, 2007, p. 42.
35. *Ibid.*, p. 45. Margaret Canovan résume bien cette croyance. Elle écrit : « (...) political philosophers have shared [the] unconscious tendency to take nations and national boundaries for granted. (...) eloquent silences can in retrospect be detected within the debates on social justice that occupied so much of the attention of political philosophers. Theorists of justice rarely stopped to ask why sharing of resources should happen within this particular group of people, taking for granted the existence not only of a state but (more crucially) of a political community owning collective resources and sharing communal solidarity. Although the explicit purpose of John Rawls's « Original Position » and « Veil of Ignorance » was to enable him to arrive at principles of justice undistorted by « the accidents of nature and social circumstance » (such as birth into a privileged caste or race), Rawls took for granted that these principles applied only inside « a self-contained national community » recruited primarily by birth — an assumption shared unreflectively by almost all of those who debated the theory over twenty years », Margaret Canovan, « Sleeping Dogs, Prowling Cats, and Soaring Doves : Three Paradoxes of Nationhood », dans Michel Seymour (dir.), *The Fate of the Nation-State,* Montréal & Kingston, McGill-Queen's University Press, 2004, p. 20-21.
36. *Ibid.*, p. 44.
37. Il se plaît à discuter de l'exemple européen qui s'est doté sur le plan juridique d'une identité européenne en 1992 avec le Traité de Maastricht. Toutefois, il la qualifie de notion artificielle puisqu'elle ne repose sur aucune prémisse culturelle. Les données *Eurobaromètres* confirment en effet qu'elle a peu de résonance auprès de la population qui continue à se penser très majoritairement autour des identités nationales.
38. C'est le cas de Joseph-Yvon Thériault et de Jacques Beauchemin.

# La droite conservatrice, le nationalisme québécois et le lien social

CHRISTIAN NADEAU
*Université de Montréal*

Écrire un texte sur le conservatisme au Québec dans une revue d'histoire n'est pas chose facile pour un philosophe. Mon travail est celui de la philosophie normative, ou de la réflexion sur les choix politiques et moraux qui s'offrent à nous. Afin de donner suite à la publication de mon livre sur Stephen Harper[1], qui est pour l'essentiel une critique de la politique des conservateurs depuis leur première élection en 2006, je souhaite maintenant me pencher sur le phénomène du conservatisme québécois. À la rigueur, je crois maintenant connaître un peu mieux le mouvement conservateur canadien, mais le conservatisme québécois m'a toujours paru très différent. Dans ce qui suit, je présente sans ordre particulier, un peu comme dans une discussion à bâtons rompus, quelques pistes en vue d'une réflexion que j'espère développer de manière plus rigoureuse un jour prochain, sur ce que fut la pensée conservatrice au Québec et peut-être continue de l'être. Plus précisément, je voudrais m'interroger sur les possibilités d'un rapprochement entre deux mouvements conservateurs distincts et pourtant proches à plusieurs égards, le conservatisme québécois et le conservatisme canadien.

## La spécificité du conservatisme québécois

Dans un ouvrage récent[2], Frédéric Boily a bien montré comment il serait difficile de vouloir réduire les différentes conceptions du conservatisme à quelques idées générales. Comment en effet associer des penseurs aussi étrangers les uns aux autres que Lionel Groulx ou Fernand Dumont ? Suite à la lecture de l'ouvrage de Boily, dont je m'inspirerai beaucoup ici, il me semble toutefois que nous pouvons maintenant identifier une certaine spécificité du conservatisme québécois. Quelle est-elle ? Mon intuition, que je ne pourrai évidemment pas étoffer ici, est que cette spécificité tient en son ancrage historique. Le conservatisme québécois est très difficile à séparer du nationalisme, même s'il existe et continue d'exister une tradition conservatrice profondément québécoise, mais attachée à l'idée d'un Canada uni. Il reste que le conservatisme a toujours été un acteur très présent de la scène politique et intellectuelle au Québec ; on peut parler des créditistes et des unionistes, mais aussi de la frange conservatrice présente dès la création du Parti québécois, jusqu'à l'Action démocratique. Si le visage du conservatisme québécois me semble un peu flou aujourd'hui, il y a fort à parier que le grand écueil de Stephen Harper au Québec pour les prochaines années est moins de contrer la gauche que de réunir la droite sous une même bannière fédéraliste. À l'encontre de ce qu'on entend souvent, je ne crois pas que les conservateurs de Harper continueront d'ignorer le Québec – comme ils l'ont visiblement fait lors des dernières élections de 2011 – en se concentrant sur l'Ontario et les provinces de l'ouest. À mon avis, il suffirait que les conservateurs fassent plusieurs concessions symboliques et surtout, quelques promesses constitutionnelles, pour que le conservatisme en général et le Parti conservateur en particulier aient un très bel avenir devant eux, à moins qu'une mobilisation populaire sans précédent empêche une telle chose, ce dont je ne pourrai pas parler ici. Une première chose que peut faire la gauche est de tenter de comprendre comment le conservatisme pourrait devenir au Québec un mouvement de fond aussi puissant qu'il l'est par exemple en Alberta.

Mon idée est qu'il existe un conservatisme nationaliste au Québec avec lesquels les conservateurs de Harper auront tout intérêt à collaborer. Ces deux conservatismes présentent une vision du lien social qu'ils opposent à celle de la gauche dont ils dénoncent le caractère désincarné. J'y reviendrai plus loin. Je ne crois pas qu'une réelle concertation sera possible entre conservateurs nationalistes québécois et les conservateurs des provinces de l'Ouest, mais je pense qu'ils profiteront mutuellement de leurs succès politiques, et ce même si le nationalisme était au cœur du conservatisme québécois. Les dernières élections fédérales de 2011 ont permis l'élection de nombreux députés du Nouveau parti démocratique, associé à la gauche, mais on ne pourrait pas en déduire pour autant que le Québec dans son ensemble est passé à gauche. C'est la raison pour laquelle il importe aujourd'hui pour la gauche de comprendre la dimension historique du conservatisme québécois, au lieu de le traiter comme un simple phénomène de mode ou comme une tendance électorale.

### Les droites et le conservatisme

Tout d'abord, il s'agit de bien distinguer les catégories. Le conservatisme est généralement associé à la droite[3]. Bien entendu, certains groupes actuels se qualifient eux-mêmes à droite sans qu'il soit vraiment possible de les associer au conservatisme standard (je pense au Réseau Liberté Québec par exemple, ou aux protagonistes du libertarisme au Québec, comme l'Institut économique de Montréal). Pour être plus précis, je parlerai de droite conservatrice pour désigner une droite qui serait largement inspirée des idées et des principes du conservatisme, pour la distinguer d'une droite qui se veut neutre au sujet des valeurs défendues par le conservatisme, et qui serait essentiellement préoccupée par les considérations économiques ou par les questions de liberté individuelle. Ces deux mouvements de droite ont toutefois de bonnes raisons de rechercher des alliances profondes, même si leurs vues s'opposent parfois radicalement, par exemple au sujet du rôle de l'État, ou encore au sujet de la question nationale. Malgré tout, nous avons de bonnes raisons de croire en une recrudescence du nationalisme au sein de la droite québécoise, laquelle sera pressée de s'engager dans cette voie par sa frange conservatrice.

On le sait, la droite ou le centre droit au Québec, pensons au Parti libéral du Québec par exemple, n'ont jamais été tout à fait des champions de la cause nationaliste. Mais il ne serait pas étonnant que se forme peu à peu une tendance lourde au sein de la droite en faveur de la souveraineté du Québec, à l'instar des Joseph Facal, Lucien Bouchard et autres « lucides » souverainistes. Comme chacun sait, cette tendance existe déjà bel et bien, mais elle est encore relativement marginale. Il y a toutefois de bonnes raisons de croire qu'elle s'affirmera de plus en plus, surtout si la gauche n'y prend pas garde et préfère ses débats internes au détriment d'une discussion ouverte avec l'ensemble de la population québécoise. Ni le philosophe ni l'historien ne disposent d'une boule de cristal et il vaut mieux être prudent lorsqu'on s'avance à faire de telles prédictions. Toutefois, le discours nationaliste, qui a longtemps été l'apanage de la gauche, semble maintenant conduit par la droite conservatrice, ce qui ne veut absolument pas dire qu'il deviendra intrinsèquement de droite. Ne serait-ce que parce qu'il continuera d'être défendu par la gauche, le nationalisme risque de devenir moins le cœur que le véhicule des idées de la droite conservatrice, a fortiori s'il fait alliance avec la droite dite économique. Encore une fois, il ne s'agit que d'une simple intuition et je ne prétends pas ici faire autre chose que d'esquisser un cadre général pour comprendre ce à quoi nous assistons depuis quelque temps et ce qui risque de se produire au cours des prochaines années.

Reste à savoir quel pourrait être au juste le contenu de ce renouveau du conservatisme au Québec. À mon sens, son union avec la droite économique ferait de lui l'un des principaux obstacles aux mouvements sociaux. Cette opposition se fera sur la base d'un arsenal d'arguments renouvelé, où les idées économiques habituelles de la droite seront revisitées par les principes des conservateurs, ce qui encore une fois est déjà partiellement le cas, par exemple comme nous pouvons le voir dans les propos d'un

Lucien Bouchard où la croissance économique du Québec est présentée d'emblée comme un argument nationaliste, comme si une telle croissance allait nécessairement avantager tous les Québécois sans distinction. Nous assisterons à des oppositions de plus en plus fortes aux revendications des groupes sociaux, que ce soit du côté des syndicats ou des mouvements communautaires, mais aussi du côté des groupes de défense des droits des minorités, ou encore des groupes écologistes. Or, ces mouvements sociaux ont toujours eu au Québec un rôle essentiel. Il s'agit d'acteurs au centre de ce que nous pourrions nommer la vie citoyenne du Québec. Comme les syndicats, les mouvements communautaires ont toujours représenté non seulement la défense des plus défavorisés, mais ont joué un rôle de premier ordre lorsqu'il s'agissait de mieux définir des besoins qui étaient auparavant indéterminés tout en proposant des moyens efficaces pour résoudre ces problèmes. Pensons par exemple à l'assurance-maladie, qui n'aurait probablement jamais vu le jour sans le travail des forces progressistes au Québec. Aujourd'hui, des organisations comme le MQRP (Médecins Québécois pour le Régime Public), continuent de défendre l'accès aux soins de santé tout en proposant des pistes intéressantes pour éviter la détérioration du système public de santé. Or, c'est précisément à cet idéal égalitaire que s'attaqueront les conservateurs et leurs alliés de droite, en prétextant à la fois une juste interprétation du passé et ce que ce qui devrait être notre avenir.

## Conservatisme et égalitarisme

On pourrait croire que la défense tous azimuts du secteur privé, au détriment des mesures sociales favorables au plus grand nombre, est du seul ressort de la droite économique. Mais là où le conservatisme joue un rôle important est précisément dans son opposition à ce qui lui semble être un égalitarisme radical et nuisible. Pour s'opposer à cet égalitarisme, encore faut-il remettre en question son importance historique. Lorsque la gauche répond à la droite en faisant référence à l'héritage de la Révolution tranquille, la droite lui répond qu'elle s'est trompée d'histoire, et qu'en réalité l'égalitarisme et les grands projets de justice sociale sont des parenthèses qui ont fini par détourner les Québécois de ce qu'ils sont en propres. La droite conservatrice s'oppose ainsi aux mouvements sociaux dans la mesure où ils furent et demeurent les fers de lance des réformes sociales les plus importantes, que ce soit au niveau de la santé, de l'éducation ou encore même de la vie politique. La véritable motivation de cette opposition aux volontés de réforme sociale tient peut-être en ce qu'elles accaparent le discours politique et le détourne de ce que la droite veut voir comme étant le nationalisme historique. Une telle opposition au progressisme ne surprend pas de la part des partisans du conservatisme, mais elle a au Québec ceci de particulier que les progressistes sont accusés d'avoir dénaturé le projet nationaliste en en faisant essentiellement un mouvement social et politique, indépendant des valeurs et de l'histoire propre au Québec, dans la mesure où une telle chose existe. Sans se déclarer d'emblée hostile à tout programme inspiré de la gauche et des sociaux-démocrates, la droite conservatrice voit dans l'enracinement national la condition nécessaire à toute édification d'un projet politique, quel qu'il soit (Boily, p. 127).

Bref, la critique des conservateurs a été moins un appel à la gauche qu'une critique de cette dernière. Au lieu de vérifier si la gauche d'aujourd'hui au Québec est capable de renouer avec une certaine conception du nationalisme, celle héritée de la Révolution tranquille, mais surtout des grands mouvements sociaux des années 1960 et 1970, une tradition que nous pourrions rattacher par exemple à des figures importantes comme Gérald Godin, elle lui reproche sa mollesse à l'égard de la question nationale. Dès lors, c'est l'interprétation même de ce que signifie le nationalisme, et de ce qu'ont pu vouloir dire les luttes pour la souveraineté au Québec depuis de nombreuses années, qui est en cause.

La droite conservatrice nationaliste se cherche encore une niche politique au sein de la droite québécoise et il n'est pas certain qu'elle puisse former un véritable parti de sitôt, car ses deux frères ennemis, la droite libertarienne du Québec et la droite conservatrice canadienne, appartiennent à des traditions politiques et culturelles entièrement différentes, tant et si bien que s'ils partagent un même vocabulaire, ils ont et continueront d'avoir beaucoup de mal à se comprendre. La droite libertarienne sera un allié provisoire. La droite conservatrice canadienne pourrait être un allié stable, à la condition que celle-ci soit capable d'une réelle ouverture à l'égard des revendications du Québec.

Reste l'obstacle, s'il est permis de parler ainsi, de la gauche au Québec. Toute la question est de savoir de quelle manière seront abordées les revendications nationales québécoises au cours des prochaines années. Pour le moment, il semble que la droite se soit réapproprié un domaine qui semblait être la chasse gardée de la gauche. Qu'on s'en réjouisse ou non, il serait très étonnant que des dizaines d'années de discordes et de batailles en faveur de la souveraineté du Québec tombent dans l'oubli. Si la droite conservatrice se focalise sur la question nationale et si la gauche la met entre parenthèses, il y aura nécessairement un mouvement vers la droite de bon nombre de ceux qui au Québec voient la question nationale comme la préoccupation politique par excellence, celle qui l'emporte sur toutes les autres. La réponse de la gauche ne devrait pas nécessairement être de se réinvestir dans le nationalisme. Mais elle devra tenir compte du fait que la droite conservatrice saura reprendre à sa manière les revendications du Québec.

Soyons clairs, quitte à dire des évidences: le nationalisme n'est pas constitutif de la droite conservatrice et vice versa. La droite conservatrice ne saurait donc grandir et prendre de l'importance au Québec en tablant sur la seule question nationale. Elle peut toutefois la décliner sur plusieurs registres, par exemple en utilisant le nationalisme pour lutter contre le pluralisme culturel. La gauche au Québec commence à reconnaître qu'il y avait quelque chose d'étrange à rattacher la soi-disant « identité » du Québec et les « valeurs » québécoises aux principes de justice sociale, comme l'ont fait à plusieurs reprises des leaders politiques comme Gilles Duceppe. Or, et contrairement à l'image que bon nombre de Québécois voudraient avoir d'eux-mêmes, une telle association entre les soi-disant « valeurs » des Québécois et la justice sociale est loin d'aller de soi. Il n'y a pas d'identité forte entre les deux, mais il n'y pas non plus de contradiction, comme l'a bien démontré mon collègue Michel Seymour dans ses travaux sur la reconnaissance et la revendication des droits collectifs[4]. Il reste que si la gauche s'est un temps emparé du slogan sur les valeurs et l'identité des Québécois, la droite québécoise risque elle aussi de vouloir s'autoproclamer championne des « valeurs » québécoises si elle entend poursuivre son flirt avec le nationalisme.

Pour le moment, je crois qu'il manque à la droite conservatrice au Québec un projet clair et cohérent, ce dont au contraire ont été capables les conservateurs de Stephen Harper. Mais ce discours est déjà en train de prendre forme – mais il a été largement contaminé par les démagogues comme on a pu le voir au moment de la crise des accommodements raisonnables et avec toute la polémique entourant le cours d'Éthique et culture religieuse. Il suffirait que la droite conservatrice fasse moins de place à la démagogie pour qu'elle devienne une menace sérieuse pour les progressistes du Québec.

Comme pour les conservateurs de l'Ouest, l'ennemi désigné est le relativisme moral. Le multiculturalisme est attaqué parce qu'il supposerait un régime de normes propres à chaque culture, ce qui empêcherait l'intégration, et donc par ce fait même la cohésion nationale et la cohésion historique du peuple québécois. L'apport du conservatisme à la droite est la reconnaissance des liens profonds qui unissent les individus au sein d'une même société, alors que la pensée de droite économique se méfie des groupes et lui préfère des structures sociales dont les individus sont les seuls acteurs. Les conservateurs peuvent modifier cette vision des choses à droite en montrant que le véritable problème n'est pas tant de penser en termes de groupes, mais de définir ce qui constitue un groupe pertinent. Pour les conservateurs nationalistes, le seul groupe qui soit vraiment pertinent est celui associé à la nation. La gauche est quant à elle souvent critiquée parce qu'elle défendrait les intérêts des groupes par exemple, les ouvriers, les personnes défavorisées, les communautés culturelles minoritaires, au détriment des individus. Elle accorderait une trop grande latitude au pouvoir d'action de l'État ce qui aurait pour effet de diminuer les libertés individuelles. Comme les conservateurs, la gauche refuse l'idée selon laquelle nos sociétés seraient composées d'atomes sans portes ni fenêtres, où chaque individu serait seul responsable de ses actes. Pour les conservateurs comme pour la droite, il existe des liens sociaux profonds entre les individus au point où nous pouvons leur associer une histoire commune. Mais alors que la gauche déduit de ces liens une obligation sociale de solidarité, où chacun défend autrui pour ce qu'il est en propre et non conditionnellement à son allégeance à une identité historique forte, la droite conservatrice voit au contraire dans cette identité une exigence indispensable à toute vision commune de l'avenir de la nation.

Si les luttes entre la gauche et la droite ont pour terrain la question nationale, ou plus précisément, si l'un des terrains de cette lutte est la question nationale, ce sont deux compréhensions complètement différentes de ce que signifie le lien social qui s'opposeront. En ce moment, on entend régulièrement à droite que la lutte pour le pluralisme et la justice sociale sont contraires voire hostiles à l'idée même d'une union entre les citoyens en vue d'un projet commun. Rien n'est moins certain. Dans les deux cas, il existe bien une vision de ce que fut, ce qu'est et ce que peut devenir notre société. Si la justice sociale et le pluralisme consistent à garantir à toute personne une vie décente et autonome, cela ne pourrait se faire par la division et l'individualisme, ni non plus par le rejet de la culture et de la mémoire. Or, la droite conservatrice reproche précisément à la gauche son soi-disant déni de la réalité historique du Québec, ce qui conduirait cette dernière dans une impasse Il est faux de prétendre qu'en réalité la seule option qui se présente à nous à l'heure actuelle au Québec est soit le rejet de l'histoire et de l'identité québécoise, soit le retour à une matrice historique dont la droite conservatrice serait la seule gardienne[5]. Le défi de la gauche québécoise, et elle est tout à fait capable d'une telle tâche – est de se porter à la défense des droits collectifs et de maintenir ses engagements à l'égard de la justice sociale et du pluralisme sans pour autant nier la spécificité historique et culturelle du Québec. Chose certaine, le discours nationaliste au Québec a toutes les chances de se modifier profondément au cours des prochaines années, car la droite conservatrice attend depuis trop longtemps son heure au Québec pour ne pas revenir au premier plan.

## Notes et références

1. *Contre Harper. Bref traité philosophique sur la révolution conservatrice*, Montréal, Boréal, 2010.
2. Frédéric Boily, *Le conservatisme au Québec. Retour sur une tradition oubliée*, Ste-Foy, Presses de l'Université Laval, 2010.

3. Sur les distinctions complexes opposant gauche et droite, voir Alain Noël et Jean-Philippe Thérien, *La gauche et la droite. Un débat sans frontières*, Montréal, Presses de l'Université de Montréal, 2010.
4. Michel Seymour, *De la tolérance à la reconnaissance. Une théorie libérale des droits collectifs*, Boréal, Montréal, 2008.
5. Je remercie mon collègue Michel Seymour pour ses commentaires sur la première ébauche de ce texte.

Numéro régulier

Article

# Impasse historique, vague orange et nouvelle ère Mulcair : le Nouveau Parti démocratique et l'épreuve du Québec

ANDRÉ LAMOUREUX
*Département de science politique*
*Université du Québec à Montréal*

Le Nouveau Parti démocratique est né en 1961. Il est typiquement un parti de la social-démocratie. Il est d'ailleurs membre de l'*Internationale socialiste*, lieu de regroupement international des partis socialistes, sociaux-démocrates et travaillistes à travers le monde. D'un côté, son programme s'aligne sur le « socialisme démocratique » et prône le développement des programmes sociaux, l'intervention de l'État et la diminution des inégalités ; de l'autre, par ses racines et ses assises, le NPD s'appuie notamment sur les syndicats ainsi que sur divers mouvements sociaux et groupes populaires progressistes.

Au cours de son histoire, le NPD a connu un fort développement au Canada anglais et est devenu un parti de masse. En Saskatchewan et en Colombie-Britannique, il a connu plusieurs succès et a été en mesure de former le gouvernement à plusieurs reprises. Il en est de même au Manitoba où il exerce toujours le pouvoir depuis 1999. En Ontario, le NPD a pu également s'enraciner bien que son développement y ait été davantage contenu, notamment à la suite de l'expérience de la gouvernance de Bob Rae de 1990 à 1995. Il y conserve néanmoins des bases assez solides. Ajoutons que depuis les années 1990, le NPD a connu une consolidation remarquable de ses appuis dans les Maritimes, tout particulièrement en Nouvelle-Écosse où il s'est emparé du pouvoir en 2009.

Au Québec, de 1961 à 2011, le NPD n'est jamais parvenu à devenir un parti de masse et à y effectuer une véritable percée. Cet enlisement est attribuable à plusieurs motifs, mais le manque d'ouverture de la direction de ce parti à l'endroit des aspirations nationales québécoises, question qu'il n'a jamais su assumer et intégrer à son programme d'ensemble, a pesé lourd dans la balance. Tout au long du parcours du NPD en sol québécois, les hésitations, les rejets ou les blocages en règle sur cette question ont miné toute perspective de développement[1]. D'autant plus que dès 1968, le Parti québécois a tôt fait de canaliser ces aspirations nationales sur la scène québécoise et que le Bloc québécois, à compter de 1993, est venu damer le pion à tout espoir du NPD de s'enraciner. Bien sûr, l'histoire du NPD au Québec a été jalonnée de quelques tentatives de construction ou de relance parfois remarquées, mais ce parti est demeuré enfermé dans une suite ininterrompue d'impasses et d'échecs. Jumelés à un développement plutôt limité en Ontario, ces échecs ont handicapé le parti fédéral, ne lui permettant pas de se positionner favorablement pour la prise du pouvoir à Ottawa, du moins jusqu'à maintenant.

Depuis l'année 2011, au carrefour de ses cinquante ans d'existence, le Nouveau Parti démocratique (NPD) a bénéficié de deux développements majeurs qui l'ont propulsé au devant de la scène politique canadienne et québécoise. Sans conteste, le premier changement fut la victoire historique du NPD aux élections fédérales du 2 mai 2011, elle qui a permis l'élection de 103 députés au plan pancanadien, dont 59 au Québec. Il s'agissait là d'un revirement spectaculaire et inattendu, tout autant inespéré pour les troupes du NPD. Ce tsunami néo-démocrate a bousculé toutes les données de la mouvance des partis politiques fédéraux depuis 1961. À cette occasion, le NPD, sous la direction de Jack Layton, a surtout brisé l'impasse dans laquelle il se trouvait enfermé au Québec depuis sa fondation. Considérant l'histoire de ce parti depuis 1961, cette « vague orange » en territoire québécois a relégué à un fait d'importance mineure les relatifs succès déjà remportés par Ed Broadbent en 1988[2]. En deuxième lieu, survenant à la suite du triste décès de Jack Layton qui a ému et secoué tout le Canada, le deuxième développement capital s'est produit le 24 mars 2012 par l'élection de Thomas Mulcair à la tête du NPD. La victoire de ce dernier a d'ailleurs été acquise après une très longue course à la direction et un congrès décisionnel tout autant interminable. Cet autre développement est aussi sans précédent. Pour une première fois dans l'histoire du NPD, un Québécois a été élu chef du parti fédéral. Cette nouvelle dynamique percutante, sous réserve de remplir certaines conditions déterminantes, rend plus vraisemblable la perspective de formation d'un gouvernement du NPD à Ottawa. De la victoire du 2 mai 2011 à la désignation de

Thomas Mulcair au poste de chef du NPD, d'aucuns n'ont hésité à parler de l'ouverture d'une nouvelle ère pour le NPD au Canada et au Québec[3].

À la lumière de tous ces nouveaux développements et des aléas de son cheminement historique au Canada et au Québec, peut-on véritablement parler d'une nouvelle époque pour le NPD ? D'un changement programmatique au sein du NPD qui aurait pour effet de changer radicalement ses positions sur la question nationale québécoise et la place du Québec au sein du Canada ? Ses avancées récentes lui permettront-elles de sortir définitivement de la position relativement marginale à laquelle il a été si longtemps confiné ? Pourra-t-il maintenir sa nouvelle base au Québec tout en l'élargissant dans d'autres provinces et en rebâtissant dans les autres où il a subi des reculs ? Voilà autant de questions incontournables.

Le présent texte a précisément pour objectif de situer et de caractériser le développement du Nouveau Parti démocratique sur la scène politique canadienne et québécoise depuis sa fondation, tout particulièrement depuis l'entrée en scène de Jack Layton. Il vise tout autant à cibler les forces et les faiblesses de ce parti : comprendre les échecs répétés du NPD au Québec depuis sa fondation, saisir ses avancées et ses reculs ailleurs au Canada, décortiquer les tenants et aboutissants de sa victoire aux élections fédérales du 2 mai 2011. En effectuant une telle mise en évidence de ce casse-tête, il devient possible de saisir le positionnement stratégique de ce parti au moment présent, au Québec et au Canada dans son ensemble.

Le texte introduit d'abord à ces deux changements percutants qui ont secoué le Canada tout entier depuis 2011 : la percée historique du NPD aux élections fédérales du 2 mai 2011 et la désignation de Thomas Mulcair à la tête de ce parti en mars 2012. Il fournit ensuite une analyse du cheminement historique du parti au Canada comme au Québec de façon à bien cibler les contours de la problématique en cause. Ce document chemine enfin sur les grands défis posés pour le NPD dans cette toute nouvelle période qui s'ouvre, autant en fonction du Canada anglais qu'en relation avec la question nationale québécoise.

## I. De la « vague orange » à l'exploit de Thomas Mulcair

Le soir du 2 mai 2011, la surprise fut totale. L'élection de 59 députés néo-démocrates en territoire québécois a défié toutes les prédictions et surtout la tendance lourde qui a caractérisé l'histoire du NPD au Québec. Un parti dont les racines et la base militante étaient minuscules est soudainement sorti vainqueur du scrutin. L'étonnement a bientôt fait place aux interrogations. À quels facteurs attribuer cette percée orange au Québec ? Les Québécois étaient-ils soudainement devenus des partisans néo-démocrates après avoir boudé ce parti pendant 50 ans ? Étaient-ils vraiment informés du programme de ce parti ? Le NPD avait-il changé de bout en bout ses positions sur la question québécoise ? À quels facteurs attribuer cette victoire inattendue ? C'est pourquoi une analyse de cet événement spectaculaire s'impose avant toute chose. Le décès de Jack Layton, la course au leadership et la victoire de Thomas Mulcair compléteront cette analyse et fourniront une compréhension du positionnement stratégique du NPD au stade présent.

Le contexte qui mène à l'élection fédérale du 2 mai 2011 est tout à fait exceptionnel. À la veille de l'élection, trois phénomènes distincts s'arriment à la faveur du NPD, de manière simultanée et de façon tout à fait unique, un peu comme un phénomène d'alignement de planètes rarissime. Du jamais vu depuis l'année 1961, moment où le NPD a pris son envol en Canada.

Ces trois paramètres sont les suivants : de l'un, la rancœur contre les conservateurs, particulièrement prononcée depuis l'élection fédérale de 2008, atteint un sommet sans précédent au Québec en 2011 ; de l'autre, l'affaissement des appuis du Parti libéral au Québec, en baisse quasi constante après 1982, devient si extrême que même sa base électorale francophone tombe à plat ; enfin, fait aussi inattendu, le Bloc québécois s'apprête à mener une campagne faiblarde, stratégiquement erronée et tactiquement mal orientée, ce qui lui fera perdre une large part de ses appuis. Ces trois facteurs réunis permettront au NPD dirigé par Jack Layton, lui qui a gagné le cœur des Québécois, de remporter une victoire phénoménale.

## Une puissante grogne anti-conservatrice

À la veille de l'élection fédérale du 2 mai 2011, l'opposition contre les conservateurs est particulièrement marquée au Québec dans la mesure où les positions du gouvernement conservateur heurtent de front plusieurs principes et valeurs partagées par la population québécoise. Une panoplie d'orientations de ce gouvernement nourrissent l'opposition : les orientations ultra-conservatrices de ce gouvernement sur la peine mort, l'avortement, le mariage entre conjoints de même sexe et d'autres enjeux sociaux où les Québécois se positionnent de manière tout à fait opposée ; son mépris envers les médias et la culture, une orientation si clairement démontrée lors de l'élection générale de 2008 alors que le gouvernement Harper a coupé dans le financement des grands événements culturels et les programmes de promotion de la culture à l'étranger, affectant grandement la communauté artistique québécoise[4] ; la gouvernance de type bonapartiste de ce gouvernement faisant en sorte que les décisions et les interventions publiques des ministres sont de plus en plus contrôlées par le bureau du Conseil privé et que le Parlement est de plus en plus marginalisé[5] ; les trois prorogations des travaux du Parlement ayant été décrétées dans une courte période d'une année et demie; le rattachement aux milieux financiers et pétroliers; la poursuite de la guerre en Afghanistan; sans oublier les influences intégristes et évangélistes primant dans l'engagement de certains députés et ministres conservateurs.

De manière assez évidente, ce qui se produit le 2 mai 2011 au Québec, c'est d'abord et avant tout une manifestation d'opposition extrêmement tranchée contre le gouvernement de Stephen Harper[6]. Cette gigantesque vague de protestation contre les conservateurs se révèle aussi unique, tout à fait propre au Québec. Aucune autre province n'est à ce moment touchée par un tel mouvement de rejet des conservateurs. L'explication globale des résultats au Québec doit donc référer d'abord à ce phénomène sans précédent. Les Québécois voulaient plus que tous les autres, d'un bout à l'autre du Canada, se débarrasser du gouvernement conservateur. Ils ne voulaient pas simplement «bloquer» la perspective d'un gouvernement conservateur majoritaire, comme s'en réclamait le Bloc québécois, mais bien s'en défaire. Telle est l'aspiration latente qui sommeille à la veille des élections du 2 mai mais dont on a pu percevoir toute l'ampleur que dans le dernier droit de la campagne électorale. Le 2 mai, le fait que le Parti conservateur ne recueille que 16,5 % des voix exprimées au Québec et n'y remporte que 5 sièges en est une démonstration on ne peut plus claire. Voilà la première source du tsunami orange qui déferlera au Québec en cette journée du 2 mai 2011.

### L'effondrement du PLC

La deuxième explication de cette percée victorieuse du NPD est à trouver dans le niveau d'affaiblissement sans précédent des assises du PLC au Québec. Le score désastreux du PLC aux élections du 2 mai 2011 s'inscrit dans un processus d'affaissement de ses appuis depuis 1982, année du «coup de force constitutionnel» du gouvernement Trudeau contre le Québec. Cette pente descendante s'est évidemment accentuée après le scandale des commandites. D'élection en élection, le PLC a vu ses appuis s'effondrer peu à peu chez les Québécois francophones, sauf à l'élection du 27 novembre 2000 où ils avaient rebondi à 35 %[7]. Le 2 mai 2011, pour une première fois dans l'histoire du Canada, le PLC recueille moins de 10 % des voix chez les Québécois francophones. Cela représente un fait historique majeur, sans précédent. Cet effondrement du support électoral dans le camp libéral fait en sorte que sa clientèle traditionnelle lui glisse entre les doigts au profit du NPD. Pour une bonne part d'entre eux, les francophones fédéralistes anciennement soudés à ce parti quittent le bateau. Ils empruntent la voie néo-démocrate, accompagnés dans ce mouvement par les minorités ethnoculturelles. En 2011, ces communautés passent en masse du côté du NPD. Les victoires surprenantes du NPD dans les circonscriptions de LaSalle-Émard et Laval-les Îles, deux circonscriptions caractérisées par une diversité culturelle imposante et si longtemps dominées par les libéraux, sont des illustrations parmi d'autres de ce phénomène[8]. Ainsi, le 2 mai, cette percée du NPD dans les anciens châteaux forts du PLC au Québec permet au NPD de dépasser l'ancien record de 54 sièges établi par le Bloc québécois en 1993 et 2004. Plusieurs circonscriptions ravies par les néo-démocrates n'étaient pas à la portée du Bloc aux cours des élections passées.

### Une stratégie perdante pour le Bloc

La troisième source de l'explication de la vague orange renvoie à l'orientation élaborée, la stratégie déployée et la tactique utilisée par le Bloc québécois en cours de campagne, une orientation et une stratégie qui lui ont été fatales. Dès le début de la campagne, en articulant presque exclusivement son discours sur le slogan *Parlons Québec* et sur la prétention que le Bloc était le seul capable de bloquer la formation d'un gouvernement conservateur majoritaire à Ottawa, le parti fait fausse route. En cette campagne électorale fédérale de 2011, la perspective pour les conservateurs de former un gouvernement majoritaire ne se joue d'ailleurs pas au Québec. Elle se trame plutôt en Ontario. Cette province s'avère alors la plaque tournante menant à un tel gouvernement majoritaire, les conservateurs pressant le pas en périphérie de Toronto[9].

De surcroît, l'argument appelant à simplement «bloquer» l'adversaire conservateur ne peut convaincre les Québécois hésitants, souverainistes ou pas. Surtout, elle ne peut pas permettre la mise en valeur de l'utilité constructive du Bloc à Ottawa, question qui suscite tant de questionnements et qui est bientôt récupérée sans gêne par le NPD. L'organisation néo-démocrate, Jack Layton en tête, répète sur toutes les tribunes que le Bloc québécois, contrairement au NPD, ne peut pas espérer former le gouvernement à Ottawa alors même que la promotion de l'utilité du Bloc québécois à Ottawa pour la défense et la promotion des intérêts des Québécois n'est guère mise en valeur par les stratèges bloquistes. Elle a pourtant toujours été au cœur de ses discours et de ses actions de 1993 à 2011. Ce fut le cas lorsque le Bloc s'est positionné contre les reculs que la droite réformiste a voulu imposer à la Loi sur les jeunes contrevenants; lorsqu'il s'est battu en faveur de l'instauration de mesures anti-briseurs de grève dans le Code du travail fédéral; lorsqu'il a réussi à imposer les premières mesures de bonification du régime de l'assurance-emploi ou lorsqu'il est parvenu à faire débloquer le dossier des congés parentaux pour le Québec[10]. Ce ne sont là que quelques exemples de cette dimension «rentable» que le Bloc ne s'attelle pas à mettre en valeur en 2011. Cette facette «utile» du Bloc n'est donc pas du tout martelée pendant la campagne électorale, celui-ci se contentant de répéter un slogan creux qui n'appelle pas à l'action et qui ne permet pas de percevoir la « rentabilité » concrète du Bloc à la Chambre des communes.

Le NPD se trouve alors à profiter d'une occasion inouïe pour se présenter comme la principale force du changement capable d'*agir* à Ottawa, comme la seule alternative susceptible de battre les conservateurs (eux qui sont rejetés par les Québécois) et les libéraux (eux dont la popularité rase les bas-fonds). Le plus étonnant dans cette situation, c'est que le NPD réussit cet exploit alors même que la plate-forme électorale du NPD ne contient rien sur le Québec et qu'elle demeure largement inconnue du public ; alors même que le parti persiste dans ses prises de position et conceptions centralisatrices de la fédération canadienne. Les orientations du NPD concernant le financement de certaines initiatives fédérales en santé pouvant empiéter sur les compétences des provinces expriment aussi ces vues centralisatrices. D'ailleurs, surpris lui-même par la montée de sa popularité, le NPD se voit obligé bientôt de ressortir la *Déclaration de Sherbrooke* de 2006 pour faire état de ses positions sur le Québec. Jack Layton gagne finalement le cœur des Québécois en mi-campagne. Lors du grand rassemblement néo-démocrate tenu au Théâtre Olympia, dans la circonscription de Gilles Duceppe, il appelle les Québécois à « travailler ensemble » pour bloquer et renverser le gouvernement conservateur[11]. Ce moment est capital puisqu'il exprime le désir le plus profond d'une vaste majorité de Québécois. À compter de ce moment, le Bloc québécois ne peut que tourner en rond et ne jouer qu'un rôle défensif. Devant la charge du NPD qui se présente désormais comme une alternative pancanadienne capable de rivaliser avec les conservateurs et de faire changer les choses à Ottawa, le Bloc québécois est désormais pris de court et se fait dépasser lui-même par la vague anti-conservatrice, devenue « orange » à travers tout le territoire québécois. C'est alors que l'impensable se réalise. Le NPD, lui qui a continuellement été marginalisé au Québec depuis sa fondation, réussit à percer en prenant appui sur la popularité de son chef. Par sa personnalité avenante, enjouée et sympathique, Jack Layton parvient aussi à construire un lien d'ancrage et à gagner le cœur des Québécois. Il brise ainsi la domination du Bloc québécois et remporte une victoire impressionnante en obtenant 59 des 75 sièges que compte le Québec. La tactique privilégiée par le Bloc québécois en fin de campagne n'y peut rien. Les jeux sont déjà faits. Le repli sur le thème de la souveraineté et le recours à Jacques Parizeau se révèlent inappropriés. La sortie publique de Gérald Larose, un désastre. Le Bloc québécois est littéralement poussé dans les câbles.

**Un changement de cap pour le NPD ?**

Le 2 mai 2011, le NPD remporte donc 59 sièges au Québec et 103 à l'échelle pancanadienne. Cette performance du NPD s'avère tout un exploit, surtout au Québec. Cette « vague orange » s'est manifestée essentiellement au Québec. Dans le reste du Canada, le vote en faveur du NPD est resté stable dans certaines provinces ou a connu une certaine hausse dans d'autres (comme en Ontario, en Colombie-Britannique ou à Terre-Neuve-Labrador) sans qu'il soit possible de parler de poussée remarquable du vote néo-démocrate.

Le NPD a-t-il fondamentalement changé ses positions sur le Québec ? Rien n'est moins sûr. À l'occasion du débat des chefs, Jack Layton a confirmé qu'il s'est officiellement rallié à la « loi sur la clarté référendaire », une mesure législative pilotée par Stéphane Dion à la suite du référendum de 1995. Une loi totalement contraire à la Déclaration de Sherbrooke[12]. De plus, une autre position erratique du NPD sur la question québécoise est révélée par la position du parti sur le projet hydroélectrique du Bas-Churchill piloté par le gouvernement terre-neuvien qu'Ottawa s'apprête à financer. Par une motion unanime votée à l'Assemblée nationale le 6 avril, le Québec a dénoncé cette aide d'Ottawa dans un domaine de compétence provinciale. Le premier ministre de l'Ontario, Dalton McGuinty, réprouve simultanément cette décision et exige, en contrepartie, que sa province obtienne le même financement que les Terre-Neuviens. Quant à lui, dès le 16 avril et en pleine campagne électorale, le NPD décide d'appuyer ouvertement la décision d'Ottawa, visiblement pour des motifs électoraux[13]. Dans ce dossier, le NPD s'avère ainsi encore plus centralisateur que le gouvernement ontarien.

Ces quelques gestes posés démontrent que le NPD n'a pas tout à fait modifié son attitude face au Québec relativement à son droit à l'autodétermination et quant à la nature des rapports qu'il entend privilégier au sein de l'État fédéral en matière de partage des compétences. Les résultats des élections du 2 mai 2011 ne lèvent donc pas le doute quant à l'orientation du NPD sur la question québécoise. Quant à la plate-forme du NPD, peu de Québécois en étaient vraiment avertis, ignorant aussi pour la plupart ce que pouvait bien contenir la *Déclaration de Sherbrooke*.

Qui plus est, les événements qui suivent cette victoire historique de cette formation au Québec viennent raviver les inquiétudes, notamment à l'occasion du congrès du NPD tenu à Vancouver à la mi-juin 2011. Aucune résolution concernant la question québécoise n'y est présentée alors que le Québec a fourni plus de la moitié de la députation du NPD. Aucune déclaration, même à titre d'intentions générales, n'est présentée aux délégués. Le NPD, en cours de campagne, a pourtant martelé la référence à la *Déclaration de Sherbrooke* reconnaissant le Québec comme nation et son droit à l'autodétermination. Nulle concrétisation de cette reconnaissance ne se profile au cours de ce congrès malgré l'adoption d'une résolution réclamant l'établissement d'une nouvelle relation de « nation à nation » avec les peuples autochtones[14]. Le même questionnement resurgit lorsque le parti, aux antipodes des conclusions du congrès de fondation de 1961, ressuscite bientôt la vieille étiquette « nationale » pour dénommer les instances de l'organisation. La désignation de Nycole Turmel au titre de présidente du caucus « national » du parti (plutôt que « fédéral ») rappelle aussitôt de douloureux souvenirs en relation avec la question nationale québécoise[15].

### Le décès de Jack Layton, la course au leadership et les faux pas du NPD

Au mois d'août, l'annonce du deuxième cancer et le décès de Jack Layton qui a tant attristé le Canada tout entier entraînent un intermède obligé dans le parcours du NPD, y compris sur cette délicate question québécoise. Au moment de son décès, un déluge de témoignages de sympathie et de reconnaissance déferle à travers le Canada et le Québec. Dans l'histoire du parti, aucun chef n'a gagné de manière aussi nette le cœur des Canadiens et des Québécois. Même pas le légendaire Tommy Douglas, fondateur du parti. Après que Nycole Turmel eut été désignée au poste de chef par intérim, selon les volontés de Jack Layton, la course au leadership à la direction ne tarde pas à prendre son envol. Deux jours seulement après la cérémonie funéraire du 27 août tenue au Roy Thompson Hall, le président du parti et ancien bras droit de Jack Layton, Bryan Topp, annonce publiquement son intention de se présenter candidat à la direction du parti, ce qu'il officialisera le 12 septembre[16]. Peu à peu, jusqu'au mois de novembre, un total de neuf candidats se lancent dans la course, dont Thomas Mulcair, artisan avec Jack Layton de la vague orange au Québec. Sept d'entre eux se rendront jusqu'à la fin du processus[17]. Le 24 mars 2012, au terme de cette interminable campagne au leadership du NPD, Thomas Mulcair l'emporte avec une majorité de 57,2 % des voix.

Pendant cette période d'automne 2011 et d'hiver 2012 marquée par la course au leadership, malgré sa jeune députation, le NPD réussit tout de même à mener de bonnes batailles à la Chambre des communes : l'obstruction parlementaire (« filibuster ») de plus de deux jours pour contrer l'adoption d'une loi spéciale (C-6) brimant les droits de négociation des travailleurs de Postes Canada[18] ; la dénonciation de la nomination d'Angelo Persichilli, unilingue anglophone, au poste de Directeur des communications du premier ministre[19] ; les tirs groupés de la députation néo-démocrate dans le dossier des appels trompeurs (« robocalls ») utilisés massivement par le Parti conservateur pendant la campagne électorale de 2011 ; la présentation d'un projet de loi visant un tant soit peu à protéger le poids du Québec face au projet de reconfiguration des circonscriptions électorales au Canada ; enfin, la défense des travailleurs de l'entreprise AVEOS (sous-traitant d'Air Canada) congédiés sauvagement à la vieille du congrès au leadership.

Toutefois, pendant cette période de transition, de nouveaux soubresauts secouent le NPD sur la question québécoise. Ils surviennent malgré les déclarations de principe déjà avancées par Jack Layton et désormais soutenues par Thomas Mulcair en faveur de la reconnaissance de la nation québécoise et de la défense des intérêts du Québec[20]. Reconnaissons que le NPD a de prime abord exprimé une certaine sensibilité envers les aspirations des Québécois. Sur la question des écoles-passerelles, Thomas Mulcair a dénoncé à plusieurs occasions l'institutionnalisation de ces mécanismes de contournement des principes de la loi 101 au Québec. Il le réaffirmera dans son discours de présentation au congrès à la chefferie, le 23 mars 2012. Cependant, le NPD multiplie les faux pas. Bien qu'il soit impossible d'entrer dans tous les détails de ces dossiers, soulignons certains glissements du NPD :

1) l'incohérence de l'action du NPD dans le dossier de la nomination de Michael Moldaver, juge unilingue à la Cour suprême tout comme en ce qui concerne la désignation de Michael Ferguson à la fonction de Vérificateur général du Canada ; dans le cas du juge Moldaver, la consternation est d'autant plus criante que le député néo-démocrate Joe Comartin s'est joint au consensus du comité des cinq députés chargé de soumettre la liste des candidatures au gouvernement Harper[21] ;

2) les hésitations du NPD à maintenir le registre des armes à feu (controverse déjà soulevée pendant la campagne électorale de 2011) ; quelques députés du NPD appuient toujours la mesure des conservateurs à l'effet d'abolir ce registre, rompant ainsi avec la position unanime de l'Assemblée nationale et de la vaste majorité de la population québécoise ;

3) l'abandon par le NPD du chantier naval de la Davie à Lévis dans le cadre du processus d'attribution des contrats de construction de navires au compte du gouvernement fédéral (projet de 30G$ étalé sur 30 ans) ;

4) la présentation d'un projet de loi faiblard visant la protection de la langue française dans les entreprises de juridiction fédérale, le dernier article du projet permettant une exemption des dispositions de la loi pour toute entreprise par simple décision discrétionnaire du gouvernement fédéral[22] ;

5) les insinuations de Roméo Saganash, candidat à la chefferie, remettant en question la règle du « 50%+1 » en cas de référendum sur la souveraineté au Québec tout en invoquant la partition éventuelle du territoire en cas de réalisation de la souveraineté[23] ;

6) la faible détermination du NPD dans la bataille contre le projet de loi C-10, le parti devenant la cible des observateurs à cause de la timidité de ses interventions dans la défense de la position québécoise en ce qui concerne le régime pénal pour les adolescents[24] ;

7) les positions conciliantes du NPD sur le virage monarchiste du gouvernement Harper ainsi que son hésitation à revendiquer une réelle laïcité de l'État[25] .

À compter du mois de novembre 2012, ces faux pas entraînent leur contrepartie dans les sondages. Dès le 22 novembre, les signes avant-coureurs d'une baisse des appuis du NPD sont annoncés par un sondage Léger Marketing indiquant que les intentions de vote en faveur du NPD auraient baissé de 43% à 37% par référence aux résultats des élections du 2 mai 2011[26]. À l'inverse, celles en faveur du Bloc québécois indiquent une remontée des appuis avec un score de 27%. À la mi- janvier 2012, un sondage CROP souligne aussi cette baisse descendante des appuis en accordant 29% des intentions de vote au NPD[27]. Le 30 janvier, un autre sondage Léger Marketing accorde 28% des intentions de vote au NPD contre 27% au Bloc, 22% aux libéraux et 15% aux conservateurs[28]. Enfin, le 11 mars, pour une première fois après les élections du 2 mai, un autre sondage de Léger Marketing accorde un avantage au Bloc sur le NPD avec 31% des intentions de vote contre 27% au NPD, 22% aux libéraux et 14% aux conservateurs. Sans qu'ils ne présagent de la suite des choses, ces changements dans l'humeur de l'électorat reflètent évidemment une certaine tendance du moment, une déception face aux performances du NPD sous la direction intérimaire de Nycole Turmel et dans le contexte de la course au leadership. Le Bloc québécois, dont plusieurs observateurs déclaraient sans discernement la mort depuis le 2 mai 2011, envoie alors déjà des signes révélateurs d'une remontée dans les intentions de vote des Québécois. Le Parti libéral dirigé par Bob Rae connaît également, dans les circonstances, un certain regain de vigueur.

Plus fondamentalement, les difficultés du NPD à marier les aspirations nationales du Québec avec ses propres orientations et ses préoccupations pancanadiennes reflètent encore le dilemme historique rencontré par ce parti en territoire québécois. Le poids de l'histoire est toujours là. Il n'y a bien sûr aucun déterminisme entre l'héritage du NPD sur la question nationale québécoise et son cheminement dans la présente période, les processus n'étant pas figés mais plutôt inscrits dans un processus dialectique. Bien que le parti soit toujours demeuré fédéraliste après 2003, l'impulsion donnée par Jack Layton et Thomas Mulcair a permis plusieurs ajustements. Certains correctifs ont été apportés aux orientations dans le sens d'un rapprochement avec le Québec. Mais les difficultés demeurent palpables.

Pour être en mesure de comprendre les racines de ces blocages, il importe donc de saisir les aléas du NPD depuis sa fondation, ses multiples ratés et échecs, les diverses crises qu'il a dû traverser en relation avec la question nationale québécoise. Les prochaines parties du texte sont donc consacrées à cette tâche tout en veillant à mettre en lumière le développement parallèle du NPD au Canada anglais, une trajectoire largement méconnue au Québec. Cette connaissance est essentielle à une compréhension politique d'ensemble de ce parti. Les parties suivantes du texte sont complétées par une synthèse analytique situant la nouvelle ère Mulcair dans le contexte présent au Canada et au Québec.

## II. La fondation du NPD : aux racines du dilemne québécois

Le processus de fondation du NPD, s'échelonnant de 1958 à 1961, fournit un éclairage fort révélateur à propos de ce parcours semé d'embûches que traversera bientôt le parti sur la question québécoise. Rappelons que la création du NPD est essentiellement le produit d'une rupture entre le mouvement syndical canadien et les deux grands partis fédéraux, libéral et conservateur. À la fin des années 1950, cette aspiration est bien réelle au Canada comme au Québec. À l'occasion de la Fête du travail de septembre 1957, le président de la Fédération des travailleurs du Québec (FTQ), Roger Provost, appelle lui-même à l'action politique directe en déclarant que c'est en étant candidats au Parlement que les travailleurs du Québec pourront parvenir à préserver leur droit d'association[29].

Dans les rangs du mouvement syndical, d'un bout à l'autre du Canada, ce désir d'une action politique indépendante s'exprime fortement et aboutit à la résolution d'avril 1958 du Congrès du travail du Canada (CTC) visant à constituer un nouveau parti du travail faisant la lutte aux conservateurs et aux libéraux. À son deuxième congrès biennal[30], le CTC décide d'emboîter le pas à l'action politique et de travailler à la fondation d'un « Nouveau Parti » au Canada. Ce geste de rupture face aux vieux partis est donc lancé par le CTC en association avec le Cooperative Commonwealth Federation (CCF). Cette décision s'appuie sur un contexte politique, économique et social qui milite en faveur de l'émergence d'un tel parti : maccarthysme, récession, fronde des gouvernements contre le mouvement syndical et les droits des travailleurs, grèves notoires et dureté des relations de travail. Le déclin du CCF concourt également à cette décision. Ce parti fondé en 1933 dans l'Ouest canadien est miné par la faiblesse du nombre de ses adhérents, par ses liens fragiles avec le mouvement syndical et une débâcle électorale certaine. Au Québec, sa situation est encore moins reluisante. En 1955, à l'occasion de son congrès, la section québécoise du CCF a pris le nom de « Parti social-démocratique » (PSD). Cette décision de franciser son appellation, à la demande de Thérèse Casgrain, n'a toutefois pas changé la situation de fait qui a toujours été celle du CCF au Québec : un parti minuscule, largement inconnu, constitué majoritairement d'anglophones, fermé aux aspirations nationales du peuple québécois et n'entretenant presque pas de liens avec les syndicats. Cet héritage fait que le PSD n'a jamais été en mesure de prendre racine au Québec[31]. Coupé du Québec, en déclin dans le reste du Canada, le CCF-PSD ne peut alors être considéré par le mouvement syndical canadien comme une alternative politique valable pour faire face aux conservateurs et aux libéraux. Conséquemment, tous ces éléments réunis incitent le Congrès du travail du Canada à opter pour la création d'un Nouveau Parti.

Dès le congrès du CTC du mois d'avril 1958 est créé le « Comité national du Nouveau Parti ». C'est ce comité qui coordonne le processus de fondation du parti. Au Canada anglais, en Colombie Britannique, en Saskatchewan, au Manitoba et en Ontario, le Nouveau Parti connaît une lancée très forte et s'appuie fortement sur les syndicats. Au Québec, la situation est plus complexe. Le Nouveau Parti entreprend sa construction dans un contexte d'affirmation des aspirations nationales du peuple québécois avec lesquelles les dirigeants de la nouvelle formation politique fédérale en construction doivent composer. D'ailleurs, c'est en 1960 que le Rassemblement pour l'indépendance nationale (RIN) prend son essor au Québec et développe de forts appuis, parmi la jeunesse notamment. Dès le départ, pour ce nouveau parti social-démocrate voulant pratiquer une politique différente des « vieux partis » au Canada et désirant se construire au Québec, la question posée en 1960 est à peu près la suivante : le Nouveau Parti se rapprochera-t-il du Québec ? Reconnaîtra-t-il l'existence du peuple québécois ? Épousera-t-il ses aspirations ? Se fera-t-il le défenseur de ses droits, de sa culture et de ses revendications linguistiques ? Voilà autant de dilemmes centraux auxquels le NPD aura à faire face au cours de ses premières années d'existence et qui auront beaucoup d'impacts sur son développement, tout particulièrement au Québec.

Entre-temps, le Nouveau Parti connaît des progrès substantiels au Québec au cours de son processus de fondation. Plusieurs intellectuels et personnalités du mouvement syndical joignent ses rangs, dont Marcel Rioux, Michel Chartrand et Fernand Daoust. En 1958, les 450 délégués au Congrès de la Fédération des travailleurs du Québec livrent un appui unanime à la fondation de cette nouvelle force politique. Toutefois, il y a ombrage au tableau. La Confédération des travailleurs catholiques du

Canada (l'ancêtre de la CSN) décide de ne pas emboîter le pas et soutient une position dite de « neutralité ». Cette décision affaiblit d'autant le coup d'envoi du Nouveau Parti. Malgré tout, le Nouveau Parti au Québec compte déjà 10 000 membres en mai 1961, ce qui est un départ intéressant[32]. Mais il reste que la division du mouvement syndical québécois quant à l'appui à donner au NPD représente un obstacle important dans le processus de développement ultérieur de la nouvelle formation politique. Néanmoins, ce départ remarqué du NPD atteste d'une réelle tradition politique ouvrière au Québec, elle qui s'était déjà exprimée depuis les années 1940, notamment au sein de la Fédération des unions industrielles du Québec (FUIQ).

D'autre part, au cours des derniers mois qui précèdent la fondation du Nouveau Parti démocratique, le débat sur la question nationale québécoise secoue déjà la nouvelle formation et devient un indicateur des difficultés, des déchirements et des problèmes que rencontrera ultérieurement le NPD au Québec. Le débat sur le programme et les statuts du Nouveau Parti est d'ailleurs marqué par des dissensions. À l'ouverture des années 1960 au Québec, de plus en plus d'intellectuels commencent à intervenir pour la reconnaissance de l'existence du peuple québécois et de son droit à l'autodétermination, voire même pour l'indépendance du Québec. Contre les Pierre-Elliott Trudeau et Jacques Hébert qui soutiennent qu'il n'existe qu'une seule « nation canadienne », de plus en plus d'intellectuels s'interposent et défendent, dans le contexte du moment, ce qu'il a été convenu d'appeler « la thèse des deux nations ». À cette date, la question nationale autochtone n'est pas encore au centre des préoccupations et du débat politique.

Ce bouillonnement d'idées sur la question nationale québécoise connaît donc un prolongement dans le cadre des débats préparatoires à la fondation du Nouveau Parti. Au congrès de fondation du mois d'août 1961, plusieurs « clubs » du Nouveau Parti au Québec ainsi que les délégués du Québec présents s'opposent à l'orientation privilégiée par la direction fédérale dans le programme et les statuts du parti. Celle-ci prend la défense du fédéralisme canadien et ne reconnaît l'existence que d'une seule « nation canadienne ». À l'opposé, les délégués du Québec réclament la reconnaissance du principe de l'existence de « deux nations » au Canada. Au moment du congrès de fondation, la délégation du Québec dirigée par Michel Chartrand mène la charge en proposant de changer toutes les appellations des instances du parti et d'adopter le qualitatif « fédéral » en remplacement du terme « national ». On exige ainsi que l'exécutif du parti devienne un « exécutif fédéral » et non « national », que le bureau national devienne aussi « fédéral », tout comme le congrès. Bien que les débats se révèlent très corsés[33], cette première bataille des Québécois au sein du NPD naissant est finalement gagnée le 3 août. Le principe des deux nations est finalement reconnu dans les statuts du parti. Toutefois, il s'agit d'une victoire partielle car elle ne connaît pas de traduction réelle et convaincante dans le programme du parti. Ce programme de 1961 déclare en effet que « c'est à juste titre que les Canadiens sont fiers du Canada en tant que nation »[34]. On y ajoute être conscients du fait « que les Canadiens d'origine française font un usage fréquent et légitime du mot nation pour désigner le Canada français ». Toutefois, le programme ne retient pas vraiment cette formule des deux nations en stipulant qu'il est du devoir du NPD de « fonder l'unité canadienne sur la reconnaissance et le respect du caractère biculturel du Canada ». On conclut donc ici par une reconnaissance du caractère « biculturel » du Canada et non par une reconnaissance explicite de l'existence de deux nations. Par ailleurs, le programme du NPD naissant « proclame formellement sa foi » envers le fédéralisme.

En définitive, ce premier et solide affrontement au congrès de fondation annonce une perpétuelle confrontation au sein du NPD sur la question nationale québécoise générée par un refus obstiné et répété de la direction fédérale du parti de reconnaître et de se porter à la défense des aspirations nationales du peuple québécois. C'est le cas tout au cours des années 1960, mais aussi pour la période s'échelonnant des années 1970 aux années 2000.

En août 1961, le Nouveau Parti est donc fondé au plan fédéral. Son appellation devient le « Nouveau Parti démocratique ». Mais le défi pour lui est de devenir un parti de masse capable de rivaliser avec les deux grands partis fédéraux, au Canada anglais ainsi qu'au Québec.

## III. Consolidations et embûches au Canada anglais

Après 1961, le NPD connaît un indéniable développement au Canada anglais, tout particulièrement dans certaines provinces. Le NPD est d'abord devenu un parti de masse fortement enraciné au sein des grandes organisations syndicales. Il y a trouvé des appuis organisationnels, militants et financiers. Selon une tradition héritée du Labour Party britannique, sa base militante se développe progressivement et en large partie comme résultante de cette affiliation directe des syndicats. Peu à peu, le NPD devient une force qui cherche à secouer la domination des partis conservateur et libéral.

Pour bien saisir son développement, on doit distinguer l'impact que le NPD connaît sur le plan fédéral de celui qu'il a eu dans les provinces où il est devenu une force politique imposante. On pense ici à la Colombie-Britannique, à la Saskatchewan, au Manitoba, à l'Ontario ainsi qu'aux provinces maritimes. Ce survol analytique couvre la période 1961-2011.

**Sur la scène fédérale**

Au plan fédéral, dans ce long processus de consolidation, le NPD connaît des hauts et des bas. Le NPD mène peu à peu la bataille pour s'imposer comme tiers parti et devenir un parti d'opposition avec lequel les deux grands partis traditionnels devraient composer. Les années 1960 servent d'abord et avant tout à établir les assises du parti. La participation du NPD aux élections fédérales de 1962 et 1963 représente une phase d'expérimentation et d'adaptation où la principale carte maîtresse du parti demeure le prestige de Tommy Douglas. Les résultats à ces deux élections sont plutôt modestes : 13,4 % des voix et 19 sièges en 1962 ; 13,10 % des voix et 17 sièges en 1963. Au Québec, au cours de la période s'étalant de 1961 à 1965, le NPD ne parvient pas à décoller, ni même à mettre sur pied une section provinciale du parti. Cette difficulté est à comprendre en lien avec les déchirements qui s'expriment déjà dans ses rangs au sujet de la question nationale québécoise alors que les dirigeants du NPD au Québec tentent tant bien que mal de se sortir de cette situation déstabilisante[35]. En 1962, le NPD ne recueille que 4,39 % du suffrage exprimé au Québec et ne connaît qu'une petite progression en 1963 avec 7,13 % des voix.

Au cours des années 1970 et 1980, la progression des appuis suit tout autant un parcours lent et irrégulier. Pendant toute cette période, en considérant les suffrages obtenus et les sièges remportés, le NPD recueille son meilleur score en 1988 alors qu'il tente très fortement de se relancer sur la scène québécoise sous la direction d'Ed Broadbent et grâce à l'initiative prise par Jean-Paul Harney[36]. Au plan pancanadien, le NPD recueille 20,38 % des votes valides et parvient même à atteindre les 43 sièges ; au Québec, il réussit à obtenir 13,96 % des suffrages. Ce résultat québécois de 1988 représente une situation jamais vue. Toutefois, au cours des années 1990, le NPD perd une large part de son impact et de l'influence qu'il a développée en 1987-1988. Quelques développements permettent de comprendre ce revirement. À compter de 1987, le Parti réformiste d'une part et le Bloc québécois d'autre part viennent changer la dynamique de la lutte des partis sur la scène politique fédérale. Dans l'Ouest, tout en s'appuyant sur un programme ultra conservateur, le Parti réformiste réussit à canaliser une partie du vote par une stratégie fortement populiste auprès des agriculteurs et des classes populaires. De plus, à compter de 1990, l'expérience du gouvernement néo-démocrate de Bob Rae en Ontario, un gouvernement multipliant les déceptions chez sa propre base électorale, aide à sa façon la cause du Parti réformiste qui se présente comme un nouveau choix alternatif au Canada anglais. Au Québec, le Bloc québécois réussit pour sa part à galvaniser le vote populaire et progressiste à la suite de l'échec de l'Accord du Lac Meech. Cette percée du Bloc québécois est aussi favorisée par le fait que le NPD fédéral a tourné le dos aux demandes du

Québec au cours du sprint final des négociations menées en 1989 et 1990 sur ce projet d'accord. Cette orientation lui bloque toute perspective de récolter des dividendes au Québec d'autant plus que les orientations du Bloc québécois s'inscrivent elles-mêmes selon une orientation largement social-démocrate.

Dans ce contexte, à l'élection fédérale de 1993, le NPD voit même ses appuis électoraux au plan pancanadien s'effondrer au niveau le plus bas de son histoire, soit 6,9 %. Ce résultat s'avère un score encore plus faible que celui obtenu lors de la première élection fédérale à laquelle il avait participé en juin 1962 (13,4 %) alors qu'il amorçait à peine son développement. En 1993, le NPD ne récolte que neuf sièges sur 295 : aucun siège au Manitoba et non plus en Ontario, tout comme dans les Maritimes. Au Québec, les appuis du NPD s'affaissent à un maigre 1,6 % du vote populaire, une baisse de 12,3 % par rapport à l'élection fédérale de 1988. Ces piètres résultats au Québec sont à mettre en relation avec les échecs des accords de Meech et de Charlottetown. Le NPD en subit les contrecoups alors même que le Bloc québécois réussit un exploit en récoltant 54 sièges au Québec. Un véritable « tremblement de terre » secoue alors le Canada, selon l'expression des politologues Carty, Cross et Young, reprise aussi par Réjean Pelletier[37].

Toutefois, le NPD connaît une légère remontée à l'occasion de l'élection fédérale de 1997. Dans les Prairies, le NPD réussit à récupérer quelques sièges, soit cinq en Saskatchewan et quatre au Manitoba. Surtout, pour une première fois de son histoire, il effectue une percée significative dans les Maritimes, tout particulièrement en Nouvelle-Écosse (six sièges) et au Nouveau-Brunswick (deux sièges). Le fougueux député ouvrier Yvon Godin, soutenu par le peuple acadien, est élu pour une première fois dans la circonscription d'Acadie-Bathurst. Il sera d'ailleurs en mesure de répéter cet exploit à cinq autres reprises jusqu'en 2011. L'analyse de ce changement dans les Maritimes en 1997, en Nouvelle-Écosse comme au Nouveau-Brunswick, doit être effectuée en lien avec l'insatisfaction montante survenue chez les pêcheurs et chez les autres travailleurs de cette industrie de la pêche. Les salariés de ce secteur d'emploi ont été frappés de plein fouet par le gouvernement Chrétien qui, en 1997, a procédé à l'abolition de l'ancien programme d'assurance-chômage et son remplacement par celui de l'assurance-emploi dans le cadre des mesures financières instaurées pour réduire le déficit budgétaire du gouvernement fédéral. Ce nouveau régime instauré en 1997 est devenu beaucoup plus restrictif pour l'obtention de prestations en cas de perte d'emploi. Ce changement radical a tout particulièrement renforcé la précarité et l'appauvrissement des travailleurs du secteur de pêches. Les éléments d'insatisfaction deviennent multiples : la dégradation des conditions de vie ; la fermeture de plusieurs usines dans ce secteur ; le développement du chômage et de la pauvreté ;

un nombre de plus en plus important de travailleurs jetés littéralement dans les rangs de l'aide sociale. Aux élections fédérales de 1997, le NPD profite donc de ce nouveau contexte et élargit ainsi ses bases sociales. D'ores et déjà, au plan de la représentation à la Chambre des Communes, le NPD ne peut plus être considéré comme un parti confiné à l'Ouest canadien. Les Maritimes sont donc désormais à la portée du NPD. Voilà le changement qualitatif exprimé par l'élection de 1997 en ce qui concerne le NPD. Toutefois, les autres faiblesses du NPD ressortent de façon criante. Même si le NPD a recueilli quatre sièges en Saskatchewan et cinq au Manitoba cette année-là, il ne parvient pas à faire élire un seul député en Ontario. Le Québec est toujours pour lui le désert complet. Au total, le NPD obtient 21 sièges et seulement 11,04 % des voix au plan pancanadien[38].

Aux élections du 27 novembre 2000, le NPD obtient des résultats encore plus désastreux. Au total, il ne recueille que 8,5 % des voix à l'échelle canadienne, son deuxième résultat le plus faible après celui de 1993. La série noire du NPD poursuit donc son cours. Il n'obtient qu'un seul siège en Ontario tout en étant encore limité à une portion congrue dans l'Ouest canadien où le NPD est lui-même bousculé par la montée de l'Alliance canadienne qui a pris la relève du Parti réformiste à compter de l'an 2000. Il n'obtient que cinq sièges dans l'Ouest (deux au Manitoba, deux en Saskatchewan et un seul en Colombie-Britannique). Au Québec, c'est le désastre avec seulement 1,80 % des voix[39].

De cette période particulière s'étendant de 1989 à l'an 2000, on doit conclure que le NPD s'est enlisé et a rencontré de plus en plus de difficultés à conserver ses appuis dans l'Ouest canadien et même en Ontario. Cette période, au cours de laquelle Audrey McLaughlin et Alexa McDonough ont tour à tour dirigé le NPD, s'est avéré une des pires de son histoire en termes de résultats électoraux. Les Maritimes ont toutefois fait exception puisque le NPD y a effectué une légère percée à compter de 1997. Pendant toutes ces années, le NPD est bousculé dans l'Ouest canadien et en Ontario par la montée du Parti réformiste et de l'Alliance canadienne

Au début des années 2000, à la veille de la venue de Jack Layton à la tête du NPD, ce parti demeure coincé dans un véritable bourbier, incapable de se sortir d'une certaine marginalité et d'un rôle de tiers parti. Il lui manque notamment une occasion fertile qui lui permettrait d'obtenir des gains substantiels en Ontario et surtout une percée significative au Québec.

Dans le cadre de cette crise de leadership que traverse le NPD au cours de cette période plutôt sombre de son histoire, Jack Layton décide finalement de poser sa candidature à l'ouverture de la course au leadership qui s'ouvre à l'été 2002. Il prend cette décision même s'il n'est pas député. Personnalité connue, il a été conseiller municipal à Toronto et président de la Fédération canadienne des municipalités tout en étant très impliqué dans de multiples causes environnementales. Au total, six candidats se lancent dans la course[40]. En cours de campagne, Jack Layton se démarque notamment des autres candidats provenant du Canada anglais en obtenant l'appui de l'aile gauche du parti, en particulier la *Nouvelle initiative politique* pilotée par Svend Robinson. Il gagne aussi le support de l'aile syndicale (qui ne lui était pas acquise d'avance) et manifeste une certaine ouverture envers le Québec[41]. Il possède par ailleurs des qualités personnelles indéniables : une capacité à rassembler les divers courants autour de lui, un tempérament positif, un dynamisme et une ouverture à la discussion clairement manifestée. Jack Layton remporte donc une victoire éclatante en janvier 2003 avec 53 % des voix. Une nouvelle période de l'histoire du NPD commence donc avec sa désignation à la tête du NPD.

Jack Layton dirige tout d'abord son parti en fonction des élections fédérales de 2004, 2006 et 2008. Une certaine correction à la hausse des performances du NPD se manifeste bel et bien en comparaison aux résultats décevants obtenus de 1993 à 2000. En 2004, le NPD obtient 15,70 % des voix à l'échelle canadienne pour 19 sièges, 17,50 % en 2006 avec 29 sièges et 18,20 % en 2008 pour 37 sièges. Layton ne réussit toutefois pas à battre le record de voix obtenues par Ed Broadbent en 1988 (20,38 % des voix et 43 sièges). Au Québec, au fil de ces trois mêmes élections fédérales, les suffrages en faveur du NPD connaissent une certaine montée : ils passent de 4,60 % en 2004, à 7,50 % en 2006 et à 12,20 % en 2008. Bref, une progression clairement observée, tout particulièrement entre l'élection de 2006 et celle de 2008[42]. En 2008, le NPD élit pour la première fois un député dans une circonscription québécoise à l'occasion d'une élection générale. Il s'agit de Thomas Mulcair dans la circonscription d'Outremont, lui qui avait déjà été élu lors d'une élection partielle tenue le 18 septembre 2007 avec 47,5 % des voix. Toutefois, les résultats dans l'Ouest canadien demeurent mitigés, sauf en Colombie-Britannique où le NPD connaît un score amélioré en 2008. En Ontario, les résultats ne sont pas encore probants.

De 2003 à 2011, le parcours de Jack Layton à titre de chef du NPD est marqué par des hauts et des bas. La période des gouvernements minoritaires de Paul Martin et Stephen Harper est pleine de rebondissements et de situations inattendues. Le NPD, tout comme le Bloc québécois, est entraîné dans cette mouvance qui amène notamment ces deux partis, en décembre 2008, à entrevoir la perspective de formation d'un gouvernement de coalition avec les Libéraux, projet qui échoue à cause de la prorogation des travaux de la Chambre des communes imposée par le premier ministre Stephen Harper. Bien qu'il tente de s'affirmer davantage sur la scène fédérale, le NPD s'enferme dans un certain nombre de contradictions en lien avec la question québécoise, entre autres en ce qui concerne la loi sur la clarté référendaire (Loi C-20). La décision du caucus fédéral d'appuyer cette législation met à rude épreuve la résolution adoptée au congrès fédéral du NPD en 1999 reconnaissant le peuple québécois et son droit de décider librement de son propre avenir. Le contrecoup est palpable. Le Québec n'est donc pas encore à la portée du NPD. Le Bloc québécois y règne toujours avec force.

Tout compte fait, de 1961 à 2011, on peut retenir que le NPD, ne réussissant jamais à arracher une forte proportion de sièges en Ontario et étant privé d'assises solides au Québec, n'a pas été en mesure de se mettre en position de force au plan fédéral et de devenir une formation suffisamment menaçante lui permettant de former le gouvernement à Ottawa. En quelque sorte, jusqu'aux élections du 2 mai 2011, le NPD a toujours été contraint de jouer le rôle de second violon.

## De province en province, la bataille au Canada anglais

De 1961 à 2011, le NPD profite d'un développement inégal d'une province à l'autre. Il connaît divers épisodes, allant de fortes vagues de popularité à d'autres phases marquées par des reculs importants. La mise en lumière de ces performances permet de cibler les défis auxquels le NPD fait face au plan pancanadien.

### *Les années 1960-1970 : enracinement et victoires*

Au cours des années 1960 et 1970, le NPD connaît une période de développement et d'enracinement au Canada anglais. C'est au tournant des années 1970 que le NPD effectue ses premières percées importantes sur le plan électoral, notamment au Manitoba, en Saskatchewan et en Colombie-Britannique où il est appelé à former le gouvernement à plusieurs reprises. Au Manitoba, dirigé par son nouveau chef Ed Schreyer, le NPD connaît des premières victoires aux élections de 1969 et 1973. En 1969, le NPD remporte 38,1 % des voix et 28 sièges ; en 1973, 42 % des voix et 31 sièges[43]. Il se maintient au pouvoir jusqu'aux élections du 11 octobre 1977. Pour sa première période de succès électoraux et de gouvernance, le NPD aura donc conservé le pouvoir pendant huit ans dans cette province. En Saskatchewan, avec Allan Blakeney à sa tête, le NPD remporte trois élections générales consécutives ! Les élections de 1971 marquent une entrée en force avec 55,2 % des voix et 45 sièges. En 1975, le NPD répète son exploit avec 40 % des voix et 39 sièges. Il renouvelle encore une fois cette victoire en 1978 avec 47,5 % des voix et 44 sièges. Parallèlement, en Colombie-Britannique, le NPD gagne les élections de 1972 avec 39 % des voix et 38 sièges mais ce premier gouvernement néo-démocrate dirigé par le populiste Dave Barrett n'est pas en mesure de renouveler son mandat[44]. En 1975, il subit une débâcle devant le Crédit social. Battu d'abord en Colombie-Britannique en 1975, au Manitoba en 1977 et finalement en Saskatchewan en 1982 (après 11 ans de pouvoir ininterrompu), le NPD connaît une période de recul au tournant des années 1980. Les conservateurs du Manitoba et de la Saskatchewan ainsi que les créditistes de Colombie-Britannique réussissent à renverser la tendance exprimée quelques années plus tôt. Ces expériences de gouvernements conservateurs durent quelques années et confirment en territoire canadien une tendance qui s'exprime déjà en Europe et aux États-Unis où un vent de droite se manifeste. Le gouvernement Tatcher s'installe en Grande-Bretagne de même que le Parti républicain dirigé par Ronald Reagan aux États-Unis. De plus, le gouvernement d'Helmut Kohl accède bientôt au pouvoir en Allemagne fédérale. La vague néolibérale bat évidemment son plein un peu partout dans le monde. Toutefois, contrairement à certaines idées reçues, la social-démocratie ne plie pas l'échine pour autant, ni au Canada ni au plan européen[45].

## *Les années 1980 : résister à la vague néolibérale*

C'est ainsi que dans l'Ouest canadien, au cours des années 1980, malgré la vague néolibérale dominante, le NPD réussit à tenir le coup. Il demeure un parti d'importance et se porte à nouveau à la conquête du pouvoir. Au Manitoba, le NPD remporte les élections en 1981. À l'élection générale de 1986, il renouvelle l'exploit et se maintient au pouvoir jusqu'en 1988[46], moment où le gouvernement d'Howard Pawley est battu par les conservateurs dirigés par Gary Filmon. En Saskatchewan, même s'il ne réussit pas encore à revenir au pouvoir, le NPD d'Allan Blakeney confirme une remontée de ses appuis populaires aux élections de 1986 en récoltant une majorité des voix, soit 45,02 % contre 44,61 % au Parti conservateur[47]. Toutefois, le caractère non-proportionnel du mode de scrutin lui joue un vilain tour puisque les conservateurs obtiennent 38 sièges contre 25 pour les néo-démocrates. En Colombie-Britannique, face à la longue domination des créditistes dans la province qui s'est étendue de 1975 à 1986 sous la gouverne de Bill Bennet, le NPD tente de refaire surface. Le 22 octobre 1986, aux élections de Colombie-Britannique, les créditistes, désormais dirigés par Bill Vander Zalm, sont reportés au pouvoir. Mais le NPD maintient ses positions. Malgré une légère baisse dans le pourcentage des voix obtenues, il protège ses acquis en récoltant 42,06 % des voix. Il conserve donc dans cette province une force relativement intacte. Le NPD s'appuie encore fortement sur les organisations syndicales qui ont été la cible privilégiée du gouvernement créditiste après 1983. En définitive, dans plusieurs provinces du Canada anglais, des signes de renforcement se manifestent pour le NPD, surtout en 1985 et 1986. La performance du NPD y est notable tant en Saskatchewan, au Manitoba qu'en Colombie-Britannique. Il serait exagéré de comparer ce regain de popularité à la montée qu'a connue le NPD au début des années 1970, alors que ce parti a remporté successivement trois élections provinciales, au Manitoba, en Saskatchewan et en Colombie- Britannique. Après tout, comme l'explique le politologue Alan Whitehorn, à la fin des années 1980, il ne reste plus aucun gouvernement provincial néo-démocrate au Canada[48].

### *Les années 1990-2000 : remontée dans l'Ouest, nouvelles percées dans l'Est*

Après des années difficiles dans des provinces qui lui étaient plutôt favorables, le NPD remonte la pente au cours des années 1990. La remontée est manifeste en Saskatchewan, en Colombie-Britannique et au Manitoba. Mais elle est aussi accompagnée d'une percée en Ontario et d'une solide progression en Nouvelle-Écosse.

Dans le cas de la Saskatchewan, l'année 1991 permet au NPD de reprendre le pouvoir grâce à une victoire étincelante lui fournissant 51.05 % des voix et 56 sièges. Il renverse ainsi le gouvernement conservateur de Grant Devine qui est l'objet d'une puissante grogne populaire suscitée tout particulièrement par un projet de refonte de la fonction publique de la province (« Far share Saskatchewan »). Le NPD est désormais dirigé par Roy Romanow. Celui-ci réussit à gagner les élections à trois reprises et à conserver le pouvoir pendant 10 ans. En 2001, Lorne Calvert prend la relève de Romanow et complète la séquence de victoires néo-démocrates en 2003, bien que plus difficilement. Lorne Calvert exerce le pouvoir jusqu'en 2007. Le 7 novembre 2007, c'est le Saskatchewan Party, parti nationaliste conservateur, qui s'empare du pouvoir avec 50,92 % des voix. Ce parti a progressivement supplanté le Parti progressiste-conservateur dans la province depuis 1999 comme force politique de droite. En Colombie-Britannique, en octobre 1991, le NPD met fin au règne du gouvernement créditiste de Bill Van der Zalm à qui Rita Johnson a succédé en avril de la même année. Le parti renouvelle cette victoire en 1996 jusqu'en 2001. Pendant cette période, le gouvernement néo-démocrate est dirigé par quatre premiers ministres successifs : Michael Harcourt de 1991 à 1996, lui-même éclaboussé par un scandale en fin de mandat ; Glen Clark de 1996 à 1999, lui aussi écarté à cause d'allégations en lien avec certaines irrégularités ; et enfin, Dan Miller de 1999 à 2000 et Ujall Dosanjh de 2000 à 2001. C'est alors qu'une ère libérale toute vouée aux grands crédos du néolibéralisme commence avec le gouvernement de Gordon Campbell. Au Manitoba, il faut attendre plus longtemps avant que les néo-démocrates ne puissent escompter reprendre le pouvoir. Désormais dirigé par Gary Doer, le NPD remporte les élections du 21 septembre 1999 avec 44,23 % des suffrages. Il parvient même à répéter l'exploit à deux autres reprises ; d'abord aux élections du 3 juin 2003 grâce à 49,22 % des voix puis à celles du 22 mai 2007 avec 47,73 %. Gary Doer quitte finalement son poste de premier ministre en 2009 et accepte une offre du gouvernement Harper à l'effet d'occuper le poste d'ambassadeur du Canada à Washington.

Au début des années 1990, un exploit étonnant du NPD survient en Ontario. Dans un contexte de récession, la déroute du gouvernement libéral de David Peterson mène à la victoire du NPD aux élections ontariennes du 6 septembre 1990. Le NPD remporte alors 37,6 % des voix et 74 sièges, contre 32,4 % des voix et 36 sièges aux libéraux, sans oublier 23,5 % des voix et 20 sièges aux conservateurs. L'expérience du gouvernement néo-démocrate de Bob Rae devient dès lors probablement l'une des plus controversées de tous les épisodes de gouvernements sociaux-démocrates depuis les années 1970. Cette expérience a été d'ailleurs analysée en 1995 dans le cadre d'un ouvrage intitulé *La social-démocratie en cette fin de siècle/ Late, Twentieth-Century Social Democracy*[49]. Deux contributions de cet ouvrage écrit en collaboration offrent un éclairage intéressant sur le cheminement du gouvernement néo-démocrate de Bob Rae jusqu'en 1995. Bien que le gouvernement Rae ait commencé son mandat avec un programme ambitieux, celui-ci concentre ensuite ses efforts dans la lutte contre le déficit, dans la mise en place d'une politique d'austérité et de coupures dans les services publics. Le cheminement de ce gouvernement et de ses législations, allant du bill 40 au bill 48, révèle une rupture avec ses orientations social-démocrates et met bien en lumière les contradictions dans lesquelles s'est embourbé le gouvernement de Bob Rae. En bout de ligne, le mouvement syndical, allié traditionnel du NPD, se dresse finalement contre le gouvernement néo-démocrate. En 1995, l'échec est inévitable. Les syndicats prennent leur distance face au gouvernement de Bob Rae tandis que le monde des affaires, qui n'a jamais été sympathique à la cause du NPD, mène une virulente croisade contre lui. Le gouvernement néo-démocrate est conséquemment isolé. Il est battu à plate couture par les conservateurs de Mike Harris. Ce revers essuyé par le NPD en Ontario est probablement le plus cuisant subi par un gouvernement néo-démocrate depuis la fondation du parti. Les contrecoups sont inévitables. Au cours de la période qui suit, le NPD est refoulé à une position de tiers parti dans la province. Il recule déjà à 17 sièges aux élections ontariennes de 1995, à 9 en 1999 et à seulement 7 en 2003. Aux élections du 10 octobre 2007, le NPD effectue une toute petite remontée en récoltant 16,8 % des voix et un total de 10 sièges. Mais c'est peu en regard de la victoire de 1990. Signalons que de 1996 à 2009, période peu reluisante, le NPD-Ontario fut dirigé par Howard Hampton.

Malgré tout, les espoirs du NPD ne s'estompent pas tout à fait au cours des années suivantes. Dans l'Ouest canadien, le NPD parvient toujours à former encore le gouvernement. Toutefois, la plus grande surprise néo-démocrate de ces années 1990-2000 surgit de la Nouvelle-Écosse.

Parmi toutes les performances du NPD réalisées au Canada anglais pendant cette période, l'une des plus éclatantes est sans nul doute la percée effectuée aux élections dans cette province en mars 1998. La détérioration de la situation socio-économique, la gronde dans le secteur des pêches, les reculs imposés dans le programme d'assurance-emploi, tous ces facteurs poussent littéralement le NPD à l'avant-scène dans cette province. Le 24 mars 1998, le NPD recueille 34,7% des voix contre 35,3% pour les libéraux[50]. Il y fait élire 19 députés, à égalité avec les libéraux tandis que les conservateurs sont limités à 14 sièges. La performance du NPD à ces élections de 1998 suit de très près la précédente percée néo-démocrate aux élections fédérales de juin 1997. Ce parti y a fait élire six députés dans cette province, un sommet inégalé quant à ses performances au plan fédéral depuis 1961. À la suite des élections de 1998 dans la province, un gouvernement libéral très minoritaire prend le pouvoir mais celui-ci est renversé à l'été 1999, ce qui entraîne la convocation de nouvelles élections générales pour le 27 juillet 1999. À cette occasion, le NPD récolte seulement 11 sièges mais ce léger repli ne l'empêche pas de reprendre son élan en 2003 (15 sièges) et en 2006 (20 sièges contre 23 pour les conservateurs). Le NPD se rapproche ainsi très sérieusement du pouvoir. L'exploit survient finalement aux élections de juin 2009. Le NPD recueille 45,24% des voix (contre 27,20% pour les libéraux et 24,54% pour les conservateurs). Il s'empare de 31 sièges et forme ainsi un gouvernement majoritaire dirigé par Darell Dexter.

Au terme des années 1990-2000, le NPD a réussi une certaine remontée dans l'Ouest canadien, tout particulièrement au Manitoba où il demeure au pouvoir sans interruption de 1999 à 2011[51].

## IV. Une suite ininterrompue d'échecs du NPD au Québec

Si le NPD, malgré des hauts et des bas, est parvenu à devenir un parti de masse au Canada anglais, voire même à s'emparer du pouvoir à plusieurs occasions dans des provinces différentes, en particulier dans l'Ouest canadien et en Ontario, il n'en est évidemment pas de même au Québec. La trajectoire du NPD au Québec a été jalonnée d'impasses et d'échecs.

Sur l'essentiel, la question nationale est devenue le chemin de Damas du NPD au Québec. Jamais il n'est parvenu à l'assumer, à épouser les aspirations nationales des Québécois. Le NPD est demeuré fermé à toute ouverture sur ce terrain. Comme toutes ces années, de 1961 à 2011, ont été le terrain d'affirmation de ces aspirations, le NPD est donc demeuré coupé de toute base de masse au Québec. Un bref survol de ce cheminement permet d'y voir plus clair. Il permet de mieux saisir la nature du débat au sein du NPD sur la place du Québec au sein du Canada, sur le dilemme qui le déchire et les obstacles qu'il doit surmonter dans la phase présente de son développement.

### Déchirements et blocages à répétition

Les premières années de développement du NPD au Québec, après le fameux débat sur la reconnaissance de « deux nations » au congrès de fondation, sont déjà marquées par des déchirements internes. La direction fédérale maintient sa position fédéraliste et ses membres multiplient les déclarations qui reflètent, en sens inverse des discussions du congrès de fondation sur les statuts, une non-reconnaissance de l'existence du peuple québécois et de la légitimité de ses aspirations. Cette situation et l'action des nationalistes au sein de la section québécoise mènent à l'éclatement de l'organisation québécoise en deux organisations séparées : d'un côté, le Parti socialiste du Québec n'agissant qu'en territoire québécois ; et de l'autre, le NPD-Québec demeurant associé au NPD fédéral. Le PSQ survit jusqu'en 1968, année de sa dissolution au profit du Parti québécois naissant. Pour sa part, le NPD-Québec en construction sort affaibli de cette crise. Toutefois, au congrès fédéral du NPD en 1963, les délégués du Québec réussissent à faire reconnaître le principe de l'autonomie provinciale pour le Québec.

Les années qui suivent sont marquées par plusieurs tentatives ratées de relance du NPD au Québec. D'abord par Robert Cliche, de 1965 à 1968, qui a peine à faire prévaloir au sein du parti fédéral la reconnaissance d'un « statut particulier » pour le Québec en opposition à une conception d'une vision centralisée de la fédération canadienne défendue notamment par Charles Taylor. Par la suite, en 1971, Raymond Laliberté, lui-même ex-président de la Centrale des enseignants du Québec, se heurte aux positions de la direction fédérale du NPD sur la question québécoise. La période 1971-1972 est d'ailleurs marquée par une nouvelle crise. Le NPD-Québec tente vainement de faire reconnaître le droit du Québec à l'autodétermination. Au congrès fédéral de 1971, la délégation québécoise est battue et l'affrontement entre l'aile québécoise et l'aile fédérale se poursuit jusqu'à l'élection fédérale de 1972. Le NPD-Québec est secoué par cette crise et son chef démissionne. Par la suite, Henri-François Gautrin prend la direction du parti. Mais le NPD ne réussit pas, sous sa gouverne, à prendre son envol. En novembre 1976, la participation du NPD-RMS aux élections québécoises de 1976, s'inscrivant en sens contraire des aspirations nationales des Québécois qui tendent à se ranger derrière le Parti québécois, ne rapporte rien de bon et ce, même si la formation néo-démocrate se prononce en faveur du droit à l'autodétermination des Québécois et la perspective de la convocation d'une assemblée constituante au Québec. Malgré tout, le NPD-Québec tente de faire prévaloir la question nationale québécoise au congrès fédéral du parti de 1977. De nouveaux affrontements surviennent alors sur la question du droit des Québécois à choisir leur propre avenir sans contrainte. Au congrès de Winnipeg tenu peu de temps après la victoire du Parti québécois de novembre 1976, la direction du parti fédéral refuse d'appuyer une résolution présentée par la délégation québécoise demandant que le NPD reconnaisse le droit à l'autodétermination du Québec. Les délégués du Québec y sont fustigés par David Lewis. Qui plus est, en février 1979, le caucus du NPD à la Chambre des communes appuie la loi C-9 soumise par le gouvernement Trudeau. Cette loi permet au gouvernement fédéral de recourir à un référendum « canadien » en matière constitutionnelle dans l'éventualité d'un référendum qui menacerait l'édifice politique fédéral. Aux Communes, le jeune député néo-démocrate de Broadview, Bob Rae, déclare appuyer cette loi « parce que les anglophones et les immigrants du Québec sont sérieusement menacés »[52].

Pis encore, à l'occasion du référendum québécois de 1980, le parti fédéral se range derrière le camp fédéraliste du NON et s'isole fortement au Québec. Deux représentants du NPD participent au comité organisateur du regroupement Pro-Canada : Lorne Nystrom, député de la Saskatchewan et Henri-François Gautrin du Québec[53]. Le NPD participe ensuite activement aux activités de ce comité Pro-Canada dans le but de battre l'option du OUI au référendum de mai 1980. En 1982, le NPD appuie subséquemment le coup de force constitutionnel du gouvernement Trudeau. Le premier ministre Howard Pawley et son ministre de la Justice, Roy Romanow, sont à la table de négociation aux côtés de Pierre-Elliott Trudeau. À l'exception des députés Svend Robinson et Jim Manly de la Colombie-Britannique[54], tous les députés fédéraux du NPD votent en faveur de la Loi constitutionnelle de 1982. En concédant son appui au projet constitutionnel de Pierre-Elliott Trudeau qui, contre le consentement du Québec, vise à centraliser encore davantage les compétences de l'État fédéral canadien, diminuer celles du Québec et affaiblir les prérogatives de la loi 101, le chef du NPD, Ed Broadbent, déclare : « Nous aurons probablement la meilleure charte des droits de l'hémisphère occidental, une formule d'amendement souhaitable, une constitution que la grande majorité des citoyens endossent avec fierté »[55].

Pourtant, la Loi constitutionnelle de 1982 a renforcé l'intrusion de l'État fédéral dans les compétences du Québec, notamment dans les domaines de l'éducation, de la mobilité de la main-d'œuvre et des ressources non renouvelables. Ce faisant, la compétence législative de l'Assemblée nationale a été diminuée. Elle n'a pas non plus répondu aux demandes traditionnelles du Québec dans les champs des communications, de la culture et du droit familial. Le renforcement du caractère centralisé de la fédération est aussi révélé par la nouvelle formule de modification de la constitution qui évacue tout droit de véto pour le Québec. Pour sa part, la « meilleure charte des droits de l'hémisphère occidental » est clairement conçue de manière à faire voler en éclats plusieurs dispositions de la loi 101. Elle contient aussi deux clauses dérogatoires générales (articles 1 et 33) qui permettent aux deux paliers de gouvernement de contourner ou limiter l'exercice des droits et libertés. L'énumération des droits est aussi limitative, les droits collectifs étant réduits à une portion congrue. Elle ne reconnaît pas non plus l'existence de la nation québécoise et de ses droits inhérents, léguant plutôt à l'autorité fédérale le devoir de maintenir et de promouvoir le multiculturalisme (article 27). En cette période charnière de 1982, l'apologie du changement constitutionnel de 1982 faite par Ed Broadbent s'inscrit donc diamétralement aux antipodes des attentes du Québec.

Cette séquence des années 1970-1982 est donc assez troublante pour le NPD au Québec. À sa décharge, on doit toutefois lui reconnaître son opposition à l'imposition de la Loi sur les mesures de guerre en 1970.

**D'un espoir de relance à l'irruption de nouvelles contradictions**

Malgré tous les revers subis au Québec, une nouvelle tentative de reconstruction du NPD est entreprise par Jean-Paul Harney en 1985. Il s'agit de la plus sérieuse de l'histoire du NPD après sa fondation, du moins jusqu'en 2011. Le NPD-Québec tente alors une nouvelle relance dans un contexte de désertion de la base militante et social-démocrate du Parti québécois et d'effondrement de son support électoral. De 1981 à 1985, le gouvernement du Parti québécois y est allé de coupures massives dans les programmes sociaux, la santé et l'éducation, elles-mêmes doublées de multiples lois spéciales contre le mouvement syndical. Dans un tel contexte, le NPD tente de nouveau sa chance[56]. Dans son effort de reconstruction, le NPD atteint un effectif d'environ 3 500 membres en 1987[57], puis 16 000 à la veille de l'élection fédérale de 1988. Sous la pression du NPD-Québec, le congrès fédéral du mois de mars 1987 effectue aussi un tout petit pas en direction du Québec. Bien que l'aile québécoise du parti exige bien davantage, le congrès fédéral reconnaît le « caractère unique » du Québec, notamment en considération de sa langue et sa culture[58]. Ce qui demeure toutefois bien peu et surtout moins que ce que la délégation québécoise demandait.

Le NPD fédéral reconnaît au Québec un droit de véto pour tout changement aux institutions fédérales affectant la langue et la culture française et accepte d'entrevoir des dispositions constitutionnelles dans le but de protéger les droits de la majorité française du Québec tout en respectant les droits de la minorité anglophone[59]. Parallèlement, l'organisation québécoise dénonce le coup de force constitutionnel de 1982, défend le droit à l'autodétermination du Québec et appelle à la convocation d'une assemblée constituante permettant au peuple québécois d'exercer sa souveraineté. À l'occasion de l'élection fédérale de 1988, bénéficiant de l'appui de la FTQ et profitant de l'affaissement de la popularité du Parti québécois, le NPD-Québec parvient à obtenir le meilleur score de son histoire avant 2011. Toutefois, postérieurement à cette tentative de relance de 1987-1988, le virage ultra-fédéraliste de la direction fédérale du parti resurgit rapidement et vient tout gâcher. C'est notamment le cas à l'occasion de la dernière phase des pourparlers sur l'entente du Lac Meech alors que le NPD vient saboter toute possibilité pour lui de sortir de son impasse perpétuelle au Québec. Dans le dernier droit de la négociation de cet accord, le NPD invoque l'insuffisance du projet d'accord quant à la reconnaissance des droits des autochtones et ceux des femmes pour justifier son opposition. Pourtant, les quatre conférences constitutionnelles sur la question autochtone ayant été tenues au Canada de 1982 à 1987 ont déjà abouti à un échec tandis que la négociation entourant la conclusion de l'Accord du Lac Meech concerne spécifiquement le Québec. Audrey MacLaughlin, Gary Doer, Tony Penikett, Bob White (des TUA), Paul Cappon (du NPD-Québec) et la plupart des dirigeants du NPD, y compris Ed Broadbent, appellent bientôt à un rejet de l'Accord du Lac Meech[60]. Pour sa part, Roy Romanow y est opposé dès le départ, craignant que la reconnaissance de la notion de « société distincte » pour le Québec puisse lui permettre de se soustraire de la Charte canadienne des droits et libertés[61].

C'est ainsi que l'Accord du Lac Meech subit l'assaut du NPD. Un accord qui, il faut bien le dire, demandait bien peu pour le Québec et était jugé trop minimaliste par une large proportion des Québécois. Le congrès du NPD du mois de décembre 1989 se prononce formellement contre ledit accord. Enfin, à l'Assemblée législative du Manitoba, le député néo-démocrate Élijah Harper appelle lui-même à voter contre cette entente constitutionnelle. Il est appuyé par les libéraux de la province, dont Sharon Carstairs, et les conservateurs de Gary Filmon. Ajoutons que ce revirement de position de la part de la direction du NPD est aussi vérifié à l'occasion des débats sur l'Accord de Charlottetown. Les troupes du NPD au Canada anglais, notamment dans l'Ouest canadien, suivent le courant dominant au Canada et agissent de manière à faire échouer ce projet. Après ces événements, soit le changement de cap du NPD contre les deux accords de Meech et de Charlottetown, l'organisation et le support électoral du parti s'effondrent au Québec. Le NPD en est réduit à une peau de chagrin, d'autant plus qu'il fait face désormais à une poussée fulgurante du Bloc québécois. Comme si les positions prises par le NPD n'avaient pas été suffisamment dévastatrices au Québec, le NPD prend position encore une fois en faveur du camp du NON à l'occasion du référendum québécois de 1995. Il redevient une minuscule organisation sans impact, diminuée et reléguée à la marge de la vie politique.

Le seul élément réjouissant pour le NPD au cours de cette période trouble est sans nul doute l'élection de Phillip Edmonston sous la bannière du NPD à l'élection partielle tenue dans la circonscription de Chambly en février 1990. Il s'agit du premier député néo-démocrate élu dans toute l'histoire du NPD au Québec. Avant lui, un transfuge conservateur (Robert Toupin) a rejoint les rangs du NPD en 1987 pour une période de temps très courte, avant de se rendre compte qu'il n'était pas à sa place. Personnage connu au Québec, porte-parole de l'Association pour la protection des automobilistes (APA), Phillip Edmonston s'oppose d'ailleurs à la position constitutionnelle de son propre parti[62]. Il est en faveur de l'Accord du Lac Meech et réussit contre vents et marées à obtenir un score impressionnant de 67,6 % des voix[63].

Au terme de ces années 1990, le sort misérable du NPD au Québec ne pouvait laisser ses dirigeants totalement indifférents. Par conséquent, en prévision du congrès du mois d'août 1999, un comité de travail est mis sur pied de manière à étudier la question et à proposer un plan d'action. Ledit comité élabore un document intitulé *Le Forum social-démocrate sur l'avenir du Canada*[64]. Les délégués du congrès adoptent cette nouvelle orientation qui détonne par rapport à la position de fermeture néo-démocrate du passé. Sur l'essentiel, 40 ans après la fondation du parti, ce document reconnaît que les Québécois forment un « peuple » et que cette reconnaissance devrait être enchâssée dans la constitution; il prône également la mise en œuvre d'un fédéralisme « ouvert » par lequel l'élaboration des normes « nationales » en matière de programmes sociaux serait le résultat d'une « codécision » entre les provinces et le fédéral. Dans ce nouveau fédéralisme, dit asymétrique, le Québec pourrait obtenir le droit de retrait des programmes à coûts partagés, à condition toutefois de respecter les normes pancanadiennes établies dans le cadre des processus « codécisionnels ». Alexa McDonough reprendra plus tard cette idée[65]. Elle soutiendra que le NPD devait exercer un leadership dans le domaine social tout en arguant que « personne ne s'oppose à ce que le fédéral dépense de l'argent pour l'éducation ou la santé » ! Il s'agit pourtant de domaines de compétence appartenant aux provinces. Elle expliquera plus tard que cette perspective de leadership social prôné par le NPD s'inspire de « l'entente sur l'union sociale » conclue en février 1999 et appuyée par le parti. Encore une fois, une entente pourtant carrément refusée par le Québec. Cette idée de leadership dans le domaine social, très forte au sein du NPD, rejoint d'ailleurs celle déjà exprimée par Bob Rae alors qu'il était premier ministre de l'Ontario. Dans un document intitulé *Bâtir ensemble l'avenir du Canada*, il proposait déjà en 1991 que les grands programmes sociaux construits au Canada dans le cadre de l'État-providence (en santé, en éducation ou au plan de l'aide sociale) soient protégés par une « charte sociale » à être enchâssée dans la constitution. Elle aurait garanti à tous les Canadiens le droit de bénéficier des mêmes programmes sociaux. Comme on le voit ici, la traditionnelle position centralisatrice du NPD en matière constitutionnelle, notamment en ce qui concerne les programmes sociaux, n'est donc pas remise en question par sa nouvelle position établie en 1999.

Par ailleurs, bien que cette nouvelle ouverture du NPD exprimée envers la reconnaissance du peuple québécois soit remarquée à son congrès de 1999[66], le NPD ne tarde pas à dévoiler au grand jour ses contradictions sur la question québécoise. Cette incohérence se manifeste en 1999-2000 lorsque le gouvernement Chrétien, inspiré par Stéphane Dion, élabore son tristement célèbre projet de loi sur la «clarté référendaire» (Loi C-20). Dans un premier temps, en accord avec l'esprit de la décision de 1999, le Conseil fédéral du NPD la rejette. Toutefois, au moment du vote en Chambre, le caucus du parti à Ottawa décide finalement de se ranger derrière la loi, contredisant ainsi l'orientation établie en Conseil fédéral[67]. Au cours des années subséquentes, cette décision d'appuyer la loi sur la clarté référendaire provoque des dissensions au sein du parti, notamment au sein de l'aile québécoise. Parallèlement, les reculs manifestes du parti dans les autres provinces du Canada au cours des années 1990 nourrissent des insatisfactions et une grogne parmi la frange gauche et écologiste du NPD. Dans cette veine, au cours de l'année 2001, une nouvelle tendance naît au sein du parti, inspirée par les députés Svend Robinson et Libby Davies. Il s'agit de la Nouvelle Initiative Politique (NIP) qui s'efforce de convaincre les membres du NPD de la nécessité de saborder le NPD et de former une nouvelle formation politique au Canada de façon à rallier la nouvelle gauche écologiste, pacifiste et altermondialiste. Elle dénonce également la décision prise par la majorité des membres du caucus à l'effet d'appuyer «le projet de loi sur la clarté (C-20) en dépit de l'opposition sans équivoque du Conseil fédéral élu du NPD»[68]. Se réclamant d'une trentaine d'associations de circonscription, de sections locales et d'ailes-jeunesse de différentes provinces, la NIP concerte toutes ses actions en prévision de la tenue du congrès du NPD prévue à Winnipeg du 23 au 25 novembre 2001. Au moment du congrès, quelque 40 % des délégués votent en faveur de la résolution présentée par la NIP. Ce projet n'obtient donc pas l'assentiment d'une majorité de délégués. Malgré tout, ce débat remet en cause les orientations fondamentales du NPD et permet, dans les circonstances du moment, de mesurer la nature des griefs et des aspirations d'une large portion des membres du NPD, notamment chez les jeunes.

Au moment de la course au leadership de 2002, les divergences sur la question de la loi C-20 éclatent au grand jour à l'occasion du débat tenu en français entre les candidats qui aspirent devenir chef du parti[69]. Ce débat en français a lieu le 27 octobre 2002, au Cégep du Vieux-Montréal. Sans grande surprise, le leader parlementaire du parti, Bill Blaikie, se porte évidemment à la défense de la décision du caucus fédéral[70]. À l'opposé, Pierre

Ducasse (candidat québécois dans cette course à la direction) la dénonce et soutient qu'elle contrevient à l'orientation établie lors du congrès de 1999 alors que le NPD a reconnu l'existence du peuple québécois dans le cadre du Forum social-démocrate sur l'avenir du Canada. Il ajoute même que cette décision l'a tout simplement bousillée. Pour sa part, Jack Layton profite de l'occasion de ce débat pour effectuer une sortie décapante pour la direction du NPD. Contre toute attente, il abonde tout à fait dans le même sens que Pierre Ducasse. Disant comprendre très bien le caractère distinct du peuple québécois et vouloir respecter ses institutions, Jack Layton exprime alors sa ferme réprobation de cette décision prise par le caucus fédéral. « Ils ont fait une faute », explique-t-il. « Ils se sont trompés » et ont placé le parti dans une situation désastreuse au Québec.

En résumé, sur la question du Québec, le cheminement du NPD au cours des années 1990 est encore fait d'incohérences. Au plan du discours, le NPD se présente comme le grand ami du Québec. Il va même enfin jusqu'à reconnaître l'existence du peuple québécois en 1999. Toutefois, au premier rendez-vous important, soit celui concernant l'adoption de la loi sur la clarté référendaire, la direction du NPD manifeste encore une fois son incompréhension ainsi qu'une position de fermeture envers les droits du peuple québécois. Les contradictions du NPD sur cette question de la loi C-20, soulevées à l'occasion de cette course au leadership, ne manqueront pas de rebondir au cours des années subséquentes. Telle est la situation dans laquelle se trouve le NPD à la veille de cette course à la chefferie qui s'étend du mois de juin 2002 au mois de janvier 2003

## V. L'entrée en scène de Jack Layton

La période la plus étincelante de l'histoire du NPD s'ouvre précisément au sortir de cette période morose alors que l'organisation social-démocrate, tant au plan pancanadien qu'au Québec, est affaissée et incapable de se sortir de sa marginalisation comme tiers parti. Les résultats électoraux ne sont pas au rendez-vous, les effectifs s'estompent, le militantisme est miné par de multiples questionnements et tiraillements à l'interne ; tandis que le Québec n'est pas à portée du vue, du moins pas encore. L'Ontario, la province la plus populeuse du Canada, demeure toujours un territoire non conquis pour le NPD. Il y demeure à la marge depuis la défaite de 1995. Dans l'Ouest canadien, le NPD a subi des reculs, secoué par la poussée néoconservatrice du Parti réformiste et de l'Alliance canadienne. La Saskatchewan est la province où le NPD subit les plus importants reculs[71].

Deux changements notables auront bientôt pour effet de changer le destin du NPD au Canada. Ils se produisent au Canada à compter de 2002. Il s'agit d'abord de l'entrée en scène de Jack Layton dans la course au leadership du NPD de 2002-2003 qui le propulsera à la tête du parti, suivie de la célèbre victoire du NPD au Québec à l'occasion de la « vague orange » qui a déferlé en territoire québécois aux élections fédérales du 2 mai 2011.

## La course au leadership de 2002 et la victoire de Jack Layton

L'entrée en scène de Jack Layton lors de la campagne au leadership de 2003 est le premier fait marquant qui annonce un changement de destinée du NPD au Canada et au Québec. Cette campagne, s'amorçant en juin 2002, vise à remplacer Alexa MacDonough qui a convenu de tirer sa révérence dans un contexte d'insuccès du NPD. Jack Layton décide ainsi de se lancer dans cette course et annonce sa candidature le 22 juillet 2002. Au plan de ses idées, le candidat torontois se dédie à la cause environnementale[72], au développement du transport en commun, à la lutte contre la pauvreté, à la défense des sans-abri, au développement du système de santé public ainsi qu'à la promotion des droits humains, dont ceux des femmes en particulier[73]. Aussi, tel qu'expliqué précédemment, Jack Layton réprouve le fait que la Chambre des communes ait adopté la loi C-20 et que le caucus du NPD y ait donné son assentiment au détriment du Québec. Bien qu'il ait déjà occupé le poste de conseiller municipal à Toronto et celui de président de la Fédération canadienne des municipalités, Jack Layton est perçu comme un rival peu menaçant en début de campagne. Pour sa part, Bill Blaikie, qui s'est déjà lancé dans la course en juin, est en avance sur tous les autres candidats à cause de son positionnement au sein des instances du parti. C'est l'homme de l'appareil du parti. En bénéficiant de l'appui de la majorité du caucus et d'une grande proportion des dirigeants du parti à travers le Canada, le leader parlementaire du parti semble voguer vers la victoire. Toutefois, ces apparences sont trompeuses. Sur le terrain, plusieurs indices indiquent progressivement que Jack Layton s'apprête à doubler ses adversaires sur tous les aspects de la course. Sur quatre volets, cette percée tend à s'exprimer avec force et prépare le terrain à une victoire spectaculaire.

### Première victoire personnelle

Considérant la récolte d'appuis et la collecte de fonds, le contraste est effarant entre la campagne Layton et celles des autres candidats. Jack Layton réussit d'abord à obtenir le support d'un nombre important de membres, de dirigeants locaux, d'associations, de syndicats, et même de quelques entreprises. Il bénéficie aussi des meilleurs appuis financiers au sein du parti. L'autre facteur jouant en faveur d'une victoire probable de Jack Layton, c'est l'Ontario. L'avantage du nouveau chef est d'avoir été un conseiller municipal connu et populaire, ce qui lui permet de bénéficier de larges appuis dans sa propre province. Des 82 000 membres qui ont le droit de vote à ce congrès du NPD, environ 34 000 sont inscrits en Ontario. C'est là une donnée fondamentale qui sert évidemment le candidat torontois dans la mesure où la formule de suffrage universel des membres prévaut déjà partiellement au sein du NPD, bien qu'un contrôle de 25 % des voix par les affiliés syndicaux persiste encore selon les règles du parti. Sur un troisième plan, en gagnant l'appui de Svend Robinson et de Libby Davies, Jack Layton réussit à obtenir la sympathie de pans entiers de cette nouvelle gauche au sein du NPD qui, depuis 2001, cherche à imprimer à ce parti un cours plus écologiste, pacifiste et centré sur de nouvelles préoccupations sociales. Enfin, le dernier facteur à jouer dans la balance est l'appui d'Ed Broadbent, ancien chef au prestige incontestable.

Ce fameux congrès au leadership de janvier 2003 se termine donc par la célèbre victoire de Jack Layton[74]. La campagne fructueuse menée par Jack Layton exprime la défaite de l'équipe de direction du NPD, elle qui est associée aux positions traditionnelles du parti et aux déboires des années 1990. La victoire de Jack Layton revêt d'ailleurs un caractère spectaculaire. Elle survient au premier tour de scrutin avec une majorité relativement écrasante de 53,5 % des voix. Jack Layton y rafle non seulement la majorité des votes des quelque 82 000 membres mais il gagne aussi la majorité des votes des affiliés syndicaux. Ce seul fait, en ce début d'année 2003, secoue tout l'appareil du parti. Tous les autres candidats à la chefferie sont donc rapidement déclassés, y compris Bill Blaikie, le candidat le plus en vue de l'aile parlementaire, l'homme de la haute direction du parti.

En définitive, au cours de cette campagne au leadership, Jack Layton s'est placé en situation de force. En menant une campagne énergique, en faisant preuve de leadership et d'une capacité d'intervention publique, en anglais et en français, Jack Layton s'est donc placé en position gagnante. En janvier 2003, il est désormais chef du NPD. En ce même congrès au leadership, le *Rapport du Groupe de travail sur le Québec* y est adopté. Ce groupe de travail a été formé par le Conseil fédéral du parti en mars 2002. Dans ce rapport, il est entre autres retenu que le Bureau fédéral du NPD travaille à la mise en œuvre d'un plan stratégique pour le Québec : en consacrant davantage d'argent dans cet effort, en embauchant et affectant davantage de personnel pour l'organisation québécoise, en organisant une tournée du chef en territoire québécois doublée d'une stratégie médiatique mettant en valeur le nouveau chef du NPD. Aussi, il est alors retenu que la section québécoise du NPD prépare un document vulgarisé réaffirmant les positions du NPD sur le Québec (ce qui deviendra la Déclaration de Sherbrooke de 2005[75]).

### Hésitations et revirements

L'année 2003 sert à Jack Layton à asseoir progressivement son leadership sur le parti. Il multiplie les sorties publiques, notamment au Québec. Dès l'été 2003, le NPD opte pour une opération de relance auprès des Québécois. Jack Layton se comporte d'ailleurs comme s'il était déjà en campagne électorale. Toutefois, les premiers résultats électoraux de l'ère Layton ne sont guère impressionnants. Au cours des quatre élections partielles tenues durant les années 2002 et 2003, le vote en faveur du NPD se résume à peu de chose. Aussi, le Bloc québécois occupe toujours le terrain tout en s'apprêtant à effectuer une nouvelle victoire spectaculaire en 2004.

Bizarrement, ce qui ressort le plus clairement pendant cette période, ce sont les hésitations voire même les revirements du NPD et de Jack Layton sur la question québécoise. Au mois de mai 2004, Jack Layton réaffirme toujours son opposition à la loi C-20 (Loi sur la clarté référendaire) et promet même que le NPD, une fois au pouvoir, s'appliquerait à la faire retirer. « Je crois que la loi sur la clarté, explique-t-il, n'a pas contribué à promouvoir l'unité canadienne. C'était comme rapatrier la constitution sans l'appui du Québec. Tout cela accentue la division au sein de notre pays et je crois qu'il est temps de passer à autre chose »[76]. Comme cette déclaration a aussitôt fait de provoquer des protestations et une levée de boucliers au Canada anglais, surtout au sein du caucus du NPD, le nouveau chef du parti convient ensuite de faire volte-face sur la question. En décembre 2005, dans la perspective de la prise du pouvoir par le NPD, Jack Layton déclare : « nous ne toucherons pas à la Loi sur la clarté. Elle suit les principes établis par la Cour suprême qui ont été largement reconnus. Nous avons accepté ces principes. Nous acceptons la loi ! »[77]. Dès lors, il s'agit d'un virage à 180 degrés sur la question du droit du Québec de décider lui-même de son propre avenir. Cette nouvelle orientation néodémocrate sera d'ailleurs réaffirmée en 2006, aussi en 2008 et au cours de la campagne électorale de 2011. Fait tout aussi surprenant, pendant la campagne électorale fédérale de 2004, le NPD produit une plate-forme qui ne dit mot sur le Québec si ce n'est de rappeler que le parti reconnaît la nation québécoise.

Le dernier développement d'importance à survenir au Québec avant 2011 est sans nul doute l'adoption de la *Déclaration de Sherbrooke* par le congrès fédéral de septembre 2006. Cette Déclaration a été préalablement élaborée et adoptée par la section québécoise à Sherbrooke (le 7 mai 2005) en vertu du mandat donné par le Conseil fédéral de mars 2002. Ce débat lancé en 2002 visait à surmonter les dissensions survenues après l'appui donné par le parti à la loi C-20, geste qui a nourri la grogne au Québec. La déclaration reconnaît à nouveau la nation québécoise, le droit à l'autodétermination des Québécois, la règle de la simple majorité absolue pour décider de l'avenir du Québec ainsi qu'un droit de retrait en matière de modification constitutionnelle avec pleine compensation financière pour le Québec dans le cas d'une modification touchant aux champs de juridiction exclusive des provinces. Toutefois, la *Déclaration de Sherbrooke* avalise le pouvoir de dépenser de l'État fédéral dans des programmes à frais partagés selon l'esprit de l'Entente-cadre sur l'union sociale canadienne, une entente pourtant adoptée en 1998 sans l'accord du Québec. Cette orientation ouvre donc nécessairement la voie à une certaine interférence dans les domaines de compétence des provinces, au Québec comme ailleurs. La déclaration salue également le multiculturalisme (et non pas l'inter-culturalisme prôné par le Québec). Qui plus est, la section de la déclaration réaffirmant la reconnaissance du droit à l'autodétermination du Québec ne constitue qu'une déclaration d'intention, sans portée réelle. Dans les faits, le NPD continue de supporter l'esprit et la règle de droit imposée par la loi C-20 qui nie le droit de la nation québécoise de décider librement de son avenir. Enfin, en 2006, il n'y a aucune perspective de réouverture du dossier constitutionnel en vue, ce qui rend tout à fait théorique l'engagement du parti à reconnaître au Québec un droit de retrait avec compensation financière. La *Déclaration de Sherbrooke* ne dépasse donc pas le niveau de vagues conjectures.

En dernier lieu, pour ce qui concerne les résultats électoraux du NPD avant la campagne de 2011, le NPD se retrouve malgré tout sur une pente ascendante[78]. Aux élections fédérales du 28 juin 2004, le NPD recueille 15,70 % des suffrages exprimés et 19 sièges au plan pancanadien; seulement 4,60 % des voix au Québec. Le 23 janvier 2006, il obtient 17,50 % des voix et 29 sièges, ce qui représente une progression sensible, surtout quant au nombre de sièges gagnés. Au Québec, un nouveau score de 7,50 % est atteint. Enfin, le 14 octobre 2008, 18,20 % des voix et 37 sièges sont récoltés par le NPD. La croissance des appuis est alors plus manifeste. Au Québec, 12,20 % des voix sont recueillies par le NPD ; celui-ci réussit, pour une première fois de son histoire, à faire élire un député au Québec à l'occasion d'une élection fédérale générale. Il s'agit bien sûr de Thomas Mulcair, lui qui avait déjà été élu plus tôt dans la circonscription d'Outremont dans le cadre d'une élection partielle tenue le 19 septembre 2007. Ces quelques résultats de 2007-2008 permettent déjà de percevoir une relative ascension du NPD quant à son appui électoral au Québec. Sans que personne ne s'en doute à ce moment précis, celle-ci continuera son bout de chemin et mènera à la victoire du 2 mai 2011.

## VI. L'ÈRE MULCAIR : DÉFIER L'HÉRITAGE DU PASSÉ

La « vague orange » du 2 mai 2011 au Québec a été historique. Cinquante ans après sa fondation, le NPD a réussi à gagner 59 sièges, soit plus que ce que le Bloc québécois n'a jamais obtenu. L'impact de cet exploit, pour les néo-démocrates, a dépassé les frontières du Québec. Même après le décès de Jack Layton, cette vague a généré un certain effet d'entraînement au Canada anglais, surtout à l'occasion de deux élections successives tenues respectivement au Manitoba et en Ontario. Au Manitoba, le NPD dirigé par Greg Selinger a remporté les élections du 4 octobre 2011 avec 46,16 % des voix[79]. Il a ainsi permis au NPD, dans cette province, d'aligner une quatrième victoire électorale d'affilée, même si la campagne de ce parti n'a pas été très marquante. En Ontario, Andrea Horvath a pu aussi bénéficier légèrement de l'auréole de Jack Layton en réussissant à sortir le NPD-Ontario de la position relativement marginale qu'il occupait dans cette province depuis l'expérience du gouvernement Rae. Le 6 octobre 2011, le NPD a en effet renforcé son positionnement sur l'échiquier politique en obtenant 22,73 % des voix (contre 16,80 % en 2007) et 17 sièges (contre 10 précédemment)[80]. En Saskatchewan toutefois, le NPD n'a pu redresser l'échine. Aux élections du 7 novembre 2011, il y a subi à nouveau une cuisante défaite alors que le Parti saskatchewanais a balayé la province en raflant 64 % des voix contre 37,24 % pour le NPD. Visiblement, le NPD dans cette province n'est aucunement sorti de sa torpeur alors que le néo-conservatisme y règne en maître aux deux paliers de l'État. L'effet Layton n'y a pas vraiment permis un élargissement des appuis populaires du NPD. Rappelons que dans cette province, fer de lance de la fondation du parti en 1961, le NPD n'a fait élire aucun député néo-démocrate à la Chambre des communes au cours des quatre élections fédérales qui ont eu lieu entre 2004 et 2011.

La victoire de Thomas Mulcair survenue au terme de la course à la chefferie de 2011-2012 s'inscrit en continuité du legs de Jack Layton qui a voulu imprimer un nouveau cours au NPD au Canada et tout particulièrement au Québec. Indiscutablement, la victoire du NPD au Québec à l'élection fédérale de 2011 a été pilotée par le tandem Layton-Mulcair. En cours de campagne au leadership, Brian Topp a bien cherché à se présenter lui-même comme l'héritier de Jack Layton et le pionnier de la « vague orange », mais cette prétention n'a pas trouvé prise au Québec. Brian Topp était véritablement le candidat de l'appareil du parti tout en soutenant qu'il était prétendument le candidat le mieux placé pour permettre un renforcement du NPD au Canada anglais. Même s'il a obtenu l'appui de 14 députés en cours de campagne au leadership, dont 7 au Québec, celui-ci n'a pas été en mesure de briser le fort mouvement d'appuis qui s'est rapidement construit en faveur de la candidature de Thomas Mulcair. Dès le moment où il s'est lancé dans la course, le député québécois d'Outremont a pu bénéficier des retombées de son implication dans la direction de la campagne électorale au Québec et de son ascendance sur un grand nombre de députés. Il a pu également compter sur son expérience parlementaire et ministérielle acquise au Québec, ses qualités remarquables de tribun, son bilinguisme impeccable et son aptitude à manier le débat et la joute parlementaire. Il a surtout pu capitaliser, davantage que les autres, sur sa plus grande sensibilité envers les préoccupations nationales des Québécois tout en soutenant la nécessité de préserver d'abord les assises du NPD au Québec de façon à élargir les bases du NPD ailleurs au Canada anglais[81]. S'appuyant sur ses aptitudes personnelles, son orientation stratégique et son attachement au Québec, Thomas Mulcair a pu finalement rallier 44 députés du caucus fédéral dont 33 au Québec, parmi lesquels on pouvait constater plusieurs députés attentifs à la question québécoise[82]. D'autre part, contrairement à certaines idées reçues, le mouvement syndical n'était pas totalement gagné à la candidature de Brian Topp. Thomas Mulcair a obtenu l'appui de pans entiers du mouvement ouvrier et de plusieurs dirigeants syndicaux, dont certains les plus en vue[83].

Comme la direction du NPD lui est maintenant acquise, le défi de Thomas Mulcair est clair et se résume à une préoccupation fondamentale. Il lui faut défier l'héritage du NPD. En d'autres mots, surmonter les obstacles qui, sur la scène fédérale, ont fait de cette formation politique un tiers parti repoussé à la marge au Canada anglais et qui ont miné les espoirs de construction d'une aile québécoise solide et stable.

Du côté du Canada anglais, les perspectives apparaissent plutôt positives. D'emblée, il importe de reconnaître qu'au cours de sa campagne au leadership, Thomas Mulcair a pu compter sur de puissants appuis au-delà du Québec. Ils lui sont venus autant de la Colombie Britannique, de l'Ontario et de la Nouvelle-Écosse que du Nouveau-Brunswick. D'autre part, au cours du congrès fatidique des 23 et 24 mars, jusqu'au 4e tour de vote, à peu près tous les organisateurs et députés qui supportaient les candidats perdants se sont dirigés rapidement vers le camp de Thomas Mulcair et ce, même en l'absence de consignes de vote de la part des candidats battus. Le ralliement positif et enthousiaste de tous ces gens derrière la candidature de Muclair fut décisif. En ce sens, malgré certaines déceptions momentanées pendant la durée du congrès, l'unité du parti n'a pas tardé à être rétablie. Ces quelques données présagent donc un avenir plutôt favorable pour le leadership de Thomas Mulcair dans les rangs du NPD. Mais ne nous méprenons pas. Le défi le plus difficile pour le nouveau chef réside ailleurs, c'est-à-dire à l'extérieur des rangs du NPD. La tâche gigantesque consistera sans nul doute à tenter de briser la mainmise que les conservateurs, au fil du temps, ont ficelée sur l'Ouest canadien et sur une bonne partie de l'Ontario. Cette dernière province, il faut bien le rappeler, a littéralement basculé du côté conservateur lors des élections du 2 mai 2011. Dans une optique réaliste, l'Ontario et les Maritimes devraient être les premières cibles pour Mulcair de façon à pressuriser les fondations conservatrices de l'Ouest, sans quoi la perspective de la formation d'un premier gouvernement néo-démocrate au Canada pourrait ne demeurer qu'un mirage.

Au Québec, le défi est colossal. La victoire orange du 2 mai 2011 est attribuable, comme nous l'avons expliqué, à des circonstances tout à fait exceptionnelles. Il ne faut pas croire, dans les rangs du NPD, que cette percée aura un caractère permanent, que les victoires seront récurrentes et que tous les sièges du NPD au Québec lui seront garantis dans l'avenir. Alexandre Boulerice, député de Rosemont-La-Petite-Patrie, a lui-même reconnu cette réalité[84]. Les fondations de la victoire du 2 mai 2011 demeurent encore fragiles, surtout en considérant la trajectoire historique de ce parti sur la question nationale québécoise. Certains pas en direction du Québec ont été franchis. Thomas Mulcair s'est affiché comme le partisan de cette ouverture, comprenant le caractère sensible et parfois explosif de ces questions au Québec. C'est ainsi que, contrairement à d'autres dirigeants du NPD, il s'est refusé, de manière fort habile, à participer au lynchage politique de Gilles Duceppe à propos de l'usage des fonds parlementaires pour l'embauche de son personnel politique. Par contre, les faux pas et bévues perpétrés par le NPD au cours de sa première année d'expérience à titre d'opposition officielle à Ottawa ne sont pas rassurants. La déclaration de Roméo Saganash sur la partition éventuelle du territoire du Québec en cas de souveraineté du Québec, les positions du parti sur le projet du Bas-Churchill (fermement soutenues par Thomas Mulcair), l'assentiment donné à la loi sur la clarté référendaire ainsi que la bourde monumentale survenue à propos de l'unilinguisme du juge Michael Moldaver et du vérificateur Michael Ferguson, sont autant d'actions posées qui minent les efforts du NPD pour s'implanter réellement au Québec. De plus, la déclaration faite par Thomas Mulcair à l'occasion du 30e anniversaire du rapatriement de la constitution suscite l'interrogation. Présentant la Charte canadienne des droits et libertés de 1982 comme « un modèle pour le monde entier » et « un document qui reflète nos valeurs communes », le chef du NPD fait pratiquement siens les termes utilisés par Ed Broadbent en février 1981 pour encenser le coup de force du gouvernement Trudeau et ce, même s'il souligne l'importance de créer des « conditions gagnantes » pour que le Québec signe cette constitution et que la reconnaissance de la nation québécoise soit reconnue[85]. Il faudrait ajouter qu'outre cette reconnaissance en litige, il y a bien d'autres irritants empêchant le Québec de signer cette constitution.

De manière globale, les orientations, les stratégies, les actions et les initiatives législatives que mettra de l'avant Thomas Mulcair sur la question québécoise seront déterminantes. La capacité du NPD de répondre aux aspirations des Québécois conditionnera largement ses perspectives de consolidation en territoire québécois. Dans le cas contraire, le NPD pourrait être refoulé dans l'arrière-cour de la vie politique au Québec, comme ce fut si souvent le cas dans son histoire. La remontée momentanée du Bloc québécois dans les sondages au cours de l'automne 2011 est une claire indication de l'importance de ces enjeux dans la dynamique de la vie politique québécoise. Au cours des jours qui ont suivi sa désignation au poste de chef du NPD, Thomas Mulcair a permis à son parti de se hisser en tête des intentions de vote au Québec dans la perspective de la tenue d'une élection fédérale. Le 7 avril 2012, les appuis en faveur du NPD au Québec grimpaient à 47 %[86]. Un sondage CROP du 24 avril propulsait le NPD à 51 %[87]. Cette nouvelle avancée du NPD fut partiellement attribuable à un effet « lune de miel » provoqué par l'élection d'un nouveau chef. Mais elle est également redevable à la popularité indéniable de Thomas Mulcair auprès de la population, lui qui a cherché à établir un lien de confiance avec les Québécois et leurs aspirations. Le défi pour lui sera de maintenir cet élan.

## Conclusion

Cinquante ans après sa fondation, le NPD demeure un parti de masse fortement implanté au Canada anglais. Il a réussi là où le CCF a échoué, surtout qu'il a pu former le gouvernement dans plusieurs provinces, des années 1970 à nos jours. Traditionnellement implanté dans l'Ouest canadien et en Ontario, le NPD a été en mesure plus récemment d'effectuer certaines percées dans les Maritimes, tout particulièrement en Nouvelle-Écosse. Sur la scène fédérale, avant 2011, le NPD n'a pas été capable de concrétiser la menace qu'il entendait devenir en 1961. Au fil du temps, les performances du NPD n'ont dépassé le seuil de 20 % des voix qu'une seule fois, soit en 1988 sous la direction d'Ed Broadbent. Le plus souvent, le nombre de sièges récoltés frôlait la vingtaine ou la trentaine de sièges, sauf en 1988 où le NPD a pu gagner 43 sièges. Le 2 mai 2011, en devenant l'opposition officielle à Ottawa, le NPD est parvenu dans une certaine mesure à réaliser l'objectif qu'il s'était donné en 1961. Le NPD a réussi, pour une première fois de son histoire, à s'inscrire comme parti dominant et à supplanter le Parti libéral du Canada. S'il a réussi cet exploit, c'est évidemment grâce à sa victoire historique et inattendue au Québec. Le NPD, sous la poussée de la volonté populaire, y a battu les conservateurs de façon convaincante. Cette percée phénoménale au Québec n'a cependant pas connu sa contrepartie en Ontario, même si le NPD y a vu une relative croissance de son support électoral. C'est là un autre défi majeur que le NPD devra assumer au cours des prochaines années. La perspective de la conquête du pouvoir à Ottawa suppose que le NPD consolide encore davantage ses appuis en Ontario, regagne ses assises historiques diminuées dans l'Ouest canadien et parvienne à maintenir une base solide au Québec.

| **Le Nouveau Parti démocratique et les élections fédérales (1961-2011)** | | |
|---|---|---|
| Date des élections | Proportion des votes valides recueillis et nombre de sièges au Canada | Proportion des votes valides recueillis au Québec et sièges |
| 18 juin 1962 | 13,40 % (1 037 531 voix), 19 sièges | 4,39 % (98 315 voix) |
| 8 avril 1963 | 13,10 % (1 037 857 voix), 17 sièges | 7,13 % (151 061 voix) |
| 8 novembre 1965 | 17,70 % (1 381 658 voix), 21 sièges | 11,99 % (244 339 voix) |
| 25 juin 1968 | 17,00 % (1 378 260 voix), 22 sièges | 7,53 % (164 466 voix) |
| 30 octobre 1972 | 17,72 % (1 713 528 voix), 31 sièges | 6,43 % (168 910 voix) |
| 8 juillet 1974 | 15,10 % (1 467,748 voix), 16 sièges | 6,59 % (162 080 voix) |
| 22 mai 1979 | 17,75 % (2 048 779 voix), 26 sièges | 5,10 % (163 492 voix) |
| 18 février 1980 | 19,65 % (2 164 987 voix), 32 sièges | 9,07 % (268 409 voix) |
| 4 septembre 1984 | 18,81 % (2 359 915 voix), 30 sièges | 8,77 % (301 928 voix) |
| 21 novembre 1988 | 20,38 % (2 685 308 voix), 43 sièges | 13,96 % (488 633 voix) |
| 25 octobre 1993 | 6,90 % (939 575 voix), 9 sièges | 1,60 % (57 339 voix) |
| 2 juin 1997 | 11,00 % (1 434 509 voix), 21 sièges | 2,00 % (71 558 voix) |
| 27 novembre 2000 | 8,52 % (1 090 946 voix), 13 sièges | 1,85 % (63 486 voix) |
| 28 juin 2004 | 15,70 % (2 116,536), 19 sièges | 4,60 % (158 838 voix) |
| 23 janvier 2006 | 17,50 % (2 589 597), 29 sièges | 7,50 % (276 401 voix) |
| 14 octobre 2008 | 18,20 % (2 517 075), 37 sièges | 12,20 % (441 136 voix) 1 siège (Outremont) |
| 2 mai 2011 | 30,6 % (4 512,411), 103 sièges | 42,90 % (1 630 865 voix) 59 sièges |

Sources : Rapports du Directeur général des élections publiés de 1961 à 2011.

La question nationale québécoise est demeurée, tout au long de l'existence du NPD, le talon d'Achille de ce parti. Jusqu'à l'entrée en scène de Jack Layton, la direction du NPD n'a jamais su ni voulu véritablement intégrer la question nationale québécoise à son développement. Elle a toujours fait obstacle, dans ses propres rangs, à une réelle prise en charge de cette dimension fondamentale de la vie politique au Québec et au Canada, n'y voyant que des dangers et des menaces à la cause de la social-démocratie et à l'unité canadienne jugée nécessaire à sa défense. Le NPD a d'ailleurs le plus souvent soutenu une perspective nationaliste canadienne plutôt qu'une orientation social-démocrate soucieuse des droits fondamentaux du peuple québécois. Le changement de cap amorcé sous la direction de Jack Layton et maintenu par Thomas Mulcair a permis un changement progressif du discours sur la question nationale québécoise sans que les contradictions ne disparaissent complètement. Une chose est certaine. Comme dans le passé, le NPD ne pourra pas faire l'économie de la question nationale québécoise. Elle est, au même titre que les questions nationales autochtones, une problématique fondamentale et permanente au Canada. Aucun parti ne peut y échapper. Au cours du XIX^e^ siècle, le parti conservateur s'y est engouffré et a perdu toutes ses assises au Québec, du moins pour une très longue période. Très tôt, il fut accusé d'être le parti des pendards et le parti de la conscription. Le Parti libéral s'y est aussi fortement échaudé, surtout à la suite suite du coup de force constitutionnel de 1982. Cette problématique se pose donc au Canada tout comme elle se maintient au cœur de la vie politique en Espagne ou au Royaume-Uni. Les peuples catalan, galicien, basque, écossais ou irlandais suivent leurs propres cheminements dans ces pays en fonction de leurs propres aspirations et la social-démocratie a eu souvent maille à partir avec ces enjeux nationaux. Au Canada, le NPD ne pourra demeurer une force majeure au Québec qu'en composant avec les aspirations nationales des Québécois. Sinon, l'avenir dans la Belle province pourrait s'avérer passablement ombragé.

## Notes et références

1. Les fondements détaillés de cette explication ont été articulés par l'auteur du présent texte dans *Le NPD et le Québec, 1958-1985*, Montréal, Éditions du Parc, 1985. Cet ouvrage sera revu et augmenté lors d'une prochaine édition.
2. Avec Ed Broadbent (chef du parti fédéral) et Jean-Paul Harney (chef de la section québécoise), le NPD avait réussi à obtenir tout près de 14 % des voix, ce qui représentait, à ce moment, son meilleur score jamais obtenu au Québec.
3. Ce fut le cas des principaux réseaux de télévision, dont Radio-Canada et TVA. Voir l'entrevue accordée par l'auteur du présent texte à Mélanie Bergeron au réseau LCN, le 25 mars 2012.
4. Voir Faron Ellis et Peter Woolstencroft, « The Conservative Campaign: Becoming the New Natural Governing Party? », dans John Pammett & Christopher

Dornan, *The Canadian Federal Election of 2011*, Toronto, Dundurn, 2011, p. 21. Les auteurs reconnaissent que Stephen Harper a alors sous-estimé l'effet dévastateur de cette décision de 2008 sur la fierté et l'identité québécoises.

5. En novembre 2009, la politologue Jennifer Smith de l'Université Dalhousie en conclut que « la centralisation du pouvoir est telle que le bureau du Conseil privé [le ministère central] s'est pratiquement transformé en une bureaucratie parallèle soumise aux ordres du bureau du premier ministre », citée par Manon Cornellier, « La démocratie en crise », *Le Devoir*, 14 novembre 2009.
6. Comme l'a bien démontré le sondage de la maison Léger marketing divulgué le 7 mai 2011 indiquant qu'au-delà de la « volonté de changement », le rejet des orientations conservatrices du gouvernement aurait été une motivation principale guidant les électeurs, tant chez les électeurs du NPD, que chez les anciens électeurs bloquistes et les électeurs libéraux.
7. Cette baisse du support électoral chez les libéraux a été analysée plus spécifiquement par Pierre Drouilly, professeur associé du Département de science politique de l'UQAM, dans quelques études publiées dans *l'Annuaire du Québec* au cours des années 1990 et 2000. Voir aussi l'article de Pierre Drouilly intitulé « Un OVNI électoral », dans l'*Annuaire du Québec 2012* où il revient sur cette tendance lourde de déclin des appuis du PLC au Québec.
8. Dans son discours de clôture au congrès à la chefferie, Thomas Mulcair a tout particulièrement souligné cette percée du NPD parmi les communautés culturelles, notamment à Montréal.
9. Voir l'explication de cet agenda conservateur par Faron Ellis et Peter Woolstencroft, « The Conservative Campaign: Becoming the New Natural Governing Party? », dans John Pammett & Christopher Dornan, *The Canadian Federal Election of 2011*, Toronto, Dundurn, 2011, p. 16.
10. Voir André Lamoureux, « Le NPD affaissé par l'élan du Bloc », *Le Devoir*, 25 juin 2004.
11. Rassemblement tenu le 23 avril au Théâtre Olympia. Dans sa lettre posthume du 20 août 2011, Jack Layton a fait référence à cette réponse des Québécois à l'appel qu'il leur avait lancé pour mener cette bataille : « Vous avez décidé, expliquait-il, qu'afin de remplacer le gouvernement fédéral conservateur du Canada par quelque chose de mieux, il fallait travailler ensemble, en collaboration avec les Canadiens progressistes de l'ensemble du pays. Vous avez pris la bonne décision à ce moment-là ».
12. Voir l'explication à propos de cette loi dans la section du présent texte intitulée « Une suite ininterrompue d'échecs du NPD au Québec ».
13. *La Presse canadienne*, « Le NPD appuie à son tour le projet du Bas-Churchill: Jack Layton veut gagner des sièges à Terre-Neuve aux dépens des libéraux », 16 avril 2011.
14. NPD communiqués, *Le NPD s'engage à forger une relation nation à nation — Un engagement pour les Autochtones à la tête des résolutions pour un Canada juste et inclusif*, 18 juin 2011.
15. Lire à ce sujet, André Lamoureux, « 50 ans après la fondation du NPD/De l'épreuve de Jack Layton à l'enjeu du Québec », *Le Devoir*, 3 août 2011. Voir aussi la prochaine partie du texte pour plus de détails.

16. Voir Guillaume Bourgault-Côté, « Un premier candidat à la succession de Layton », *Le Devoir*, 13 septembre 2012.
17. Il s'agit de Brian Topp (ancien bras droit de Jack Layton), Nathan Cullen, Niki Ashton, Peggy Nash, Paul Dewar, Martin Singh et Thomas Mulcair. Roméo Saganash et Robert Chisholm se sont retirés en cours de campagne.
18. De son titre abrégé : « Loi sur le rétablissement de la livraison du courrier aux Canadiens », projet de loi C-6.
19. Ce dernier annoncera sa démission le 30 mars 2012.
20. À la première réunion du caucus tenu le 24 mai, Jack Layton déclarait : « Aux Québécois, mon message est clair : vous pouvez compter sur moi pour défendre vos intérêts ». Au Conseil général du NPD-Québec du 30 mai, Jack Layton et Thomas Mulcair se sont engagés dans le même sens, en particulier en ce qui concerne les écoles-passerelles et la protection de la langue française en tant que langue de travail dans les entreprises de juridiction fédérale. En août 2011, Thomas Mulcair a réitéré cet engagement à concrétiser la reconnaissance de la nation québécoise.
21. Le 16 janvier, les députés du NPD admettent finalement leur erreur. « Soyons francs, nous avons un peu dormi sur la switch », avoue Brian Topp, candidat à la chefferie. Cité par Marco Bélair-Cirino, « Les candidats font leur mea culpa », *Le Devoir*, 16 janvier 2012.
22. Il s'agit du projet de loi C-315 modifiant le Code canadien du travail. Le dernier article 8.2 du projet présenté par le député québécois Robert Aubin stipule : « Le gouverneur en conseil peut, par règlement, exempter une entreprise fédérale de l'application de tout ou d'une partie de l'article 8.1 », sans autre contrainte. L'article 8.1 du projet de loi du NPD contient toutes les mesures de protection de la langue française.
23. Voir Hélène Buzetti, « Saganash est seul avec ses propos sur la partition du Québec », *Le Devoir*, 5 novembre 2011.
24. Voir à ce propos les échanges vigoureux entre Bernard Descoteux, éditorialiste du journal *Le Devoir*, et Françoise Boivin, députée du NPD, les 24 et 27 novembre 2011.
25. Sur cette dernière question, voir Djemila Benhabib, « Le doigt dans l'engrenage », chapitre VII de son livre *Les soldats d'Allah à l'assaut de l'Occident* (Montréal, VLB, 2011) où elle critique les positions de la Fédération des femmes, de Québec solidaire et du NPD sur la question de la laïcité.
26. Voir *La politique fédérale au Québec*, sondage Léger Marketing, mené du 14 au 17 novembre auprès de 1002 répondants selon une marge d'erreur de 3,1 %.
27. Raymond Giroux, « Sondage CROP : le NPD chute au Québec », *CyberPresse*, 25 janvier 2012.
28. Voir *La politique fédérale au Québec*, Sondage Léger Marketing, mené du 23 au 25 janvier auprès de 1001 répondants selon une marge d'erreur de 3,1 %.
29. *Le travailleur canadien* (publication du CTC), vol. 2, no. 9, septembre 1959, p. 43.
30. Le Congrès du travail du Canada a été fondé en 1956 d'une fusion du Congrès canadien du travail et du Congrès des métiers et du travail du Canada. Le congrès de 1958 est donc le deuxième congrès de cette nouvelle centrale syndicale unifiée.

31. À propos du CCF-PSD au Québec, voir le témoignage de Jacques-Victor Morin dans Mathieu Denis, *Jacques-Victor Morin, syndicaliste et éducateur populaire*, Montréal, VLB Éditeur, 2003, p. 125.
32. À ce propos, voir André Lamoureux, *Le NPD et le Québec, 1958-1985*, Montréal, Éditions du Parc, 1985, p. 77.
33. Eugene Forsey, directeur de la recherche du CTC et futur sénateur libéral à Ottawa, mena notamment une charge à fond de train contre cette demande du Québec. Frank Scott s'y opposa également tout comme Claude Jodoin, président du CTC. Dans la même veine, en 1986, l'historien Desmond Morton traitera de «non-sens» cette réclamation de la délégation québécoise au congrès de 1961. Voir Desmond Morton, *The New Democrats 1961-1986. The Politics of Change*, Toronto, Copp Clark Pitman Ltd., 1986, p. 25.
34. Voir le document intitulé *Programme et constitution du Nouveau Parti démocratique (adoptés au Congrès de fondation)*, publié par le Secrétariat fédéral et le Secrétariat provincial du NPD, Ottawa, 1961.
35. Ce que reconnaît Desmond Morton dans son livre *The New Democrats 1961-1986. The Politics of Change, op. cit.* p. 36. Desmond Morton explique que ses dirigeants essayaient de se maintenir simplement en position d'équilibre, eux qui étaient placés à la frange de cette montée du nationalisme et du mouvement radical au Canada français.
36. À ce sujet, voir André Lamoureux, «Le NPD de 1984 à 1988: la recherche d'un nouvel élan», *Politique* (Revue de la société québécoise de science politique), no. 14, automne 1988, p. 83-118.
37. Kenneth Carty, William Cross et Lisa Young, *Rebuilding Canadian Party Politics*, Vancouver et Toronto, UBC Press, 2000, p. 29 et 31 ; voir aussi Réjean Pelletier, «Les partis politiques fédéraux», dans Réjean Pelletier et Manon Tremblay, *Le parlementarisme canadien*, Laval, Presses de l'Université Laval, 2005, p. 164.
38. Élections Canada, Trente-sixième élection générale 1997 (2 juin 1997), *Résultats officiels du scrutin, tableau K, Votes valides et sièges obtenus, selon l'appartenance politique, par province ou territoire*.
39. Élections Canada, Trente-septième élection générale 2000 (27 novembre 2000), *Répartition des sièges, par appartenance politique et par sexe*.
40. Il s'agit de Bill Blaikie (leader parlementaire du parti), Lorne Nystrom (député de la Saskatchewan), Joe Comartin (député de Windsor), Pierre Ducasse (vice-président du parti et dirigeant de l'aile québécoise), Bev Meslo (candidate supportée par le Caucus socialiste du NPD) ainsi que Jack Layton lui-même.
41. Notamment en dénonçant la loi C-20 (Loi de la carte référendaire), comme il l'a fait lors du débat en français tenu au Cégep du Vieux-Montréal le 27 octobre 2002.
42. Voir le tableau synthétique de tous ces résultats à la fin du présent texte.
43. Pour ces progrès du NPD au cours des années 1960 et 1970, voir notamment Desmond Morton, *The dream of power*, Toronto, Hakkert, 1974, p. 99-117. Voir également, du même auteur, *The New Democrats, 1961-1986, the politics of change*, Toronto, Copp Clark Pitman Ltd., 1986.
44. Pour plus de détails sur cette gouvernance de Dave Barret, voir Alan C. Cairns et Daniel Wong, «Socialism, Federalism and the B. C. Party Systems

1933-1983», dans Hugh C. Thorburn, *Party Politics in Canada*, Scarborough, Prentice Hall, 1991, p. 468-485.

45. Cette analyse est notamment soutenue par Pascal Delwitt dans «Les évolutions électorales de la social-démocratie européenne», dans *Où va la social-démocratie européenne? Débats, enjeux, perspectives*, Bruxelles, Éditions de l'Université de Bruxelles, 2004, p. 63-85.
46. À propos de cette période, voir André Lamoureux, «Le NPD de 1984 à 1988: la recherche d'un nouvel élan», *Politique* (Revue de la société québécoise de science politique), no. 14, automne 1988, p. 83-118.
47. Source: Electoral Office, Saskatchewan, *Elections Saskatchewan: Historical*, Twenty-First Provincial General Election (october 20, 1986).
48. Alan Whitehorn, *Canadian Socialism. Essays on the CCF-NDP*, Londres, Oxford University Press, 1992, p. 9.
49. Jean-Pierre Beaud et Jean-Guy Prévost (dir.), *La social-démocratie en cette fin de siècle/Late Twentieth-Century Social Democracy*, Saint-Foy, Presses de l'Université du Québec, 1995, 263 p. Deux articles y traitent du bilan du gouvernement de Bob Rae en Ontario de 1990 à 1995: «From Premier Bob to Rae Days: the Impasse of the Ontario New Democrats» de Jane Jenson et Paule Rianne Mahon et «Social Democracy on trial: The Parti Québécois, the Ontario NDP, and the Search for a New Social Contract» d'Andrew Brain Tanguay.
50. Données tirées de Nova Scotia Election. Il est intéressant de comparer ce vote recueilli par le NPD à l'élection de 1998 au faible 18% obtenu à l'élection provinciale de 1993.
51. Performance renouvelée le 4 octobre 2001 permettant au NPD de s'assurer d'une quatrième victoire consécutive sur la base d'un gouvernement majoritaire.
52. La Presse canadienne, «Les Communes adoptent le projet de loi sur le référendum», *La Presse*, 2 février, 1979.
53. Agence DNC, «Formation d'un comité pré-référendaire de 28 membres de tous les partis», *Dimanche-Matin*, 4 décembre 1977. Henri-François Gautrin rejoindra bientôt les rangs du Parti libéral du Québec. Il deviendra député libéral à l'Assemblée nationale du Québec à compter de 1989. Pour sa part, Lorne Nystrom sera trois fois candidat à la chefferie du parti. En 2011, il donnera son appui à Tomas Mulcair.
54. Gilbert Lavoie, «Les Communes adoptent la résolution constitutionnelle par 246 voix à 24», *La Presse*, 3 décembre 1981.
55. Gilles Paquin, «Broadbent réitère son appui inconditionnel à Trudeau», *La Presse*, 6 février 1981.
56. C'est d'ailleurs dans ce contexte que Brian Topp fait ses premières armes au sein du NPD-Québec.
57. Selon les données rendues publiques au congrès fédéral de 1987 auquel nous avons assisté.
58. On croit souvent que l'idée de reconnaître le «caractère unique» du Québec est imputable d'abord et avant tout à la Conférence de Calgary tenue en 1998. En vérité, c'est le NPD qui a initié le premier cette formule à son congrès de 1987.

59. Il s'agit de la résolution N-1 de la section « Affaires fédérales-provinciales » du cahier des *Résolutions soumises au 14e Congrès du NPD fédéral*, Palais des congrès, Montréal, 13-15 mars 1987.
60. Gilles Paquin, « Le NPD retire son appui au Lac Meech/Broadbent renie son accord et demande lui aussi l'ouverture de l'entente constitutionnelle », *La Presse*, 2 décembre 1989.
61. Guy Taillefer, « Lac Meech : le NPD décide de reconsidérer sa position », *La Presse*, 6 mars 1989.
62. Pierre O'Neill, « Edmonston n'en fait qu'à sa tête, il plaidera pour le Lac Meech », *Le Devoir*, 15 décembre 1989.
63. Voir Parlement du Canada, *Historique des circonscriptions depuis 1867 / Élections partielles / 34e législature / Chambly*, résultats.
64. Les personnes ayant contribué à son élaboration sont notamment : Alexa McDonough (chef du parti), les députés Dick Proctor et Bill Blaikie, Nycole Turmel (à titre de vice-présidente de l'Alliance de la fonction publique du Canada) ainsi que Charles Taylor (professeur de philosophie à l'Université McGill). Voir Robert Dutrisac, « Les Québécois forment un peuple, reconnaît le NPD », *Le Devoir*, 30 août 1999.
65. Dans le cadre d'une entrevue accordée au journal *Le Devoir*, octobre 1999. Voir Michel Venne « La loi 101 est nécessaire, affirme Alexa McDonough ».
66. Le député du Bloc québécois de la circonscription de Portneuf déclare même : « Le NPD a fait un pas de géant ! », *Le Devoir*, 30 août 1999.
67. À l'exception de Svend Robinson et Libby Davies qui s'y opposent.
68. Voir la plateforme de la NIP intitulée *La nouvelle Initiative Politique : accessible, viable, démocratique. Énoncé de vision*, novembre 2011.
69. Les six candidats à la direction du parti sont alors : Bill Blaikie, Lorne Nystrom, Joe Comartin, Jack Layton, Pierre Ducasse et Bev Meslo.
70. La nature de ces débats peut être retracée en consultant une émission spéciale réalisée par le réseau RDI, le 27 octobre 2002. Intitulée « Débat entre les candidats à la direction du NPD », elle a été animée par Daniel L'Heureux en collaboration avec André Lamoureux à titre d'analyste spécialisé sur le NPD.
71. Aux quatre élections fédérales tenues entre 2000 et 2011, aucun siège ne sera d'ailleurs obtenu par le NPD dans cette province.
72. Il a notamment fondé le *Toronto Atmospheric Fund* qui a combattu pour la réduction des gaz à effet de serre ainsi que le *Green Catalyst Group*, une entreprise vouée à l'élaboration de politiques et programmes de développement durable.
73. Voir le document intitulé *À propos de Jack – réalisations* produit en août 2002 dans le cadre de sa campagne au leadership publicisée sous le thème « Jack Layton, nouvelle énergie, nouvelle direction ».
74. À cet effet, voir l'article intitulé « L'effet Layton » publié par l'auteur du présent texte dans le journal *Le Devoir* du 7 février 2003.
75. Voir Nouveau parti démocratique, « Rapport du Groupe de travail sur le Québec déposé auprès du Congrès du 24-26 janvier 2000 — Toronto », 7 p.
76. Alec Castonguay, « Layton est contre la loi sur la clarté référendaire », *Le Devoir*, 29 mai 2004.

77. Mario Cloutier, « Loi sur la clarté : Layton recule », *Le Devoir*, 8 décembre 2005.
78. Voir le tableau des résultats officiels en annexe.
79. Élections Manitoba, *Résultats officiels des élections 2011*.
80. Élections Ontario, *Élection générale provinciale 2011: résultats par parti politique*.
81. Comme il l'a clairement fait au 5e débat entre les candidats qui s'est tenu à Montréal le 4 mars 2012.
82. C'est entre autres Thomas Mulcair et Robert Aubin (député de Trois-Rivières) qui ont piloté le projet de loi C-315 visant la protection de l'usage de la langue française dans les entreprises de juridiction fédérale.
83. Wayne Hanley, président du Syndicat canadien de l'énergie et du papier (comptant 51 000 membres au Canada), a lui-même présenté la candidature de Thomas Mulcair au congrès à la chefferie, accompagné par la députée Marie-Claude Morin. Paul Moist, président du Syndicat canadien de la fonction publique (comptant 600 000 membres au Canada), est aussi venu donner son appui formel à Thomas Mulcair entre les 2e et 3e tours de vote. Plusieurs autres dirigeants syndicaux ont officiellement endossé la candidature de Mulcair.
84. Guillaume Bourgault-Côté, « La vague orange ne se reproduira pas — Le député Alexandre Boulerice dit que le NPD devra travailler plus fort en 2015 », *Le Devoir*, 7 mai 2012.
85. Voir sur le site du NPD, la « Déclaration du chef du NPD, Thomas Mulcair, à l'occasion du 30e anniversaire de la Charte canadienne des droits et libertés », *Nouvelles-Déclarations*.
86. Voir le sondage Léger Marketing du 7 avril 2012 (« La politique fédérale au Canada ») qui, au Québec, attribuait 47 % des intentions de vote au NPD contre 29 % au Bloc québécois et 10 % au PLC et au PC.
87. «Sondage CROP : Mulcair plus populaire que Layton », Jean-Marc Salvet, *Le Soleil*, 24 avril 2012.

Note de lecture

# À propos de *Duplessis, son milieu, son époque*, sous la direction de Xavier Gélinas et Lucia Ferretti (Éditions du Septentrion, 2010)

CLAUDE MORIN
*Ancien ministre du Parti québécois*

Ce livre m'a vraiment beaucoup plu. Davantage, en tout cas, que je m'y attendais. Il faut dire que je partais de loin.

**La «grande noirceur»...**

J'ai longtemps considéré Maurice Duplessis comme le politicien québécois historiquement le plus néfaste. À mes yeux, il symbolisait à peu près tout ce que j'avais détesté du Québec de 1945 à 1960. Plus exactement, certains traits de la société québécoise qu'il m'a été donné d'observer pendant la seconde moitié de mon cours classique jusqu'à mes premières années comme professeur, en passant par celles de mes études à l'Université Laval et à l'Université Columbia de New York.

Il y avait eu la grève de l'amiante, le cléricalisme, l'autonomiste défensif, l'«agriculturalisme», l'antisyndicalisme, le contrôle étranger sur nos richesses naturelles, le favoritisme, la «Loi du cadenas». Et aussi, cela me touchait plus près, l'opposition systématique de Duplessis aux valeurs économiques, politiques et sociales nouvelles que je découvrais à la Faculté des sciences sociales de Laval, dont, soit dit en passant, pratiquement aucun des diplômés, vus par lui comme des «pelleteux de nuages» aux idées troublantes, ne pouvait espérer faire carrière dans le fonctionnarisme québécois. C'était l'époque de la censure assidue des écrits et des films. De la lutte à tout ce qui pouvait, aux yeux du gouvernement d'alors, passer pour immoral ou d'inspiration socialiste. Si bien qu'il était quasi impossible de se procurer en librairie et encore moins en bibliothèque des ouvrages dits « à l'index » ou d'auteurs marxistes. Il fallait des permissions spéciales, signées, pour mettre la main sur les premiers et, pour les autres, les faire venir de France ou d'ailleurs, et parfois, ça m'est arrivé, aller les récupérer à la douane en tentant d'en justifier l'acquisition. On l'a oublié aujourd'hui, mais l'étroitesse d'esprit du gouvernement lui fit interdire la vente de la vodka, dans les magasins de la Commission des liqueurs, y compris de celle fabriquée aux États-Unis ! Une boisson inventée par les communistes… On ne s'étonnera pas que le souvenir encore vif de cette phase, à mon sens gênante de l'histoire du Québec, m'ait fait utiliser l'expression grande noirceur, assez courante ces années-là, dans des discours que je rédigeais pour Jean Lesage à compter de l'automne 1960. Je l'ai même à l'occasion glissée dans mes propres écrits.

Puis, la distance chronologique, combinée avec une connaissance plus subtile de l'histoire du Québec et à la réflexion qu'elle induisit chez moi, me fit relativiser les choses. Après tout, me dis-je, Duplessis n'était pas l'unique responsable, omnipotent, de l'atmosphère de mon point de vue déprimante qui accompagna son règne. Sa perception de la société québécoise, ses valeurs et son interprétation de la conjoncture collaient en gros à celles qui étaient partagées par la plupart des establishments de l'époque et par une proportion significative des citoyens. Bref, j'en vins à penser qu'il avait été, comme on dit, l'« homme de son temps », ce qui atténua quelque peu mon sentiment négatif à son endroit.

Sauf que je continuais à lui reprocher d'avoir opiniâtrement voulu perpétuer « son temps ». Là-dessus, mes dispositions sont demeurées les mêmes. Muni de l'autorité qu'il exerçait, il aurait pu ouvrir des horizons aux Québécois, leur inculquer confiance en eux-mêmes, s'intéresser à des idées originales au lieu de les rejeter a priori. Non, ses faits et gestes, ses réformes, se situèrent toujours à l'intérieur d'un cadre rigide qu'il considérait comme un acquis précieux à sauvegarder en le mettant à l'abri, entre autres dangers, des influences présumées gauchistes propagées, selon une formule usuelle, par des « esprits mauvais qui parcourent le monde pour la perte des âmes ».

Ces dernières années et récemment encore, certains ont tenté de présenter Duplessis sous un jour original, pour ne pas dire surprenant. Non seulement il n'aurait pas été le conservateur obstiné qu'on s'accordait en général à voir en lui, encore moins un autocrate, mais il serait rétrospectivement presque devenu le précurseur, peut-être involontaire mais néanmoins efficace, de la Révolution tranquille. Dans la logique de cette interprétation, il aurait plus ou moins mis graduellement en place des éléments qui rendirent possible la transformation québécoise des années 1960. Thèse insoutenable. La Révolution tranquille ne doit rien à la génération spontanée, mais de là à en attribuer la paternité à Duplessis…

Mais revenons-en au livre.

**Un ouvrage éclairant**

Chacun de ses chapitres, une trentaine, aborde un aspect particulier du duplessisme ou de l'époque qu'il domina, de sorte que l'ensemble constitue une remarquable fresque sur une période de l'histoire québécoise, moins monolithique qu'on l'a un bon moment supposé. Peut-être aurait-il idéalement convenu, pour rendre justice à tous les auteurs, de souligner la valeur indéniable de leurs contributions individuelles, mais on me pardonnera de privilégier celles qui portent sur des questions qui m'ont préoccupé au cours de ma carrière politique. Et me préoccupent encore, on le verra plus loin.

Dictateur ? Grande noirceur ? Comment qualifier correctement Duplessis et son règne ? Les appréciations peuvent varier d'un observateur ou d'un historien à l'autre, mais, l'ouvrage le démontre, la noirceur ne fut sûrement pas aussi grande que le laissaient croire les raccourcis politiques et médiatiques en vogue entre 1960 et 1965 et qui s'insinuèrent dans les jugements postérieurs. Duplessis dictateur ? Le mot est trop fort, mais démocrate ne conviendrait pas non plus. Dans son chapitre, Suzanne Clavette a, je crois, trouvé l'expression adéquate : petit despote de province (p. 413). Ayant vécu pendant et sous son régime, je ne vois pas quel prodige révisionniste me ferait changer d'avis là-dessus. Madame Clavette a aussi une phrase perspicace (p. 406) sur la volonté autonomiste du personnage, ce nationalisme qui l'a tant animé et dont on fait si souvent état. Il vaut la peine de la citer, elle est appropriée : « Concernant le nationalisme du Chef, il ne faut pas oublier que ses dénonciations tapageuses des mesures centralisatrices fédérales étaient aussi un moyen de s'opposer à l'instauration de l'État-providence ». Cet État-providence qu'il voyait surgir comme l'instrument hypocrite du socialisme larvé, moussé par les bureaucrates fédéraux anglophones et protestants.

Le chapitre de Sébastien Parent passe très utilement en revue la production historique et sociologique québécoise des années 1960 à nos jours. Des images successives et contrastées de Duplessis s'en dégagent, certaines explicables davantage par l'opinion approbatrice ou négative des auteurs sur la Révolution tranquille que sur le legs lui-même du héros. Mais, écrit Parent, « à l'extérieur des cercles initiés, la persistance d'un Duplessis plus grand que nature, ou détestable, confirme que l'histoire savante n'a pas su corriger la mémoire collective » (p. 430). Phénomène en politique.

On discutera sans doute longtemps encore des sources lointaines ou immédiates du duplessisme et de la Révolution tranquille. D'aucuns, avec un regard nouveau, des démonstrations inédites à l'appui ou pour se démarquer de leurs concurrents académiques, persisteront à contester telle ou telle certitude jusque-là acquise. Normal. C'est ainsi que, dégagée de légendes, s'élabore une véritable connaissance des faits historiques réels et de leurs interrelations. Mais une méfiance prudente est de mise : des arrière-pensées, des « agendas cachés », ou, tout bonnement, des préjugés conféreront fatalement un poids capital à tel événement perçu comme fondateur ou, au contraire, minimiseront la portée communément admise de tel autre. Ainsi, j'ai lu quelque part que le manifeste Refus global, en 1948, avait eu un impact déterminant sur l'évolution du Québec, en ce sens que de lui provint le premier coup sérieux porté à l'idéologie duplessiste émergente. J'ignore ce qu'il en était pour mes contemporains, mais, étudiant, à l'affût de tout texte qui s'en serait pris à l'idéologie ambiante, je n'ai pas eu connaissance de ce manifeste, dont j'appris l'existence des années plus tard, sans percevoir en quoi il aurait ébranlé Duplessis. La référence exacte me manque, mais j'ai aussi lu que le nationalisme de la Révolution tranquille, répercuté par les discours de Lesage, s'inspirait directement de la vision du Chanoine Groulx, ce que Trudeau, rencontré à Ottawa en 1969, m'avait déjà dit, m'en blâmant. Or, auteur de ces discours, ma culture souffrait d'une lacune : je n'avais encore rien lu de Groulx ni ne connaissais ses idées.

Par contre, dès sa naissance, j'accordais une énorme importance à *Cité libre*, dont chaque numéro m'apportait des matériaux que j'intégrais à ma grille d'analyse sociopolitique alors en construction. Par la suite mes idées évoluèrent considérablement, surtout à propos des rapports Québec-Canada, et je me sens aujourd'hui tout à fait en accord avec le chapitre fort documenté et démystificateur de Charles-Philippe Courtois sur la vision tronquée du Québec diffusée à l'époque par la revue. L'auteur insiste, en conclusion (p. 75), sur « la critique exagérée du duplessisme brossée par *Cité libre* ». Exagérée, en effet. J'ai succombé à ce travers sans me rendre compte, sur le coup, qu'il conduisait obliquement à douter des Québécois eux-mêmes.

Au-delà des grands thèmes traités dans le livre, plusieurs chapitres aident à comprendre le personnage marquant, mais sans transcendance parce trop vissé à son temps, que fut Duplessis. C'est le cas de ceux de la deuxième partie, sur le politicien et le député au quotidien, et des autres sur ses politiques (censure, culture, presse, richesses naturelles, relations avec Ottawa et l'Ontario, etc.). La contribution de Gaston Deschênes m'a rappelé mon manque d'enthousiasme quand, en 1977, j'appris l'intention de René Lévesque d'ériger la fameuse « statue de Duplessis ». Jean-Charles Panneton évoque les qualités journalistiques du Pierre Laporte que j'ai connu. Roch Bolduc confirme qu'une réforme du fonctionnarisme s'imposait, mais montre que l'administration publique comptait déjà certaines personnes de valeur.

**La nouvelle noirceur ?**

L'hostilité au duplessisme comme régime entraîne-t-elle forcément le rejet de toutes les valeurs défendues en son temps ? Ou, à l'opposé, doit-on être complaisant envers lui parce qu'il faisait la promotion de certains idéaux partagés par les Québécois aussi bien avant son avènement qu'après ? Jusqu'où pousser la rupture ?

Et, surtout, quelle rupture ? Par rejet du patriotisme canadien-français de naguère, souvent étroit, convenons-en, faudrait-il désormais se rallier à un « nationalisme civique » niveleur ? Pour prouver que notre nation est tolérante et réceptive à la mondialisation, serait-il devenu séant de nier notre spécificité ? De mépriser des différences culturelles dont le maintien et l'affirmation restent, sur le plan humain, naturelles et profondément légitimes, en plus d'être liées à notre survie collective ? Ainsi, des générations durant, le Québec a été « trop catholique » et le clergé y a exercé une influence écrasante : faudrait-il, pour compenser ou par ressentiment, laisser dilapider notre patrimoine religieux ou, pourquoi pas, prescrire l'athéisme généralisé sous couvert de laïcité ?

Cette veine de raisonnement est périlleuse : la logique qui la sous-tend peut faire conclure que l'insistance sur la connaissance de notre histoire ou la protection de la langue française crée de regrettables facteurs d'isolement… Explique-t-elle pourquoi, dans certains milieux « branchés », on est tenté, par immaturité, courte vue, effet de mode ou je ne sais trop, de jeter le bébé avec l'eau du bain ? En raison de quelle originalité post-moderne devrions-nous être le seul peuple du monde qui soit convié à fonder son avenir sur son déracinement tranquille ?

Dans son chapitre, Mathieu Bock-Côté n'aborde pas directement ces sujets. Mais son analyse du conservatisme au Québec met en lumière des conceptions divergentes de la question québécoise qui sont elles-mêmes à la base d'orientations idéologiques lourdes de conséquences. Il ne me paraît pas sûr que les acteurs politiques actuels, du moins ceux qui ont pour mission de défendre le Québec et d'en concrétiser tout le potentiel, discernent toujours clairement les choix implicites de société dont ces idéologies sont porteuses. Je pense par exemple à ceux qui raisonnent comme si le Bloc québécois devait équivaloir à une sorte de NPD-Québec, préoccupé par le « national » certes, mais plus encore par le « social » ou l'écologie. Ou, au sein du Parti québécois, aux promoteurs d'une future Constitution qui, animés des meilleures intentions, souhaiteraient y insérer, « ouverture » oblige, des principes et des dispositions qui, dans la réalité, imposeraient au Québec un « multiculturalisme » à la *canadian*, c'est-à-dire à la Trudeau.

Tout cela me fait parfois me demander si nous ne serions pas en train, au Québec, de vivre une nouvelle noirceur qui occulte des enjeux pourtant fondamentaux pour un peuple comme le nôtre. Car il me semble, depuis des années déjà, qu'on perd graduellement de vue, par rectitude politique ou « progressisme » étriqué, certaines données élémentaires comme celles-ci (je me permets de me citer moi-même…) :

> Sans l'existence d'un Nous fondateur, persistant et devenu plus ouvert d'une génération à l'autre, il n'y aurait au Québec ni sentiment d'appartenance, ni volonté autonomiste, ni aspiration souverainiste. N'existerait pas non plus cette identité québécoise, à la fois cause et conséquence du fait que le Québec forme une nation construite sur une histoire, une langue, une culture, un territoire et des institutions qui lui sont propres. Sans le Nous initial de langue française et ces citoyens, de toute origine, qui s'y sont déjà joints et s'y intègrent encore, le Québec serait une province ordinaire. Il n'y aurait pas et il n'y aurait jamais eu de problème Québec-Canada. On ne se serait jamais interrogé sur la place faite au Québec dans l'ensemble fédéral. Et, par la force des choses, tant et aussi longtemps que le Nous fera partie de cet ensemble, la question nationale continuera de se poser au Québec. Qui plus est, de tous les États de l'Amérique du Nord, le Québec est le seul à devoir assumer, par ses lois, ses actions et ses institutions, la responsabilité de préserver et de promouvoir la spécificité d'une société à 80 % de langue française qui, pour cette raison notamment, se distingue de la population nord-américaine presque totalement de langue anglaise, quarante-six fois plus nombreuse, qui l'entoure. (< www.vigile.net/Continuer-autrement >, octobre 2010)

Il va de soi que, sans le Nous fondateur, des personnages comme Maurice Duplessis, Jean Lesage ou René Lévesque n'auraient pas joué le rôle qui fut le leur, ni acquis la stature qu'on leur reconnaît aujourd'hui. Ils auraient été des politiciens ordinaires dans une province canadienne ordinaire, et personne n'aurait songé à organiser des colloques sur eux et à en publier les actes.

Tiendra-t-on, un de ces jours, un colloque sur Jean Charest ? Aucune idée, mais, le cas échéant, il s'imposera d'évaluer son apport de taille à la nouvelle noirceur : il a constamment cherché à évacuer la question nationale, n'a jamais formulé de positions qui auraient mis en cause le régime fédéral, s'est désintéressé de la politique linguistique et a fait de son mieux pour masquer les exigences d'une identité nationale à sauvegarder et à affirmer.

Je n'ai pas connu Duplessis personnellement, mais je dois aux circonstances d'avoir été proche des cinq premiers ministres qui lui ont succédé. Dans mon for intérieur et mes écrits, je les ai comparés. Différents les uns des autres par tempérament, méthodes de travail ou programme politique, un trait commun – essentiel – les rapproche toutefois. Un trait qui s'applique aussi à Duplessis : leur sensibilité était spontanément québécoise, leurs réflexes de même.

Ceux de Jean Charest, non.

Débat

# Deux lectures de *Fin de cycle, aux origines du malaise politique québécois*, de Mathieu Bock-Côté (Boréal, 2012)

1.

Guillaume Durou
*Candidat au doctorat en sociologie*
*Université du Québec à Montréal*

L'heure est à l'urgence d'un «ressaisissement national». Voilà le fil rouge du dernier essai de Mathieu Bock-Côté. Il y aurait, nous dit-il, une fin de cycle, une transition historique dans laquelle le modèle social tel qu'on le connaît aurait épuisé son sens. L'auteur fait donc le pari que le malaise du Québec actuel ne se résoudrait que dans un conservatisme dépouillé de l'assemblage monstrueux de la grande noirceur. Le thème était prévisible. L'effort par ailleurs ne vient pas seul. Il participe à un mouvement initié par une nouvelle garnison d'intellectuels conservateurs dont les réflexions sur la culture stimulent un débat qui s'annonce long. En dépit des propos parfois lapidaires et des zones clair-obscur de l'argumentation, on sera obligé de consommer cet ouvrage jusqu'au bout puisqu'il se révèle le témoignage incontournable d'un des chantres du nationalisme conservateur remettant en cause la résolution des tensions identitaires, ethnoculturelles et nationales dans la société québécoise. Divisé en quatre chapitres en plus de l'introduction et de l'épilogue, cet essai réclame une refondation du projet politique souverainiste en intimant la société de se réapproprier les éléments fondateurs de la «condition québécoise» de manière à retrouver la «continuité historique» de la nation. D'abord, commençons par résumer les grandes intentions de l'ouvrage pour ensuite identifier ses limites.

Bock-Côté se propose de faire la généalogie d'un malaise politique québécois dont les manifestations se laissent aisément deviner. La crise des accommodements raisonnables et de l'inter culturalisme, la désuétude du « modèle québécois » et l'affaissement du projet souverainiste désigneraient cette dérive. La question nationale quant à elle ne serait plus aujourd'hui le terrain de la polarisation traditionnelle entre les forces fédéralistes et souverainistes, mais se serait repliée sur le Québec, lieu où la réalité majoritaire francophone serait dorénavant confrontée aux revendications pluralistes. Le « souverainisme officiel » serait devenu projet imprécis alors que les sérieuses déconvenues du Bloc québécois auraient fait du parti une « machine politique ordinaire » institutionnalisée. Pour Bock-Côté, ces déconfitures ouvrent inévitablement la voie à une reconsidération du conservatisme identitaire ; une panacée au malaise existentiel actuel.

Constatant néanmoins une certaine droite conservatrice néolibérale et identitaire qui progresse dans l'espace public, rien n'empêche Bock-Côté de la poser en victime. En effet, on aurait depuis la Révolution procédé à une « criminalisation du conservatisme ». C'est en détaillant l'origine de cette entrave, qu'il sera possible de considérer de nouveau cette « sensibilité conservatrice » qui ne demande qu'à être articulée politiquement.

Depuis plusieurs décennies, notre nationalisme se serait déployé « moins à partir des exigences du nationalisme historique que du progressisme technocratique » accablant pour longtemps la société québécoise d'un lourd patrimoine social-démocrate. La Révolution tranquille, en perdant un peu son lustre, aurait cédé la place à « la version locale des *radical sixties*, de mai 1968 », une génération qui s'engagea à lutter contre le racisme, l'homophobie et le sexisme (p. 129). L'idéologie souverainiste qui découle de ces influences occidentales aurait donc progressivement « confondu l'émancipation sociale avec l'émancipation nationale » ! Ce « détournement », causé entre autres par l'infiltration de la contre-culture, l'influence du socialisme et les « excès » technocratiques conjugués au processus de bureaucratisation, serait manifestement parvenu à sacrifier l'identité historique nationale. Sans vergogne, Bock-Côté impute à la génération ascendante des soixante-huitards la lourdeur étatique provoquée entre autres par la diversité des politiques publiques. Plus d'une fois, l'auteur néologise à la manière de Philippe Muray des phénomènes pourtant réputés complexes. Ainsi, il contestera par exemple une « sociale-technocratie » du Québec, s'insurgera contre l'État « social-thérapeutique » des années 1990. On aura droit également au « progressisme hégémonique », dont la manifestation voisine à un pâle succédané du régime soviétique reste tout aussi déroutante. L'essai s'avère émaillé de propos à l'emporte-pièce laminant l'importance d'une rigueur scientifique visiblement accessoire.

Bock-Côté envisage donc de préciser le rôle salvateur du conservatisme comme seul capable de transmettre de nouveau la nature historique de l'identité québécoise. Cette nature, c'est celle du Canada français dont l'Union nationale se serait faite la « dépositaire active d'une mémoire de la continuité québécoise ». Malheureusement, sous le rythme effréné de la Révolution tranquille, notre culture québécoise, nous dit-il, aurait pris « forme dans la négation fondamentale de ce qui lui aurait permis de se perpétuer » (p. 65). Il ira jusqu'à déclarer que la mort précoce de Daniel Johnson priva le nationalisme conservateur d'une « synthèse centre droit » qui annonçait un gaullisme à la québécoise !

Animé d'un sentiment d'urgence, Bock-Côté invite alors à un « conservatisme de sens commun » déterminé à rompre avec le « consensus progressiste » (p. 46). Consensus, nous dit-il, qui se serait positionné en contradiction avec la continuité de l'expérience historique québécoise et de son héritage national (p. 148). L'engagement est clair : « il ne s'agit donc pas d'assurer la défense de la langue française ou de la laïcité, mais bien d'associer cette défense avec certains contenus hérités de la vieille identité canadienne-française ». Il n'est donc plus permis d'altérer l'identité par la mythique « Grande noirceur ». Pour ce faire, le conservatisme aurait pour tâche de réconcilier la partie acceptable de l'héritage de la Révolution ainsi que celle du vieux Canada français.

Enfin, Bock-Côté déplore la désoccidentalisation de l'identité québécoise (p. 65). On notera au fil de la lecture une durable proximité avec la pensée conservatrice française, notamment celle d'Alain Finkielkraut. Or il appert que curieusement, pas une seule personnalité intellectuelle ou populaire née du Canada français n'est reprise ni valorisée. On en vient à questionner le principe d'héritage dont l'auteur fait l'incessante apologie. Le réinvestissement de notre passé ne se réduirait-il qu'à l'œuvre de Lionel Groulx et aux travaux de l'école historique de Montréal ?

La question de l'héritage pose en effet problème. Résumée à l'essentiel, elle implique que le Québec devrait revendiquer ses acquis identitaires canadiens-français pour qu'ils (re)deviennent la mesure référentielle et consensuelle de son identité moderne. Or jamais le texte ne laisse voir clairement de quel héritage il s'agit. En introduction, Bock-Côté se contente d'affirmer que « c'est la question du Canada français et de son héritage qui se pose à nouveau, et plus encore celle du catholicisme qui resurgit comme problème politique et culturel » (p. 25). Disposé ainsi, il paraît dangereux d'accueillir sans concession un héritage au nom d'un passé et d'une tradition approximatifs. L'héritage ne doit pas s'énoncer en tant que catégorie abstraite. Il ne suffit pas de le réclamer sans en détailler la nature. L'héritage récent pas plus que l'héritage lointain ne peuvent en revanche se laisser réduire au catholicisme. Ce qui reste irréfutable, c'est qu'à partir de 1960, le contenu religieux québécois ne fut pas éliminé ni travesti, mais traduit par un langage séculier. Une réappropriation de la tradition et de l'héritage se fera immanquablement sous l'examen des institutions sécularisées.

Pour mettre en évidence les effets pervers de la Révolution tranquille, Bock-Côté attribue trop d'intentions à certains acteurs. C'est le cas de *Cité libre* dont on sait que l'influence sur les esprits et le déroulement des événements demeure surfaite (L. Dion, 1977). La revue, en voulant libérer la société d'un « bagage de tradition » et en critiquant vertement le duplessisme, aurait mit en procès « toute la culture québécoise [...] toute l'expérience historique du Canada français se retrouvait ainsi disqualifiée » (p. 58). C'est dire que la culture québécoise se réduirait à ce que les citélibristes avaient combattu : le cléricalisme et le nationalisme conservateur. En raisonnant dans le général, l'auteur se trouve à gonfler l'importance de certains terrains de l'histoire échouant à ramener cette dernière à ses justes proportions.

Circonscrite au régime de Duplessis, la « Grande noirceur » aurait contenu toute la nature du Canada français. Bock-Côté affirme à plus forte raison que « l'identité moderne québécoise » serait fondée sur ce récit, c'est-à-dire sur la négation de l'identité véritable. S'appesantir sur cette période du Canada français soi-disant souillée d'une affabulation obscurantiste donne à penser que l'auteur s'affaire à réactiver l'héritage conservateur uniquement, et ce au nom même de l'héritage tout entier. Pourtant, la périodisation du Canada français unanimement partagée débutant à partir de la moitié du XIX^e siècle n'est pas celle d'un conservatisme séculaire. En escamotant la dimension cruciale de toute la trajectoire canadienne puis canadienne-française pour mieux réfléchir les heures duplessistes, les doléances de Bock-Côté s'apparentent plutôt à un plaidoyer en faveur du conservatisme et non en faveur de l'histoire.

Les formules percutantes, parfois assassines et sans nuance ne permettent en rien d'adhérer non pas à la réflexion qu'amorce Bock-Côté, mais au projet qu'elle soutient. L'usage permanent de catégories absconses qui méritent d'être explicitées – « continuité historique », « condition québécoise », « conscience historique » – suggère une lecture sommaire du développement de l'identité québécoise. Malgré tout, il faudra bien lui concéder ceci : son ouvrage contribue à détailler correctement la mutation profonde du mouvement souverainiste depuis plus de cinquante ans, exigeant une réflexion sur sa fragilité. Enfin, si Bock-Côté parvient à cibler des aspects du désordre et de la détresse de notre époque, il paraît hasardeux de supposer que ces maux se résolvent dans le conservatisme seul.

## 2.
## Roger Payette
*Historien*

Le sociologue Mathieu Bock-Côté présente, dans son dernier livre intitulé *Fin de cycle*, ce qu'il pense être les causes de ce qu'il nomme, en sous-titre, le malaise politique des Québécois. Essentiellement, ce malaise politique proviendrait, selon l'auteur, de l'hégémonie qu'exercerait un courant idéologique progressiste sur la politique québécoise, qui censurerait le conservatisme en le faisant passer pour une pathologie, et ainsi l'empêcherait de faire valoir son point de vue et de prendre sa place sur l'échiquier politique québécois.

L'ouvrage est divisé en six parties. L'introduction, intitulée « La triste fin d'une époque », formule ainsi la source du malaise : en voulant se départir de l'idéologie de la survivance, les Québécois auraient oublié leur précarité collective et, par là, auraient perdu de vue ce que le sociologue appelle les « fondamentaux » de leur condition nationale.

Le premier chapitre « Aux origines du malaise politique québécois » creuse les origines de ce malaise politique. L'auteur en voit une première cause dans le blocage de la société québécoise coincée entre l'affaissement du projet de pays et l'impossibilité manifeste de réformer le fédéralisme. Cet affaissement du projet de pays serait dû au fait que le courant souverainiste aurait abandonné dans son combat le terrain de l'identité nationale, « vidé la nation de sa culture et de son histoire » (p. 37) et, perverti par l'idéologie de la social-bureaucratie, chercher à refonder la société « sur le principe de l'égalitarisme identitaire » (p. 37). Ce terrain fut un temps récupéré et occupé par l'Action démocratique du Québec (ADQ) (à partir du printemps 2006) mais, explique le sociologue, cette formation politique a échoué la mission que lui avait confiée l'électorat parce qu'elle « ne disposait pas d'un projet politique suffisamment défini » (p. 34).

Peut-être aussi ce courant politique de droite avait-il rapidement montré et atteint ses limites ? En conjuguant la défense de l'identité québécoise au procès de ce que l'auteur appelle la « social-bureaucratie », les Québécois réalisèrent que l'ADQ de Mario Dumont affaiblirait le seul instrument puissant dont ils disposent encore pour, précisément, garantir la pérennité de leur identité, à savoir l'État québécois, et donc, que le discours de l'ADQ était, pour leur identité, dangereux parce que incohérent ?

Le malaise politique québécois serait donc l'expression de la critique de ce bureaucratisme lié à un multiculturalisme envahissant. Ce courant critique serait conservateur et chercherait à se structurer en courant réformateur, mais n'aurait pas encore trouvé son expression politique. Ce courant conservateur prendrait appui sur un déplacement de l'opinion de la lutte constitutionnelle au combat identitaire. Parce que la nation saisirait qu'elle se trouve aujourd'hui devant la nécessité d'un travail acharné pour maintenir ouverte la fenêtre de sa possible indépendance politique. C'est dans cette logique que l'on devrait comprendre la « gouvernance souverainiste » de Pauline Marois ou le dessein de « remettre le Québec en marche » de François Legault. Cette lutte urgente à mener serait le résultat de cette longue hégémonie exercée par une élite progressiste qui a asphyxié l'opinion populaire par son adhésion à la rectitude politique.

Pour sortir de ce cul-de-sac, Bock-Côté propose de remettre en question cinq vecteurs de l'idéologie progressiste que cette dernière a greffé à la condition sociale québécoise : il s'agit du multiculturalisme, de l'école égalitariste, du relativisme moral, du corporatisme qui bloque l'expression populaire et de la social-technocratie qui condamne la croissance économique. La remise en question de ce quintette idéologique est pressante, car elle entrave le réalignement politique, étouffe l'apparition sur l'échiquier politique du conservatisme et produit un univers politique en désharmonie avec son univers sociologique. D'où le malaise politique des Québécois. Surtout que, pour le sociologue, ce mouvement conservateur serait en ce moment « la seule force dynamique qui puisse renouveler le Québec » (p. 51-52).

Le chapitre suivant, « L'échec du souverainisme officiel », avance l'idée que ce type d'indépendantisme édulcoré serait mort. Ce qu'on verrait de lui aujourd'hui sont les spasmes d'un agonisant. Ce souverainisme officiel mourrait de son erreur d'avoir évacué de son discours « toute l'expérience historique du Canada français » (p. 58). Mené par des intellectuels progressistes, le souverainisme officiel aurait conduit le combat de l'indépendance, non seulement contre le Canada anglais, mais contre le Canada français lui-même, un indépendantisme, donc, mais contre le Québec historique. Sous la direction de René Lévesque, ce souverainisme officiel n'aurait pas commis cette erreur. La première élite de ce souverainisme intégrait à son discours et « refusait de disqualifier totalement l'expérience canadienne-française » (p. 67). Et donc, cette première élite souverainiste s'inscrivait dans l'enracinement et non « dans l'imaginaire de la rupture radicale » (p. 68).

Mais quelles seraient donc les variables dans l'équation québécoise qui devraient être changées pour qu'apparaisse chez les Québécois un mouvement authentiquement indépendantiste qui, autre qu'une revendication historique, enracinée mais intempestive à la Tardivel, aurait un fort appui populaire ? Si aucune variable nouvelle n'est introduite dans l'équation d'une nation, si tout devait rester comme avant, l'état futur d'une collectivité ne serait-il pas déjà contenu dans son état présent ? Ne serait-ce pas ce que le peuple québécois a connu entre la rébellion de 1837-1838 et la Révolution tranquille de 1960, les élites traditionnelles jouant le rôle d'un système immunitaire luttant contre les virus de la nouveauté, ce qu'avait constaté Louis Hémon dans son si beau roman, Maria Chapdelaine, « au pays du Québec rien n'a changé. Rien ne changera ».

Après René Lévesque, après la première élite souverainiste partie, ce mouvement aurait dévié de son projet original en associant au souverainisme le progressisme. Il y eut dans cette déviance la perte d'une « épaisseur historique » au profit d'une « fiction social-technocratique » (p. 74). Ce souverainisme « social ou moral » devint, en fait, « un provincialisme amélioré » (p. 79). Cette déviance du parti (Parti québécois) qui incarnait la possibilité de l'indépendance nationale conduisit l'électorat identitaire à se tourner du côté de l'Action démocratique du Québec, puis du côté de l'abstentionnisme ne se reconnaissant plus dans ce souverainisme socio-technocratique, écologique, multiculturel et social-démocrate.

Dans son troisième chapitre, « Petite histoire d'une grande dérive : bilan du Bloc québécois », l'auteur explore cette expérience du Bloc québécois dans l'arène politique fédérale. La critique formulée par l'auteur à l'endroit de ce parti est la même que pour le mouvement souverainiste officiel : « le Bloc, écrit Bock-Côté, avait [...] doublé son engagement souverainiste d'un militantisme progressiste finalement devenu sa raison d'être » (p. 97). Ce qui a conduit un certain électorat moins à rejeter le projet de pays lui-même que ce que le Bloc voulait en faire socialement et culturellement.

L'auteur introduit dans ce chapitre une nouvelle variable à sa critique du mouvement souverainiste. Il reproche au Bloc québécois d'avoir abandonné la thèse des deux peuples fondateurs. « En marquant la rupture avec la conscience historique de la majorité française, on pensait ainsi ouvrir le chantier d'une reconstruction intégrale des contenus et des contours de la nation québécoise » (p. 106).

N'y a-t-il pas toujours rupture à opérer lorsqu'on veut grandir, changer ? N'avons-nous pas en cette circonstance un devoir de lucidité comme nous le conseilla Maurice Séguin dans les années 1960, abandonner ses illusions pour, réintégrant le réel, donner toute la place à notre idéal ? Le peuple canadien-français de 1867 est-il véritablement un peuple fondateur de pays, ou un peuple qui, devant l'inévitable, cherchait à sauver sa peau ?

Pour comprendre le vote de l'électorat québécois aux élections fédérales du 2 mai 2011, le sociologue avance l'idée que le nationalisme bloquiste était, au moment de cette élection, diversitaire et ne pouvait plus justifier l'indépendance nationale. Il se présentait comme « le troisième pilier du progressisme pancanadien » (p. 115) et dans ce contexte, cet électorat « finit par préférer l'original à la copie » (p. 116) en votant néo-démocrate. Et peut-être plus important, le Bloc a peut-être conduit « les Québécois [...] à reconnaître pratiquement une légitimité significative à la souveraineté fédérale sur leur devenir national » (p. 112).

Dans le dernier chapitre «*La question du conservatisme au Québec*» le chercheur veut redonner une place au conservatisme sur l'échiquier politique québécois. Il veut mettre un terme à la censure qu'on exercerait à l'endroit de cette idéologie politique et à son expérience historique. Pour briser cette censure, il commence par rejeter du revers de la main la perception que beaucoup partagent de l'époque Duplessis en la qualifiant de Grande Noirceur. Pour ce chercheur, c'est un mythe, une pure création d'élites progressistes pour justifier le planisme technocratique que ces élites considéraient comme le seul vecteur possible ou valable pour le progrès collectif. Il fallait se débarrasser du vieux fond culturel canadien-français pour reconstruire intégralement une société québécoise toute neuve. Tout le mouvement souverainiste fut travaillé, pense-t-il, par cette contre-culture, le Parti québécois particulièrement, en venant même à confondre émancipation nationale et émancipation sociale. Aujourd'hui, le souverainisme, qui cherche à moderniser son discours en évacuant toute référence «ethnique» pour donner la place à un nationalisme «civique», veut débarrasser la nation de son histoire et laisser la place au multiculturalisme parce que «le vieux monde canadien-français [n'aurait selon les progressistes, pense Bock-Côté] fondamentalement rien à transmettre» (p. 129).

Devant cette hégémonie progressiste (p. 130), Bock-Côté appelle à une résurgence du conservatisme seule force sociale qui, quand elle sera reconnue politiquement, pourra réconcilier deux héritages fondamentaux de la société québécoise, celui du vieux Canada français avec celui de la Révolution tranquille. Dans cette réconciliation, il faudrait réanimer aussi le catholicisme afin de permettre la reconnaissance de l'appartenance du Québec à la civilisation occidentale. Ce programme idéologique ne pourra se réaliser sans que le conservatisme n'investisse les institutions détenues en ce moment par l'idéologie progressiste. Remplacer l'une par l'autre. Le conservatisme se voit donc confier le mandat d'un réenracinement pour une refondation, «un ressaisissement du vieil héritage national pour le réinvestir dans la défense d'une communauté politique assumant la profonde continuité de son existence, et démantelant un consensus progressiste» (p. 148-149).

Doit-on, pour réussir, pratiquer ce qu'on reproche? On se serait attendu, de la part de Mathieu Bock-Côté, plutôt qu'à une proposition d'un hégémonisme de droite, à une proposition où conservatisme et progressisme devraient s'allier dans une coalition indépendantiste la plus large possible afin de permettre à cette coalition de rejoindre tous les nationalismes et penser pouvoir arriver à ce pays qu'il appelle. Le démocrate, selon Albert Camus, est cet homme modeste qui avoue une certaine part d'ignorance et reconnaît qu'il a besoin de consulter les autres pour compléter ce qu'il sait. Il a aussi dit qu'on ne décide pas de la vérité d'une pensée selon qu'elle est à droite ou à gauche et moins encore selon ce que la droite ou la gauche décident d'en faire. La vérité de la nécessaire indépendance politique du peuple québécois est ni à gauche ni à droite, ni chez les conservateurs ni chez les progressistes. Cette vérité loge dans la condition de cette communauté nationale qui, si elle ne choisit pas de devenir une nation politiquement souveraine, mourra. Point, à la ligne.

*

* *

Malgré toutes les critiques, parfois sévères, que nous avons pu formuler à l'endroit de cet essai de Mathieu Bock-Côté, nous considérons ce travail de ce jeune chercheur comme remarquable. Ce livre, et la pensée qui s'y déploie, sont essentiels. Car voilà des propos qui amènent le lecteur au fond des choses. Ils ramènent dans le débat public sur notre question nationale les raisons que nous avons de lutter pour nous maintenir, voire nous épanouir comme peuple, en cherchant à nous donner un État à nous. Ne pas oublier que pour porter ses fruits, un arbre doit être enraciné quelque part. Ne pas oublier que pour prospérer, notre peuple doit être enraciné dans un certain nombre de vecteurs culturels qui font de lui ce qu'il est, qui font qu'il se reconnaît comme Québécois, vecteurs culturels avec lesquels, débarrassé de son provincialisme, il ira débattre au concert des nations. Débattre avec cette humanité dont il est, que cela plaise ou non aux fédéralistes, un de ses membres.

Ce jeune chercheur est admirable lorsque, dans son épilogue, il écrit que l'homme n'est pas une « pure plasticité, disponible [...] pour toutes les expériences idéologiques » (p. 166). Il a sans doute aussi raison d'affirmer que nous ne sommes, en somme, que des héritiers qui transmettons ce monde de génération en génération, de civilisation en civilisation, que nous n'avons « pas le droit de tout reprendre à zéro ». Mais lui-même ne doit pas oublier, comme il l'écrit pourtant, que nous avons « le droit d'innover, de remanier largement l'héritage reçu » (p. 168). Cette nuance figure dans son épilogue. Nuance, malheureusement, que nous n'avons pas aperçue dans le corps de la démonstration. Mais peut-être n'avons-nous pas tout compris.

Recension

# Mario Cardinal, *Pourquoi j'ai fondé* Le Devoir. *Henri Bourassa et son temps*, Montréal, Libre Expression, 2010, 396 p.

MICHEL SARRA-BOURNET
*Chargé de cours en histoire et en science politique*
*Université du Québec à Montréal et Université de Montréal*

Journaliste au *Devoir*, au *Soleil*, à *Maclean's* et à Radio-Canada, Mario Cardinal est retourné aux sources du métier qu'il a exercé pendant près de 50 ans, soit la fondation en 1910 du grand quotidien indépendant Montréal. Il s'y attaque en cernant les motivations de son fondateur, Henri Bourassa (1868-1952), journaliste, politicien, mais surtout homme de principes, qui veillait au respect de ses valeurs religieuses, morales et nationalistes et qu'il décrit comme « un incorruptible qui s'est battu pour un Canada indépendant au péril de ses amitiés » (p. 11), notamment celle de Wilfrid Laurier.

L'intérêt de l'auteur pour l'histoire du Québec et du Canada est bien connu. Jeune retraité, il a été le rédacteur en chef de la série *Le Canada, une histoire populaire*. Il a aussi publié des livres sur l'Union nationale, Paul Gérin-Lajoie et le référendum de 1995. Mais le présent ouvrage lui a procuré un plaisir particulier car il lui a permis, écrit-il, d'effectuer un « pèlerinage dans mes nostalgies » (p. 9).

Cardinal se défend d'avoir réalisé une biographie historique, parce que son livre ne couvre que la vie active de Bourassa jusqu'à 1932 et qu'il estime n'avoir pas suffisamment traité de certains sujets ou d'en avoir carrément omis d'autres. Pire à ses yeux, il s'avoue coupable d'avoir « ajouté » certains passages. En effet, empruntant aux techniques d'écriture du roman historique, il invente des dialogues à partir d'écrits ou de discours du grand homme. Mais ces fautes avouées sont bien rapidement pardonnées, tant l'ouvrage y gagne en réalisme.

La première partie du livre se concentre sur l'homme, et traite d'abord de la jeunesse et la famille immédiate d'Henri Bourassa. Son père, Napoléon Bourassa, était un peintre et décorateur originaire du village de L'Acadie. C'est en visitant son frère Auguste-Médard Bourassa, o. m. i., installé en Outaouais, que Napoléon avait rencontré Marie-Azélie Papineau, fille de Louis-Joseph, seigneur de la Petite-Nation, qui faillit lui refuser sa main. Mais l'union eut lieu et produisit cinq enfants, dont Henri fut le dernier.

Dès les premiers chapitres, plusieurs traits du personnage sont bien définis. On est notamment à même d'apprécier le legs de son père, l'esprit d'indépendance et le goût de l'absolu, et celui de sa mère, qui tendait au scrupule religieux. Cette dernière, dont la santé était fragile, succomba alors qu'Henri n'avait que sept mois. L'influence religieuse fut donc relayée par sa tante Ézilda qui lui inculqua le culte de Mgr Bourget mais aussi, curieusement, la haine des conservateurs ! D'ailleurs, l'affaire Riel battit son plein lorsqu'il n'avait que 18 ans. Et elle le marqua profondément.

En 1886, Bourassa retourna à Montebello, où sa famille allait plus rarement depuis la mort de Papineau quinze ans auparavant. Il s'occupa de la succession de son grand-père, travailla la terre de son père, et lut beaucoup, du Louis Veuillot notamment. En 1890, il fut élu maire à 21 ans puis, en 1892, il acheta un journal franco-ontarien, l'*Interprète*, qu'il rapatria au Québec et réussit à exploiter quelques années. L'essentiel de sa formation, largement autodidacte, était alors complète.

Bien qu'il ait eu l'occasion de prouver ses talents politiques au niveau municipal et comme orateur en appui à d'autres candidats, « le meilleur orateur de sa génération » selon l'auteur (p. 75), la carrière de Bourassa prit son véritable envol avec son élection comme député fédéral libéral de Labelle en 1896. L'homme public prit néanmoins le temps d'épouser, en 1905, une lointaine cousine, Joséphine Papineau, qui lui donnera huit enfants. La chronique des premières années du XXe siècle reconstitue bien ce que pouvait être le quotidien de Bourassa.

La deuxième partie de l'ouvrage couvre essentiellement les années 1910, les premières du quotidien *Le Devoir*. Au cœur de l'entreprise, une volonté d'indépendance par rapport aux partis politiques et à leurs amis fortunés. Ainsi se posera dès le départ le problème du financement, qui hantera l'institution pendant près d'un siècle. Ici, ce sont les moments cruciaux de la naissance du journal qui sont illustrés à l'aide de conversations fictives avec d'autres intellectuels hors du commun, Olivar Asselin, qui y fera un bref passage, mais le plus souvent avec son fidèle collaborateur de toutes ces années, Omer Héroux. On n'y manque pas d'éclairer le rôle de Bourassa auprès de la Ligue nationaliste dont il fut l'inspirateur sans en être le fondateur, et son implication dans l'élection de 1911, lorsqu'il appuya la candidature de conservateurs-nationalistes, ce qui fit perdre plusieurs sièges aux libéraux de Laurier. Bourassa prouva à répétition qu'il n'était pas homme de partis, mais ses volte-face lui occasionnèrent bien des soucis financiers, mais ne suffiront pas à entamer son intégrité. Pendant la Grande Guerre, il eut toutefois du mal à expliquer sa position nuancée et parfois changeante, ce qui lui amena bien des inimitiés.

La troisième partie du livre rompt le récit chronologique. En dix chapitres, Cardinal reprend les grands axes de la pensée de Bourassa, à travers les plus importants combats de sa carrière politique. Le changement de rythme peut déstabiliser le lecteur dans un premier temps, mais on voit rapidement l'avantage de regrouper au sein de chapitres distincts les thèmes qui furent les idées-forces de la carrière du personnage plutôt que d'en faire des mentions éparses. Le choix entre le chronologique et le thématique est un dilemme toujours présent en histoire. Chaque auteur a sa manière propre de résoudre l'équation en évitant le plus possible les répétitions. Ici, l'auteur y parvient très bien.

Toutefois, est-ce par inattention qu'en quelques pages (p. 198-200), il cite trois fois Laurier qui affirme que « lorsque la Grande-Bretagne est en guerre, le Canada l'est également » ? Ou ne serait-ce pas plutôt parce qu'il s'agit d'une des problématiques centrales des luttes de Bourassa ? « L'impérialisme consiste, pour nous, à tout donner et à ne rien recevoir » (p. 211), avait-il déclaré en 1902 devant la Chambre des Communes. Cet engagement anti-impérialiste de Bourassa était intimement lié à sa défense d'une idée binationale de la patrie, que les événements de l'époque battaient en brèche. Les droits scolaires des franco-catholiques furent mis à mal dans une province et un territoire après l'autre au nom d'une vision « britannique » du Canada. Ne voyait-il pas se profiler dans les provinces anglaises du Canada le sort qui guettait les minorités franco-américaines qu'il avait aussi défendues ?

Le troisième cheval de bataille de Bourassa est visible dans son passage à l'Assemblée législative du Québec où, entre 1908 et 1912, il combattit la corruption du régime libéral. Héritier de la pensée nationaliste traditionnelle qui valorisait l'occupation du sol par les Canadiens français, il dénonça l'influence indue des exploitants forestiers sur les politiques de colonisation au détriment des agriculteurs. Au bout du compte, l'intégrité d'Henri Bourassa et l'aversion qu'il éprouvait à l'égard des partis l'auront empêché d'accéder aux plus hautes fonctions. Mais l'influence qu'il exerça ne valait-elle pas davantage que le pouvoir qu'il aurait exercé au sein d'un cabinet d'inspiration britannique ?

Dans les derniers chapitres de l'ouvrage, l'auteur cherche à cerner l'essence du personnage. Par exemple, il organise une confrontation avec un autre éditeur de journal, Jules-Paul Tardivel, l'ultramontain aux idées séparatistes. Mais l'intérêt de cette dernière partie réside beaucoup dans la réflexion qu'elle inspire sur l'articulation entre la pensée politique de Bourassa et sa foi religieuse. Le virage «mystique» de Bourassa dans les années 1920, et son retrait presque complet de la vie politique, a maintes fois été présenté comme une conséquence de sa rencontre avec le Pape Pie XI, qui découragea son nationalisme. Mais comme rien n'est univoque en histoire, Cardinal attire notre attention sur le fait qu'en 1919, Bourassa était devenu veuf, avec la charge de huit enfants de 3 à 12 ans. Mais ne faut-il pas risquer une troisième hypothèse? Les événements qui avaient nourri ses combats, de la Guerre des Boers jusqu'au Règlement 17, n'ont-ils pas finalement pesé trop lourd? Son incapacité à faire le deuil du Canada dont il avait rêvé ne l'a-t-il pas acculé à l'impasse, si bien que beaucoup de nationalistes se sont tournés vers Lionel Groulx?

La grande force de Mario Cardinal réside dans son écriture. Son ouvrage ne se base pas sur de nouvelles sources historiques, mais son récit de la vie de Bourassa met davantage en lumière l'homme derrière les discours. Pour placer l'action dans son contexte historique, il n'a presque pas eu recours aux dates. Lorsque le besoin s'est fait sentir, il a pris le temps de rappeler les antécédents des questions abordées par Bourassa. On y perd peut-être en exactitude, mais pas en compréhension. Tout historien vous dira que les dates sont accessoires. Elles ne sont que des points de repère. Ce qui compte, c'est de bien comprendre l'enchaînement des causes. Toutefois, les limites de l'histoire-science sont dépassées par le recours à la fabrication de conversations fictives, étant donné que le lecteur ne peut plus distinguer ce qui est historiquement vrai. Mais vu la petite communauté d'historiens, et l'essoufflement de l'histoire politique, il est heureux que nous ayons des journalistes pour garder en vie le genre biographique.

# Parutions récentes

Par Sébastien Vincent

Beaudoin, Réjean, *D'un Royaume à l'autre. Essai sur Pierre Vedeboncoeur*, Montréal, Leméac, 2012, 229 p.

Bessière, Arnaud, *La Contribution des Noirs au Québec. Quatre siècles d'une histoire partagée*, Québec, Publications du Québec, 2012, 176 p.

Boorstin, Daniel J., *Le Triomphe de l'image. Une histoire des pseudo-événements en Amérique*, traduit de l'anglais par Mark Fortier, Montréal, LUX éditeur, 2012, 336 p.

Bouchard, Chantal, *Méchante langue. La légitimité linguistique du français parlé au Québec*, Montréal, PUM, coll. « Nouvelles études québécoises », 2012, 178 p.

Donaghy, Greg et Stéphane Roussel (dir.), *Mission Paris. Les ambassadeurs du Canada en France et le triangle Ottawa-Québec-Paris*, Montréal, Hurtubise, coll. « Cahiers du Québec : Science politique », 2012, 216 p.

Fabre, Gérard, *Entre Québec et Canada. Le dilemme des écrivains français*, Montréal, VLB éditeur, coll. « Études québécoises », 2012, 176 p.

Fahmy, Miriam (présente), *L'État du Québec 2012*, Montréal, Boréal, 2012, 516 p.

Francis, Daniel, *Le Péril rouge. La première guerre canadienne contre le terrorisme (1918-1919)*, traduit de l'anglais par François Tétreau, Montréal, LUX Éditeur, 2012, 274 p.

Gobeil, Stéphane, *Un Gouvernement de trop*, préface de Jean-François Lisée, Montréal, VLB éditeur, 2012, 184 p.

Grenier, Benoît, *Brève histoire du régime seigneurial*, Montréal, Boréal, 2012, 248 p.

Harel, Simon et Isabelle St-Amand (dir.), *Les Figures du siège au Québec. Concertation et conflits en contexte minoritaire*, Québec, PUL, coll. « Intercultures », 2012, 318 p.

Herman, Edward S. et David Peterson, *Génocide et propagande. L'instrumentalisation politique des massacres*, traduit de l'anglais par Dominique Arias, avant-propos de Noam Chomsky, Montréal, LUX Éditeur, 2012, 184 p.

Jacques, Daniel D., *La Mesure de l'homme*, Montréal, Boréal, 2012, 720 p.

Laroche, Josepha, *La Brutalisation du monde. Du retrait des États à la décivilisation*, Montréal, Liber, 2012, 188 p.

Lavigne, Alain, *Duplessis, pièce manquante d'une légende. L'invention du marketing politique*, Québec, Septentrion, 2012, 200 p.

Lemire, Jonathan, *Portraits de Patriotes, 1837-1838. Œuvres de Jean-Joseph Girouard*, Montréal, VLB éditeur, 2012, 264 p.

Livernois, Jonathan, *Un Moderne à rebours. Biographie intellectuelle et artistique de Pierre Vadeboncoeur*, Québec, PUL, coll. « Cultures québécoises », 2012, 368 p.

Louvier, Patrick, Julien Mary et Frédéric Rousseau, *Pratiquer la muséohistoire. La guerre et l'histoire au musée, pour une visite critique*, Outremont, Athéna Éditions / Montpellier, C.R.I.S.E.S, 2012, 271 p.

Marchand, Suzanne, *Partir pour la famille. Fécondité, grossesse et accouchement au Québec (1900-1950)*, Québec, Septentrion, 2012, 270 p.

Nerich, Laurent, *La petite guerre et la chute de la Nouvelle-France*, Montréal, Athéna éditions, 2009, 237 p.

Niget, David et Martin Petitclerc (dir.), *Pour une histoire du risque. Québec, France, Belgique*, Montréal, PUQ, 2012, 336 p.

Nootens, Thierry et Jean-René Thuot (dir.), *Les Figures du pouvoir à travers le temps. Formes, pratiques et intérêts des groupes élitaires au Québec, 17e – 20e siècles*, Québec, PUL, coll. « Cahiers du CIEQ », 2012, 112 p.

Panneton, Jean-Charles, *Pierre Laporte*, Québec, Septentrion, 2012, 445 p.

Pelletier, Réjean (dir.), *Les Partis politiques québécois dans la tourmente. Mieux comprendre et évaluer leur rôle*, Québec, PUL, coll. « Prisme », 2012, 420 p.

Racine, Jean-Claude, *La Condition constitutionnelle des Canadiens. Regards comparés sur la réforme constitutionnelle de 1982*, Québec, PUL, coll. « Prisme », 2012, 220 p.

Rousseau, Louis (dir.), *Le Québec après Bouchard-Taylor. Les identités religieuses de l'immigration*, Montréal, PUQ, 2012, 414 p.

Roy, Martin, *Une Réforme dans la fidélité. La revue* Maintenant *(1962-1974) et la « mise à jour » du catholicisme québécois*, Québec, PUL, coll. « Cultures québécoises », 2012, 334 p.

Smith, Frédéric, *« La France appelle votre secours ». Québec et la France libre, 1940-1945*, Montréal, VLB éditeur, coll. « Études québécoises », 2012, 296 p.

Warren, Jean-Philippe (dir.), *Une Histoire des sexualités au Québec au XXe siècle*, Montréal, VLB éditeur, coll. « Études québécoises », 2012, 296 p.

## Invitation à faire partie de l'AQHP

Le 10 avril 1992, une trentaine de personnes ont fondé l'Association québécoise d'histoire politique lors d'une assemblée tenue à l'Université du Québec à Montréal, convoquée par Robert Comeau du département d'histoire.

Nous vous invitons à adhérer dès maintenant à cette association qui regroupe des chercheurs, des enseignants, des journalistes, des archivistes, des politologues et des historiens, dont les objectifs sont les suivants :

1. promouvoir l'histoire politique auprès des organismes publics et privés, des milieux d'enseignement et de recherche, et dans la société en général ;
2. favoriser les recherches et la publication de travaux en histoire politique ;
3. favoriser le dialogue entre chercheures et chercheurs de divers horizons, entre celles et ceux qui ont fait et qui font l'histoire, dans un cadre de collaboration et d'ouverture ;
4. organiser des activités publiques sur une base non partisane par divers moyens, par exemple des colloques, des débats, des soupers-causeries (les lundis de l'AQHP).

## Adhésion et abonnement

Pour devenir membre et vous abonner au *Bulletin d'histoire politique*, libellez votre chèque à l'ordre de l'AQHP et faites-le parvenir à :

Association québécoise d'histoire politique (AQHP)
a/s de Pierre Drouilly, Département de sociologie
UQAM, C.P. 8888, succursale Centre-ville
Montréal (Québec) H3C 3P8

Membres réguliers : 55 $
Étudiants : 40 $
Institutions : 75 $

## Vente au numéro

Les anciens numéros et les numéros courants du *Bulletin d'histoire politique* sont en vente auprès de l'AQHP: les numéros disponibles sont vendus 20 $.

Note: les volumes 1 à 18 sont épuisés.

Vol. 1 (1992-1993)

Vol. 2 (1993-1994)

Vol. 3, no. 1: «Les intellectuels et la politique dans le Québec contemporain» (automne 1994)

Vol. 3, no. 2: «L'histoire du Québec revue et corrigée» (hiver 1995)

Vol. 3, no. 3/4: «La participation des Canadiens français à la Deuxième Guerre mondiale: mythes et réalités» (printemps-été 1995)

Vol. 4, no. 1: «Québec: le pouvoir de la ville et la ville du pouvoir» (automne 1995)

Vol. 4, no. 2: «Y a-t-il une nouvelle histoire du Québec?» (hiver 1996)

Vol. 4, no. 3: «Bilan du référendum de 1995» (printemps 1996)

Vol. 4, no. 4: «Histoires du monde: Allemagne, Japon, Italie, États-Unis, France» (été 1996)

Vol. 5, no. 1: «L'enseignement de l'histoire au Québec» (automne 1996)

Vol. 5, no. 2: «Les anglophones du Québec à l'heure du plan B» (hiver 1997)

Vol. 5, no. 3: «Mémoire et histoire» (printemps 1997)

Vol. 6, no. 1: «L'histoire sous influence» (automne 1997)

Vol. 6, no. 2: «Question sociale, problème politique: le cas du Québec de 1836 à 1939» (hiver 1998)

Vol. 6, no. 3: «Genèse et historique du gouvernement responsable au Canada» (printemps 1998)

Vol. 7, no. 1: «Les Rébellions de 1837-1838 au Bas-Canada» (automne 1998)

Vol. 7, no. 2: «Vichy, la France libre et le Canada français» (hiver 1999)

Vol. 7, no. 3: «Les sciences et le pouvoir» (printemps 1999)

Vol. 8, no. 1: «Instantanés de la vie politique aux États-Unis» (automne 1999)

Vol. 8, no. 2/3: «L'histoire militaire dans tous ses états» (hiver 2000)

Vol. 9, no. 1: «Présence et pertinence de Fernand Dumont» (automne 2000)

Vol. 9, no. 2: «Les années 1930» (hiver 2001)

Vol. 9, no. 3: «Art et politique» (printemps 2001)

Vol. 10, no. 1: «Les nouvelles relations internationales» (automne 2001)

Vol. 10, no. 2: «Corps et politique» (hiver 2002)

Vol. 10, no. 3: «Folie et société au Québec, XIX^e^-XX^e^ siècles» (printemps 2002)

Vol. 11, no. 1: «La mémoire d'octobre: art et culture» (automne 2002)

Vol. 11, no. 2: «Sport et politique» (hiver 2003)

Vol. 11, no. 3 : « Les débats parlementaires » (printemps 2003)
Vol. 12, no. 1 : « Les Patriotes de 1837-1838 » (automne 2003)
Vol. 12, no. 2 : « Le Rapport Parent » (hiver 2004)
Vol. 12, no. 3 : « La philosophie politique » (printemps 2004)
Vol. 13, no. 1 : « Histoire du mouvement m.-l. au Québec 1973-1983 » (automne 2004)
Vol. 13, no. 2 : « Humour et politique » (hiver 2005)
Vol. 13, no. 3 : « La laïcité au Québec et en France » (printemps 2005)
Vol. 14, no. 1 : « Rituels et cérémonies du pouvoir du XVI^e^ au XXI^e^ siècle » (automne 2005)
Vol. 14, no. 2: « Culture démocratique et aspirations populaires au XIX^e^ siècle » (hiver 2006)
Vol. 14, no. 3 : « Le rapport Lacoursière, dix ans plus tard » (printemps 2006)
Vol. 15, no. 1 : « Sexualité et politique » (automne 2006)
Vol. 15, no. 2 : « Débat sur le programme d'enseignement de l'histoire au Québec » (hiver 2007)
Vol. 15, no. 3 : « Les quinze ans du *Bulletin d'histoire politique* » (printemps 2007)
Vol. 16, no. 1 : « Les 50 ans du Rapport Tremblay » (automne 2007)
Vol. 16, no. 2 : « Les mouvements étudiants des années 1960 » (hiver 2008)
Vol. 16, no. 3 : « Homosexualités et politique : Québec et Canada » (printemps 2008)
Vol. 17, no. 1 : « L'Expo 67, 40 ans plus tard » (automne 2008)
Vol. 17 no. 2 : « Le Québec et la Première Guerre mondiale 1914-1918 » (hiver 2009)
Vol. 17, no. 3 : « L'idée de république au Québec » (printemps 2009)
Vol. 18, no. 1 : « La gouvernance en Nouvelle-France » (automne 2009)
Vol. 18, no. 2 : « Homosexualités et politique en Europe » (hiver 2010)
Vol. 18, no. 3 : « Le Québec, l'Irlande et la dispora irlandaise » (printemps 2010)
Vol. 19, no. 1 : « Le cinéma politique de Pierre Falardeau » (automne 2010)
Vol. 19, no. 2 : « La gauche au Québec depuis 1945 » (hiver 2011)
Vol. 19, no. 3 : « Pierre-Stanislas Bédard : la crise de 1810 et les débuts de la démocratie parlementaire » (printemps 2011)
Vol. 20, no. 1 : « Cinquante ans d'échanges culturels entre la France et le Canada-français : 1910-1960 » (automne 2011)
Vol. 20, no. 2 : « Les femmes en politique québécoise depuis 50 ans » (hiver 2012)
Vol. 20, no. 3 : « Guerres mondiales et cinéma au Québec » (printemps 2012)

Pour contacter Valérie Lapointe-Gagnon et Michel Sarra-Bournet, responsables des recensions, adressez un courriel à: valerie.lapointe-gagnon@ulaval.ca et michelsarrabournet@hotmail.com

Pour contacter Sébastien Vincent, reponsable de la compilation des nouvelles parutions, adressez un courriel à: svincent16@hotmail. com

Pour un changement d'adresse d'un abonné, adressez un courriel à: info@bulletinhistoirepolitique.org

Pour soumettre des textes, veuillez communiquer avec Robert Comeau et Stéphane Savard, co-directeurs du *Bulletin d'histoire politique*: direction@bulletinhistoirepolitique.org

Pour rejoindre Robert Comeau:
comeau.robert@sympatico.ca

Pour rejoindre Stéphane Savard:
savard.stephane@uqam.ca

Site internet: www.bulletinhistoirepolitique.org

## Règles de présentation des manuscrits

Les manuscrits doivent être soumis par courriel aux co-directeurs, de préférence en format Word, à l'adresse suivante: direction@bulletinhistoire politique.org.

De manière générale, veuillez présenter votre texte avec un formatage minimal:

- fonte suggérée: Helvetica, 12 points, interligne un et demi, pas de retrait, 6 po de large (marges de 1,19 po), marges de 1 po en haut et en bas;
- n'utilisez pas d'espaces insécables, ni de tirets conditionnels;
- ne mettez pas d'espace avant les points-virgules, deux-points, ou », ni après le «. Ne mettez pas de double espace après le point;
- utilisez l'apostrophe française (') et non l'apostrophe anglaise ('), ainsi que les guillemets français («et») et non les guillemets anglais («) pour les citations;
- n'utilisez pas d'en-tête, ni de bas de page;
- les notes, numérotées à partir de 1, doivent avoir une référence automatique et figurer à la fin du texte;
- les titres de livres, de revues et de journaux doivent être en italique;
- effectuez une correction orthographique automatique afin de corriger les erreurs de frappe;
- ne pas inclure de bibliographie;
- sauf à la demande du comité éditorial, le *Bulletin* n'acceptera pas d'autres versions des textes déjà soumis;
- le *Bulletin* préfère publier des articles courts pour aborder une grande diversité de thèmes. Tout article dépassant 4000 mots pourra être refusé d'emblée.

Pour s'abonner au *Bulletin d'histoire politique* de l'Association québécoise d'histoire politique (AQHP), retournez cette page avec votre chèque fait à l'ordre de l'AQHP à :

Pierre Drouilly

Département de sociologie

Université du Québec à Montréal

CP 8888, Montréal (QC), H3C 3P8

Nom : ____________________________________________

Adresse postale : ______________________________________

____________________________________________

Adresse courriel : ______________________________________

Abonnement 2011-2012 (vol. 20, nº 1, nº 2, nº 3) : ☐

Abonnement 2012-2013 (vol. 21, nº 1, nº 2, nº 3) : ☐

55 $ pour 3 numéros (régulier)

40 $ pour 3 numéros (étudiants)

75 $ pour 3 numéros (institutions)

Le nº 1 paraît en septembre, le nº 2 en janvier et le nº 3 en avril.

ROBERT AIRD
ANDRÉ PATRY
ET LA PRÉSENCE DU QUÉBEC
DANS LE MONDE
ROBERT AIRD
ANDRÉ PATRY
vlb éditeur
vlb éditeur
André Patry, 1922-2012
vlb éditeur
Une société de Québecor Média